Caersaint

Caersaint

Angharad Price

y Lolfa

Argraffiad cyntaf: 2010
Ail argraffiad: 2011

Dymuna'r cyhoeddwyr gydnabod cymorth ariannol
Cyngor Llyfrau Cymru

Cynllun y clawr: Andy Dark

Rhif Llyfr Rhyngwladol: 978-1-84771-171-7

Cyhoeddwyd ac argraffwyd yng Nghymru
gan Y Lolfa Cyf., Talybont, Ceredigion SY24 5HE
gwefan www.ylolfa.com
e-bost ylolfa@ylolfa.com
ffôn 01970 832 304
ffacs 832 782

I
Patrick McGuinness,
ac er cof am
Emyr Price (1944-2009)

… Ffydd, gobaith, cariad pur a medd

A phob rhyw drefol fraint.

DIOLCHIADAU

Diolch i Jerry Hunter, Alun Jones, Sian Owen ac Angharad
Tomos am eu sylwadau gwerthfawr ar y nofel hon cyn iddi gael ei
chyhoeddi, i Lefi Gruffudd yng ngwasg Y Lolfa am ei gydweithrediad
parod ac i Andy Dark am glawr ysbrydoledig arall.

Cefais ysgoloriaeth gan yr Academi Gymreig a'm galluogodd
i gychwyn ysgrifennu, a hoffwn ddiolch i Ysgol y Gymraeg,
Prifysgol Bangor am fy rhyddhau o'm gwaith darlithio yn
ystod y cyfnod hwnnw.

Ni fyddwn wedi gallu cwblhau'r nofel hon heb gefnogaeth lwyr fy
mam, Mair, ynghyd â gweddill fy nheulu, a heb gwmni Osian a Mari
(pan nad oeddwn yn ysgrifennu).

1

'FOLLY' FUASAI'R GAIR Saesneg. Doedd dim enw
Cymraeg arno fo, ond 'castall smal' fyddai'r saint yn ei
ddweud. A hwnnw oedd y peth cyntaf a welais ar ôl camu
oddi ar y bws Arriva ar Ffordd Bethlehem a throi i mewn
am Brynhill.

Doedd Stryd Victoria heb newid. Rhes o dai gwelw, a
ffenest ffrynt ambell dŷ yn anghymesur, yn hen ffenest siop.
Dim ond Gwyrfai Stores a'r siop jips oedd ar ôl (a chymryd
bod y rheiny'n dal i fynd), ond hon oedd 'stryd fawr' Brynhill
o hyd. Rhodfa gul ac arni bonciau arafu, yn mynd yn syth i
lawr dros bont y ffordd osgoi at ganol Caersaint, er nad oedd
golwg o'r dref o fan hyn, na'r dibyn concrid a ddôi rhyngddi
a Brynhill.

Ymadawodd y bws tua Bethlehem, a'm gadael mewn
cwmwl o fwg. Camais ohono, rhoi fy mreichiau trwy harnais
y sach gefn, adfer fy nghydbwysedd, a dechrau cerdded. Ac
er mwyn sadio, hoeliais fy sylw ar y castell smal ar ben bryn
Coed Elen.

Smal oedd y gair, hyd yn ocd heb i chi weld y castell arall,
yr un go iawn. Roedd yna rywbeth plentynnaidd amdano.
Rhywbeth gwneud. Twr sgwâr a chanddo rimyn castellog,
a derwen gron fel ffan agored wrth ei ymyl, a chefn buwch
dinsgwar yn eu cyplysu.

Doedd y graffiti ddim i'w gweld o fan hyn. Enwau
cariadon a gelynion Caersaint, cenedlaethau o hiro-dins,
wedi eu peintio a'u crafu dros y muriau llwyd ar bnawniau
ysgol a nosweithiau haf. Roedd fy enw fy hun yn eu plith
yn rhywle.

Daeth sgrech brêcs car i hel yr atgofion ymaith. Corn yn canu. Fi oedd ar fai, fel arfer, yn hogyn byrbwyll, yn camu'n ddifeddwl i Stryd Elinor.

Bagiais yn ôl ar y palmant a sbio ar led ar y dwrdiwr yn ei Range Rover arian. Disgynnodd y ffenest, ac o'r lled-dywyllwch ymddangosodd wyneb dyn yn ei dridegau wedi'i wisgo mewn crys drud, glas:

'Deffra, ffŵl, a sbia lle ti'n mynd!'

Edrychais arno heb wybod sut i ateb. Gan synhwyro fy nryswch, llaciodd y dyn ei wefus ac ymroi yn braf i ffraeo:

'Mae dy ben di yn y cymyla! Lwcus 'mod i o gwmpas fy mhetha, neu dan yr olwynion fasat ti.'

Daliais i edrych arno. Ac er nad oedd ond rhyw ddeng mlynedd yn hŷn na mi, roedd o bron yn dadol wrth anwesu llyw'r Range Rover a dweud:

'Dydi'r ceir yma ddim yn betha i chwarae efo nhw.'

Disgynnodd hen warth yr hogyn drwg amdanaf. Codais fy nwylo at strapiau'r sach gefn, a chau fy nyrnau gan deimlo chwys cledrau fy nwylo'n tampio'r poliester.

Roedd yna ddisgwyl i mi ymddiheuro, fel erioed. Ond roedd ei amser yn brin, a bodlonodd gyrrwr y Range Rover yn y diwedd ar roi siars o sedd uchel ei gar:

'Sbia be ti'n neud o hyn ymlaen. Fedra i ddim bod yn gyfrifol am nerth y car yma.'

Ac fel petai newydd fy anrhegu, ychwanegodd:

'Ella na fyddi di mor lwcus y tro nesa.'

Ciliodd yn ôl at y llyw. Caeodd y ffenest a ffurfio sgrin niwlog rhyngom. Refiodd injan y Range Rover deirgwaith cyn iddo symud yn ei flaen i fyny rhiw serth Stryd Elinor, a finnau'n darllen y gair 'Vogue' ar ei gefn, a'r plât-rhif personol, 'MED 10'. Heb frecio trodd y gornel at Ddwyrain Brynhill.

Roedd pethau'n newid. Nid ceir fel hyn oedd ar strydoedd Brynhill yn nyddiau Arfonia.

Roedd cledrau fy nwylo'n wlyb, a haul Sul olaf Medi'n peltio fy nhalcen. Croesais at ochr draw Stryd Elinor i swatio yng nghysgod ei thai rhes a'u waliau gro, a dechrau dringo fy hun, i ganlyn y Range Rover arian at ein stryd ni.

Gwaith caled oedd cyrraedd adref! Stryd Elinor oedd y serthaf o holl strydoedd Brynhill, ac wrth ddod at ei brig roedd esgyn yn anodd. Heddiw, er nad oedd pwysau mawr ar fy sach gefn, rhaid oedd ymgrymu i gadw cydbwysedd. Erbyn cyrraedd pen yr allt roeddwn bron ar fy mhedwar.

Pan sythais o'r diwedd, gyferbyn ag ysgol Sant John Jones, roedd fy nghalon yn dyrnu a chwys yn tarddu. Tynnais y sach oddi ar fy nghefn a'i rhoi i lawr wrth fôn arwydd enw'r stryd, gan oedi i gymryd fy ngwynt dan un o fasarn coch Dwyrain Brynhill. Syllais ar yr ysgol Gatholig, a synnu am funud wrth weld y lluniau yn y ffenest: dwy wrach a dau ddewin, ynghyd â Sali Mali a'i jac-do amddifad.

Trois fy ngolygon tuag at y lleiandy, cyn i'r atgofion fy nal. Roedd hwnnw hefyd wedi ei adnewyddu. Gro pinc wedi'i chwipio dros y waliau, a ffenestri PVC yn gwatwar yr hen ymylon pren.

Camais yn nes, allan o gysgod y goeden ond heb adael y palmant, a chulhau fy llygaid yng ngolau'r haul. Cadarnhawyd f'amheuon. Roedd y Fam Agnes a'r chwiorydd wedi hen fynd, a'r lleiandy wedi ei drosi'n ddau dŷ byw, a 'Bryn Hyfryd' a 'Bryn Dedwydd' wedi eu hysgythru ar lechen bob ochr i'r giât, enwau a gydweddai â gweddill tai'r stryd.

Aeth yr haul dan gwmwl, a chreu ias trwy'r chwys ar fy ngwar. Tawodd y byd am eiliad. Yna, yn sydyn, o frig to'r lleiandy, daeth udo gyddfol gwylan i chwalu'r llonyddwch. Ysgytiwyd fi gan ei galarnad a chiliais yn ôl dan gangau'r goeden goch. Doedd dim diben tindroi ar ôl dŵad mor bell â hyn. Gosodais fy hun eto yn harnais fy sach, a chamu i'r canllath olaf. Heibio i Benybryn ac Awelfryn. Ac yna sefyll eto. Roedd yr olygfa'n gofyn hynny. Yn y bwlch rhwng Awelfryn a Heulfryn gloywai toeau llechi Caersaint yn haul trothwy'r hydref, gan ymestyn fel carthen rychiog, borffor at odreon glas Moel Eilio a Mynydd Eliffant. Cipiwyd fy ngwynt am funud. Ym mywyd llwyd y blynyddoedd diwethaf anghofiais mor hardd oedd hi, fy hen dref rhwng Eryri a'r Iwerydd, Caersaint fy mreuddwydion.

Niwlogodd y llun a chaeais fy llygaid. Doeddwn i ddim yn ôl eto. Trois i wynebu'r stryd, gan gamu dan gangau'r masarn o liw hen waed, heibio Isfryn, nes cyrraedd giât gancredig Arvon Villa.

Rhoddais fy llaw ar y giât a bwrw cip i lawr y stryd, i gyfeiriad eglwys Sant John Jones. Wedi'i barcio y tu allan i'r Plas, gyferbyn â'r eglwys, roedd y Range Rover arian.

Caeodd fy llaw am far uchaf y giât. Teimlais y rhwd yn crensian dan gnawd fy mysedd ac yn disgyn yn gawod at y llawr. A dyna pryd y daeth y llais, a'i gais yn fwy o her nag o gynnig:

'Fedra i neud rhywbath i chdi?'

2

DAETH DYN A chanddo wallt cochlyd, crychlyd allan o ddrws Tremfryn, wedi'i wisgo mewn ofarôl. Trois i'w anwybyddu a gwthio'r giât.

'Mae honna'n stiff.'

Roedd y cymydog yn awr wrth fy ymyl, a'i fawd yn ei fwstásh. Dim ond wal ei ardd oedd rhyngom, a llwyn o rosod lliw machlud haul.

'Y giât dwi'n feddwl.'

Siaradai trwy'i drwyn fel pob sant.

'Ddim yr hen ddynas. Er bod honno reit stiff y tro dwytha i mi ei gweld hi, a hitha wedi cicio'r bwcad ers dyddia.'

Arhosodd i mi chwerthin. Ymbalfalais â'r giât. Roedd rhan uchaf y glicied wedi rhydu'n dwll, bron, a'r bar yn sownd yn y rhigol.

'Waeth i chdi heb, washi. Does 'na neb yna. 'Mond ei llwch hi. Mi gafodd ei chrymetio y diwrnod o'r blaen. Fawr neb yno, medda'r twrna pan ddoth o yma efo'i llwch a'i phapura hi. Ond be ti'n ddisgwyl, a hitha'n gymaint o hen ast oeraidd? Dwi'n synnu bod tân y Crem wedi cydiad.'

Codais fy mhen. Roedd y sioc o orfod siarad – siarad Cymraeg, yn enwedig – yn tagu'r geiriau yn fy ngheg.

'Mi fasat ti'n meddwl y basa hi 'di dewis bedd, basat? A hitha'n agra… ffobig.'

Blinodd y cymydog ar ddisgwyl, ac aeth ei lais yn sydyn yn fwy ymosodol, fel petai fy mudandod yn ei herio.

'Dan ni ddim isio dy racsyn di, eniwe! Free trial, myn uffar i. Does 'na ddim byd i'w gael am ddim heddiw. Yn enwedig gen Babs.'

Pwyntiai ataf â'r mỳg gwag yn ei law, a'r geiriau 'I love you, does it show?' wedi'u printio arno, a'r llythrennau wedi'u hanner golchi ymaith.

'Gwranda, washi. Deud wrth dy fòs mai yn Llundan mae'r gutter press i fod, dim Caersaint. Hi a'i blydi sgandals. Mi fasa'i thaid hi'n troi yn ei fedd tasa fo'n gweld y sothach mae hi'n ei brintio. Ti'n clywad?'

Doeddwn i ddim yn deall. Tybiodd yntau ei fod wedi fy nal, a daeth golwg awdurdodol i'w lygaid.

'Be dwi'n ei ddeud ydi hyn. Mi farwodd y *Llais* yn naturiol ar yr adag iawn. Doedd 'na ddim mwy o niws yn Gaersaint. I be gei di lais, a chditha efo dim byd i'w ddeud? Wedyn, doedd o'n ddim busnas iddi hi roid y kiss of life i'r papur. Asu gwyn, tydi o ddim yn ddigon ei bod hi'n rhoid y kiss of death i bob sant yn y lle 'ma?'

'Sôn am Barbara Hincks ydach chi?'

Rhuthrodd y geiriau heb i mi fy rheoli fy hun.

'Pwy?' meddai yntau.

Disgleiriai'r haul yn gylch o olau ar ei gorun moel, a hwnnw'n symud wrth iddo fwrw ei wyneb tuag ataf.

'Babs Inc.'

'Ia, siŵr.'

'Ond dydw i ddim yn gweithio i honno,' daeth y gwadu'n reddfol ac yn frwd.

'I bwy gythral wyt ti'n gweithio, ta?'

'Fi? Neb. Ar y funud.'

'Neb?'

Agorodd boced frest ei ofarôl, gan dynnu sbectol ohoni a cholyn un goes wedi'i drwsio ag elastoplast pinc. Edrychodd drwyddi yn gyntaf, ac yna drosti, yna drwyddi eto. Crebachodd ei wyneb.

'Dim hogyn papur newydd wyt ti?'

'Hogyn papur newydd? Dwi 'di gadal ysgol ers deng mlynadd.'

Ochrgamodd i archwilio fy sach gefn.

'Dim y chdi sy wedi bod yn stwffio *Llais y Saint* trwy'n twll llythyra ni bob dydd Llun mis yma?'

Roedd ei huodledd yn araf ddarfod. Tynnodd ei sbectol a rhwbio'i lygaid yn galed efo'i fys a'i fawd, fel petai'n cyhuddo'i olwg o fod wedi'i dwyllo. Roedd olew a baw wedi staenio'n gylchoedd du o gwmpas ei ewinedd ac wedi treiddio i fân graciau croen ei fysedd, er bod cnawd ei ddwylo wedi ei sgrwbio'n lân.

O'r diwedd plygodd ei sbectol a'i rhoi'n ôl ym mhoced frest ei ofarôl.

'Os nad wyt ti'n hogyn papur, pwy wyt ti, ta? Mi faswn i'n taeru 'mod i 'di dy weld di o'r blaen. Yn rhywla.'

Gan ddal fy llaw ar glicied y giât, carthais fy ngwddw. Roedd y funud wedi dod.

'Fi ydi...'

Ond doedd dweud pwy oeddwn i, wedi cyhyd ac wedi i gymaint ddigwydd, ddim yn beth hawdd.

'Fi sy wedi...'

Crychodd y cymydog ei drwyn wrth fy nghymell.

'Wel, deud, myn cythral i, i fi gael deud helô.'

'Fi sy wedi... etifeddu Arvon Villa.'

'Wedi be?'

'Y tŷ yma. Fi bia fo. Rŵan.'

Yn fy chwithdod teflais fy mhen ymlaen at Arvon Villa. Gwyliodd y cymydog fi a'i enau'n llac.

'O...' daeth rhyw gryndod rhyfedd i'w lais. '*Chdi* wyt ti!'

A chyn cael cadarnhad trodd ei ben a bloeddio ar dop ei lais:

'Miriam! Mae o wedi dŵad!'

Gwasgodd y cyffro ei lais yn wich.

'Miriam! Gad lonydd i'r brasys 'na! Mi geith yr ysbryd glân eu llnau nhw. I be arall mae'r cythral yn da?'

Oedodd.

'Miriam. Ty'd yn dy 'laen. Mae o yma. Wedi dŵad. Adra. I nôl ei ffortiwn.'

Ac fel petai'n ofni i mi ddiflannu o'i olwg cyn i'w wraig fy ngweld, trodd ataf eto, a dechrau chwerthin ar ei ffolineb ei hun.

'Hogyn papur, myn cythral i. Ar ddydd Llun mae'r *Llais* yn dŵad, ynde? A dydd Sul ydi hi heddiw. A Mir newydd fynd â'r fam yng nghyfarth adra, diolch i Dduw.'

Rhoddais fy holl bwysau ar y giât mewn ymdrech i'w hagor. Yr ochr draw iddi gwelwn ardd Arvon Villa yn dagfa o chwyn a mieri, a'r llwybr llechi bron â mynd o'r golwg.

'Miriam, hyria! Y fo ydi o! Yr hogyn gafodd y tŷ ar ôl Miss Bugbird.'

Nid fel hyn yr oeddwn wedi bwriadu dychwelyd. Yn fy mreuddwydion roeddwn wedi dod yn ôl i Gaersaint yn ddi-sŵn a di-sôn amdanaf fy hun. Cael cyfle i ddygymod. Ac i gymodi. Hel fy hun at ei gilydd, a cheisio deall llanast y blynyddoedd diwethaf. Ffeindio fy hun cyn gorfod fy nghyflwyno fy hun. Ond dyma hwn yn dod a gwneud sioe o fod yn gymydog.

Codais fy mhen wrth glywed Miriam yn nesáu, a hithau'n sboncio i lawr llwybr yr ardd fel deryn du, a chynffon o wallt yn siglo o ochr i ochr ar gefn ei phen.

'Helô, 'ngwash i,' meddai, fel petai'n fy nabod erioed.

Safodd i edrych arnaf.

'Dwn i ddim faswn i'n dy gofio di, chwaith. Welson ni fawr arno fo tra buodd o'n byw yma, naddo, Trefor?'

'Miss Bugbird oedd ddim yn gadal iddo fo gymysgu,' meddai Trefor. 'Meddwl ei bod hi'n well na pawb arall yn Brynhill 'ma.'

Estynnais fy llaw yn chwithig i Miriam. Chwarddodd hithau, a gwasgu fy llaw â'i dwy law hi. Roedd cledrau ei dwylo'n llyfn ond heb fod yn feddal.

'Sbia gŵr bonheddig ydi o, Trefor.'

'Rŵan bod gynno fo dŷ.'

Roedd y ddau yn fy ngwylio fel petaent yn disgwyl rhywbeth yn ôl. Agorais fy ngheg, a'i chau drachefn wrth i'r haul sychu'r poer. Faint oedden nhw'n ei wybod? Faint oedd Arfonia Bugbird wedi'i ddweud? Roedd diferyn o chwys yn cosi'r croen wrth fy nghlust chwith. Ailosodais fy hun yn harnais y sach gefn a throi oddi wrthynt eto.

'Cael trafferth agor y giât?' holodd Miriam.

'Dwi wedi trio deud wrtho fo nad oedd hi byth yn cael iws. Bod Miss Bugbird byth yn t'wllu'r drws 'di mynd. Mi oedd hannar y stryd yma'n meddwl ei bod hi wedi hen farw. Pan farwodd hi go iawn yn y diwadd... Duw... dyna ni. Y sioc fwya oedd ei bod hi wedi bod yn fyw o gwbwl.'

Daliodd i baldaruo wrth i Miriam gamu'n nes ataf.

'A deud y gwir yn onast, roedd golwg fatha drychiolaeth arni wedi mynd. Toedd, Mir? Hynny oeddan ni'n weld arni. Ei gwymab hi 'di mynd yn fach, fach. Fatha syltana.'

Daeth llais Miriam fel trydar aderyn bach ar ôl hyrddiadau trwynol ei gŵr.

'Mi dorrodd y beth bach mwya sydyn. Yn fuan ar ôl i chdi adael, 'ngwash i. Gryduras. A hitha wedi bod mor sbriws erioed,' ysgydwodd ei phen, a'r cylchoedd aur fel dwy fodrwy briodas yn disgleirio yn ei chlustiau. 'Hi oedd yr unig un yn y dre 'ma oedd yn dal i roi sosar dan ei chwpan.'

Chwiliodd fy llygaid am olion galar.

'Ac eto, doedd hi ddim mor hen â hynny, nac oedd? Fawr hŷn na Trefor ni. Teimlo'n hen oedd hi. Ynde, Tref?'

'Ia. Teimlo'n hen jadan.'

Edrychais ar Miriam a dweud:

'Saith deg oedd hi fis Mai dwytha.'

Cywilyddiais wrth glywed y bloesgni yn fy llais. Trois fy nghorff nes bod y sach yn darian rhyngof a'm cymdogion newydd, a rhoi sgwd i'r giât.

'Pam na ddoi di rownd drwy'n tŷ ni, 'ngwash i? Mi oelith Trefor y giât i chdi. Rhywbath i ti neud tra bydda i yn yr eglws, Trefor.'

'Mi o'n i wedi bwriadu llnau'r landar ffrynt.'

Ildiais i gymell Miriam a throi i mewn at lwybr Tremfryn.

'Helpa'r hogyn, Trefor. Mae gynno fo bwysa ar ei gefn.'

Gwthiodd Trefor fi'n galed wrth i mi gamu heibio.

'Dos yn dy 'laen, crwban. Neu mi fydd dy gefn di wedi blydi byclo, a fyddi di'n da i ddim i neb.'

Gwenodd Miriam a'm harwain hyd y llwybr.

'Ac mi gawn ni i gyd swpar efo'n gilydd heno.'

Suddodd fy nghalon. Dilynais siglad ei gwallt, a theimlo'r haul yn llosgi fy mhen. Ofnwn eu croeso rhy barod. Oedden nhw'n mynd i 'ngharcharu â'u caredigrwydd? A minnau wedi dod yn rhydd un waith...

'Syniad da,' meddai Trefor. 'Be nei di, Mir? Pei llo pasgedig?'

3

Safodd Miriam ar ben llwybr gardd Tremfryn, gan sychu ei dwylo yn ei ffedog. Estynnodd ei llaw a chyfeirio at y wal garreg a ddynodai'r ffin rhwng y ddau dŷ rhes.

'Ffor' hyn y byddwn i'n cario cinio dydd Sul i Miss Bugbird. Yr unig bryd poeth fyddai'r beth bach yn ei gael o un pen yr wsnos i'r llall.'

'Hynny o ddiolch gest ti.'

Nid wysg fy ochr yr oeddwn wedi bwriadu dŵad yn ôl, ond o dan yr amgylchiadau, a'r giât wedi'i hesgeuluso, doedd dim dewis ond dilyn llwybr anunion yn ôl i Arvon Villa. Codais fy nghoes dros fordor blodau Tremfryn, a'i gynllun destlus yn debycach i bapur wal nag i dyfiant byw, a'i phlannu yn y drysni ar ochr arall y wal. Teimlais fieri'n crafangu am y ffêr, a danadl poethion yn cyrraedd o dan fy jeans ac yn llosgi cnawd fy nghrimog.

'Roedd miledi fatha tasa hi'n disgwl i rywun o *Groundforce* droi fyny ar stepan ei drws hi, a rhoi trefn ar ei llanast hi,' meddai Trefor, wrth i mi faglu trwy'r chwyn at ddrws y tŷ. 'Mi nesh i fy hun am ryw ddwy flynadd, mwya ffŵl. Heb fagan o gyflog. Ond roedd gin i 'musnas 'yn hun i'w redag, ac mi ddeudish wrthi un diwrnod am stwffio'i chwyn. Ac wst ti be ddeudodd hi? "Efe a wna i mi orwedd mewn porfeydd gwelltog." Jolpan hurt. Mi ddeudish inna wrthi: "Gorfeddwch yn'o fo, ta." A gadal i'r g'loman.'

Ysgydwodd ei ben.

'Roedd gynni hi adnod ar gyfer pob dim, toedd Miriam, ond doedd hi byth yn t'wllu drws capal chwaith. Ac mi aeth y lle'n jyngl. Yr ar', dim y capal. Does 'na ddim blydi aer i dyfu dim yn fanno. Heblaw'r myshrwms yn fframia'r ffenestri.'

Chwarddodd.

'Eniwe, lwcus i Miss Bugbird farw pan ddaru hi, neu fama fasan nhw'n ffilmio'r Tarzan nesa.'

Chwiliais boced tin fy jeans am y goriad.

'Ella bydd 'na ogla,' rhybuddiodd Trefor.

Rhewais.

'Miriam gafodd hyd iddi,' meddai wedyn, ac nid heb falchder.

Yn y saib a ddilynodd edrychais dros f'ysgwydd ar y ddau. Roedd Miriam yn crychu'i thrwyn ac yn ysgwyd ei phen.

'Roedd y beth bach wedi mynd ers sbel.'

'Gweld y pryfaid ar y ffenast ddaru hi,' eglurodd Trefor. 'Fatha cyrtan nefi blw a hwnnw'n suo. Dim ots gin ti inni ddeud, nac'di, mêt?'

Ysgydwais fy mhen.

'Doeddach chi ddim yn perthyn, eniwe. Chdi a Miss Bugbird. Nac oeddach?'

'Na.'

'Peth rhyfadd iddi adael y tŷ i chdi, hefyd.'

'Ia.'

'Rhyfadd ar y diawl. Gest ti bres, tybad?'

'Trefor!'

'Dim ond y tŷ,' atebais yn swta, ac ychwanegu: 'Roedd hynny'n ddigon o sioc.'

Trois yn ôl at y drws a throi'r goriad. Roedd yn rhaid i mi ddianc rhag ei holi taer. Ildiodd y clo, a defnyddiais fy holl nerth i'm codi fy hun dros y trothwy. Yn y pellter clywn Miriam yn dwrdio'i gŵr yn dawel:

'Mi fuodd yr hogyn yn ffeind iawn efo hi ar un adag.

Ti'n cofio fel bydda fo. Rhedag rhyw negas neu'i gilydd iddi hi rownd y ril.'

'Ffeind? Gneud community service oedd y diawl bach. A'i miglo hi o'ma pan gafodd o lond bol.'

Roedd pentwr o bapurau rhad wedi hel o dan y twll llythyrau, gan wneud agor y drws yn anodd. Rhuthrodd ton o arogleuon cyfarwydd ac anghyfarwydd i lenwi fy ffroenau. Arogl hen bren. Arogl papur tamp. Arogl sent lili'r dyffryn ac afal ar hanner ei fwyta. Ac arogl sur angau.

Codais fy llaw i'm cynnal fy hun a theimlo fleur-de-lis y papur wal yn llaith dan fy mysedd. Amheuais am funud i mi glywed Arfonia'n galw, fel y gwnâi bob tro, a'i llais yn hanner ofnus, hanner ymosodol:

'Gwyn, chdi sydd 'na? Atab!'

Tynnwyd fi'n ôl at y presennol gan sŵn Miriam a Trefor yn cecru:

'Dim rŵan ydi'r amsar i groesholi'r hogyn.'

'Ei groeshoelio fo? Hy, mi adewa i betha felly i chdi a d'eglws.'

Fel petai hithau wedi'i deffro gan y sôn amdani, dechreuodd cloch eglwys Sant John Jones ganu ar draws deuawd Miriam a Trefor, gan gymell y saint i offeren bump. Erbyn i mi ddiosg y sach gefn a'i dodi ar deils y cyntedd, roedd Miriam eisoes wedi troi am yr eglwys a Trefor yn syllu'n hurt i'r bwlch ar ei hôl. Cododd ei olygon at y tŵr brics melyn a godai o gorff ithfaen yr eglwys, a daeth corneli ei fwstásh i lawr yn bigau dig. Yna dychwelodd i'r tŷ fel petai wedi anghofio amdanaf, gan gau'r drws UPVC yn galed ar ei ôl. Teimlais y dirgryniadau ar flaenau fy mysedd trwy wal Arvon Villa.

Dim ond wedyn, wedi i'r gloch dewi ac i minnau gau'r drws derw, y cofiais y dylwn fod wedi diolch i'r ddau. Dyna ddau arall yr oeddwn yn eu dyled. Trois yn f'unfan yn y cyntedd tywyll, a'r gwydr lliw yn dryllio golau'r haul, a minnau'n cael fy rhwygo gan yr ysfa i aros a'r ysfa i fynd.

Dim ond lludded y corff, ynghyd â llosgiad y strap dan fy ngheseiliau, a'r pigiadau ar gnawd fy nghoesau, a barodd i mi aros yn y diwedd. Naill ai hynny, neu ddiawledigrwydd sydyn, a wnaeth i mi dyngu na châi Arfonia Bugbird na'i hysbryd fy hel o Gaersaint byth eto. Roeddwn yma i aros, ac i wneud fy mywyd yn fywyd gwell.

4

Tŷ twyllodrus oedd Arvon Villa, fel gweddill tai'r rhes. Tŷ deulawr ar yr olwg gyntaf, ond roedd trydydd llawr wedi'i gloddio i mewn i graig Brynhill ac yn ei helaethu hyd at hanner ei faint eto. Felly, roedd y drws ffrynt ar lawr canol y tŷ. Pan oeddwn i'n ei hadnabod, ar y llawr hwnnw yr oedd Arfonia wedi byw, gan dreulio'i dyddiau yn y parlwr ffrynt, a'i nosau yn yr ystafell gefn, a mynd i'r bathrwm dim ond pan oedd rhaid. O'r llawr canol roedd grisiau'n arwain i fyny at lawr uwch. Ni fentrai Arfonia i'r fan honno, ac o ganlyniad, roedd naws waharddedig i'r carped coch tywyll a orchuddiai'r grisiau gyferbyn â drws y ffrynt. Ym mhen draw'r cyntedd, wrth ymyl drws y bathrwm, roedd grisiau culach a âi i lawr at waelod y tŷ, at ddrws y cefn, yr hen gegin, a'r is-ystafell ddiffenest. Fyddai Arfonia byth yn tywyllu'r fan honno chwaith. Roedd yna ryw ymwrthod greddfol ynddi, a hwnnw i'w weld yn y ffordd yr oedd yn byw yn ei thŷ. Heddiw eto, o arfer, neu o barch i'r hen wraig, aros ar y llawr canol a wnes innau, gan gamu o'r cyntedd i'r parlwr ffrynt i chwilio am amlen y twrnai, papurau swyddogol Arfonia a thystysgrif ei marwolaeth.

Daliodd yr arogleuon fi yn ffrâm y drws. Arogleuon yn llenwi'r gwacter lle bu ei chorff. Persawr lemon a menyn ei chroen. Sawr hen ddillad, hen lyfrau, dail te a thalc lili'r dyffryn. A surni melys yn gordoi y cyfan…

Bwriwyd fi'n ôl saith mlynedd a hanner, at y noson honno pan adewais Arvon Villa am dri o'r gloch y bore, yn sŵn chwyrnu tawel yr hen wraig o'r ystafell gefn. Mynd ar flaenau 'nhraed trwy ddrws y ffrynt, troi i lawr Dwyrain Brynhill at dref Caersaint cyn dechrau cerdded tua'r Felinheli a thros y bont i Ynys Môn…

Gwthiais fy hun trwy'r aer trwm ac i mewn i'r parlwr. Roedd yr ystafell fechan mor orlawn ag erioed, fel petai cynnwys tŷ llawer mwy wedi'i grynhoi yma, yn gybolfa o hanes a daearyddiaeth. Cwpwrdd llyfrau Fictorianaidd yn llawn llyfrau llenyddol a diwinyddol, a'r gadair eboni o Affrica o'i flaen. Dresel derw a'r llestri te Royal Worcester, a'r tsieina dwyreiniol glaswyrdd a'i ddreigiau aur. Bwrdd copor ysgythredig o India ac arno debot pridd a gorchudd gwlân, a Beibl clawr du, ac ymylon ei dudalennau'n binc. Llun olew o'r hen Gomodôr Bugbird, taid Arfonia, uwchlaw'r aelwyd oer, a'r ysgythriadau o sgwneri a slŵps cei Caersaint hyd y waliau. Chaise longue fahogani ac arni'r garthen ryfedd wedi'i chrosio o edafedd pinc a gwyn. Yr oergell lle cadwai Arfonia'r bwyd y pigai arno. A'r hambwrdd olwynog ac arno decell, cwpanau a soser, a dau dun, sef un tun te PG Tips, ac un tun bisgedi a'i lond o ddarnau punt i dalu am drydan. Y tu ôl iddynt ar yr hambwrdd, fel petai rhyw swildod yn ei gadw o'r golwg, codai caead metel yr wrn a gynhwysai'r llwch.

Yno hefyd roedd amlen fochiog o faint A4. Estynnais ati, heb allu credu mai fy enw fy hun oedd ar y tu blaen: 'Jamal Gwyn Jones Esq.' Ceisiais ei hagor yn gyfan, ond roedd glud y fflap wedi cydio. Rhwygodd y papur a syrthiodd y cynnwys ohoni. Ymgrymais i'w codi a siomwyd fi am eiliad wrth weld hanner dwsin o ddalennau gwyn, a phrint teipiedig ar bob un, heb olwg o lythyr yn llaw Arfonia. Bodiais nhw'n gyflym. Tystysgrif marwolaeth, a manylion ei marwolaeth wedi eu llenwi â llaw yn Saesneg: achos cyntaf, methiant y galon; yr ail, cancr y groth. Ei henw yn llawn: Arfonia

Prudence Bugbird. A dyddiad ei marw.

Papurau banc: dim asedau ers gwagio'r cyfrifon ar yr ail o Chwefror 2001. Blwyddyn i'r diwrnod wedi i mi ei gadael. Biliau treth a dŵr: wedi eu rhewi gan yr ysgutor. Pensiwn gwladol: wedi ei ddiddymu. Dwy ddogfen annealladwy yn ymwneud ag 'ystad yr ymadawedig', a llythyr gan y twrnai ar bapur memrynnol, a hwnnw'n egluro yn y paragraff cyntaf fod costau'r amlosgi a'r costau cyfreithiol wedi eu talu trwy drefniant rhag blaen. Yn yr ail baragraff ategid yr hyn a ddywedodd y twrnai mewn llythyr arall, sef mai fi oedd etifedd Arvon Villa, a bod y llwch i'w daflu oddi ar ben Brynhill, yn unol â dymuniad yr ymadawedig. Ar waelod ei lythyr roedd tri gair o gydymdeimlad, ynghyd â llofnod tew mewn inc du.

Gosodais y papurau yn ôl rhwng y ddau dun. Gwthiais fy llaw i waelod yr amlen, ond roedd honno'n wag. Gwasgais yr amlen yn belen a'i gosod wrth ymyl y tecell oer. Trois yn f'unfan a chwilio'r parlwr yn ofer am lythyr, neges o ryw fath, yn air o eglurhad gan Arfonia.

Trois eto at y tecell a rhoi sgwd iddo. Roedd briwsion pinc ar wasgar ar yr hambwrdd. Wafers pinc Arfonia. Ei chymun olaf. Rhaid bod chwant bwyd wedi dod drosti cyn marw, a hithau, am unwaith, wedi ildio i anghenion ei chorff.

Roedd yr oergell wedi ei diffodd, a dim ynddi ond carton peint o lefrith hanner sgim a hwnnw wedi suro. Caeais y drws cyn clywed ei ddrewdod. Mi awn i'r bathrwm i lenwi'r tecell a bodloni heddiw ar baned ddu.

Rhaid fy mod wedi symud yn rhy gyflym. Chwant bwyd wedi fy nal, efallai, neu dywyniad anghyfarwydd yr haul wedi dweud arnaf. Siglwyd fi gan bendro sydyn, a baglais at y chaise longue a syrthio arni. Boddwyd fi am funud yn arogl fy nghorff fy hun, a hwnnw fel petai wedi glynu trwy'r blynyddoedd yn y garthen binc. Codais y garthen yn orchudd dros fy wyneb, ac wrth i'r dagrau oedi am funud ar yr wyneb, cyn suddo trwy'r ffibrau gwlân, erfyniais ar Arfonia Bugbird am faddeuant.

5

RHAID FY MOD wedi crio fy hun i gysgu, oherwydd dihunais gyda ias yn sŵn dyrnu a bloeddio.

Tynnais y garthen yn dynnach amdanaf, ond aeth y curo ar y drws yn daerach. Diosgais yr hunllefau, taflu'r garthen ymaith, a hel fy nerth i roi dwy droed ar y carped. Sythais fy ngwar wrth weld y Comodôr Bugbird yn sbio arnaf o bell, a'i awdurdod yn glir yn llinellau melyn cyfochrog ar ei lawes.

'Deffra, washi! Ti'n dal yn fyw?'

Daeth sŵn ymbalfalu o gyfeiriad drws y ffrynt.

'Mae'r pei bron ar y bwr'. Ty'd 'laen, neu mi fydd Miriam yn deud y drefn.'

Pylodd y llais trwynol wrth i'r twll llythyrau gau. Clustfeiniais, a chlywed Trefor yn grwgnach 'diawl bach' a 'miglo hi eto'. Erbyn i mi wthio fy ffordd heibio i'r sach gefn ac agor drws y ffrynt roedd Trefor ar ei gwrcwd ym mhen draw llwybr yr ardd, a'i wyneb gyferbyn â chetyn uchaf y giât.

Trodd ataf pan glywodd sŵn y drws, ysgwyd ei ben a rhegi eto. Cododd ei hun ar ei draed, agor y giât yn araf a rhoi slaes iddi ynghau, gan ebychu wrth i'r bar lithro i'w rigol:

'Ffitio fatha bys mewn twll tin!'

Agorodd y giât eto, camu trwyddi i'r stryd, a'i chau cyn i mi gyrraedd.

'Mi roish i sgrwb iddi efo brwsh garw a dipyn o sandpaper, a rhoi digon o oel i ffrio chips yn'i hi. A dydi hi ddim yr un un. Biti na faswn i'n medru neud yr un peth efo'r musus, ynde?'

Gosododd y can WD40 ym mhoced clun ei ofarôl, ac estyn ei fraich yn wahoddiad.

'Mi gei di fynd a dŵad fel lici di rŵan, heb i bawb yn y stryd dy glywad di.'

Winciodd yn dadol wrth i mi gamu trwyddi.

'Cael dy eni mewn cae nest ti?'

Ysgydwais fy mhen.

'Saron Bach. Tŷ cownsil.'

Ond erbyn deall, gofyn i mi gau'r giât yr oedd o.

'Saron Bach?' meddai ymhen ychydig. 'Ti ddim yn sant, felly?'

Edrychais arno'n ansicr.

'Mi esh i i'r ysgol yn y dre. Ac yn wyth oed mi gesh fy rhoid yn Preswylfa…'

'Nag wyt, felly.'

Gwthiodd heibio i mi, a brasgamu'n feddiannol at ddrws Tremfryn.

'Mi ffiti di fewn yn iawn yn Brynhill. Achos tydi'r Brynhilians ddim cweit yn saint, chwaith, er y basan nhw'n licio bod. Waeth i chdi ddallt hynny rŵan.'

Plygodd i godi deilen grin oddi ar lwybr yr ardd, a'i gwasgu i boccd ei din.

'Oes, mae 'na fwy nag inner relief road yn dŵad rhwng Brynhill a'r dre. Mi ddylwn i wbod, a finna wedi symud o lawr dre i fyw ar gopa'r blydi graig 'ma ers 1977. Faint ydi hynna? Thirty years union. Ond sant ydw i, a sant fydda i. Am byth. Sant yn y crud. Sant yn y byd. A sant yn y nef ac uffarn. Amen.'

Sythodd ei gorff, astudio wyneb ei dŷ am rai eiliadau, cyn troi ataf a golwg o ddifrif arno.

'Y peth efo pobol Brynhill, yn enwedig rhai'r stryd yma, ydi eu bod nhw'n fwy diniwad na ni i lawr dre. Uwch i fyny, yli,' pwyntiodd â'i fys at yr awyr, cyn tapio ymyl ei dalcen. 'Eu penna nhw 'di meddalu yn yr haul. Mae hi gymaint hawsach stampio'u brêns nhw. Dyna pam mae'r eglwys yma. Duw wedi dallt y dalltings, fel arfar. Ac Iesu Grist yn rhoid eisin ar y gacan wrth ddeud bod tŷ ar graig yn well peth na tŷ ar lan-môr. Ond be oedd o'n wbod? Dim ond blydi joinar oedd o.'

Trodd yn ei unfan a chyfeirio at y cwfaint.

'A ddaru cael ei godi ar graig fawr o les i fancw, coelia di fi. Tamprwydd wedi andwyo'r seilia. Ei gytio fo oedd yr unig atab. Ar ôl i Mother Agnes fynd.'

'Mae hitha wedi marw hefyd?'

'Paid â swnio mor syn, washi. Marw mae hen bobol yn ei neud.'

Ysgydwodd ei ben, a rhyw led amneidio tuag at Arvon Villa.

'Tŷ ydi tŷ, myn cythral i. Mae rhywun yn ddiolchgar o gael to uwch ei ben dyddia yma. Chdi'n enwedig, mae'n siŵr, a chditha 'di cael dy fagu mewn hôm. Rheiny ydi'r cynta efo'u pilw ar y pafin fel arfar.'

Chwarddodd yn sychlyd ac ysgwyd ei ben.

'Na, na, fasa'r *saint* ddim yn cymyd y lol grefyddol ti'n ei gael yn Brynhill 'ma. Does 'na neb yn deud wrthan ni sut i fyw. Tydan ni 'di goro byw rownd homar o gastall ers saith can mlynadd?'

'Mr Spicer!'

Daeth llais main o gyfeiriad y stryd i dorri ar ei draws. Bwriodd Trefor gip dros ei ysgwydd.

'Crist o'r Sowth, be mae'r cyw duw yna isio eto? Dos di ato fo. Fedra i ddim diodda'r cwd.'

Yna, trodd Trefor Spicer ei gefn ar bwy bynnag a alwai arno, a heb gydnabod y llais, brasgamodd i'r tŷ a'm gadael innau i ateb drosto.

6

WRTH YMYL LLWYN o rosyn Saron roedd offeiriad yn chwifio llythyr ac yn gwenu.

'Epistol i Mrs Spicer!'

Roedd goslef ei lais yn swynol a melodaidd.

'Trefniadau glanhau'r eglwys ym mis Hydref, Tachwedd a Rhagfyr.'

Estynnais fy llaw i dderbyn y llythyr, a gwenodd yr offeiriad o'r newydd.

'Gwestai yng nghartref Mr a Mrs Spicer ydych chi?'

Synnais at ei Gymraeg ffurfiol a chywir.

'Dim ond am swpar.'

'Ni chefais y fraint o'ch cyfarfod o'r blaen. Y Tad Lasarws.'

Derbyniais ei law. Yn fy chwithdod chwiliais am rywbeth i'w ddweud.

'Y Tad O'Kelly oedd yma pan... o'n i'n arfar... byw yma.'

'Aha, aha,' daliodd y Tad i wenu ac i wasgu. 'Mi ddes i yma o Lahore yn y flwyddyn dwy fil a phedair. Un o Gaersaint ydych chi?'

'Ia. Naci.'

Doedd waeth cyffesu.

'Dwi'n byw yma rŵan...'

Byddai'n siŵr o ddod i wybod, ac yntau'n pererindota cymaint rhwng Bryn Afallon a'r eglwys.

'... Wedi dŵad yn ôl i fyw i Arvon Villa.'

Ceisiais osgoi'r syndod yn ei lygaid tywyll, gan edrych dros ei wallt glasddu a thua chraig Brynhill a godai'n unionsyth y tu cefn iddo.

'Arvon Villa? Chi yw etifedd Miss Bugbird?'

'Mae'r blydi bwyd ar y bwr'!' chwyrnodd Trefor o'r tŷ.

Amneidiais, a gwneud fy esgusodion.

'Mae'n well i mi fynd...'

Moesymgrymodd yntau.

'Fy nghofion at Mrs Spicer. Y ffyddlonaf o'n praidd. Ac mi af innau adref i Fryn Afallon i fwynhau haf bach Mihangel. Fy nghydymdeimlad dwysaf â chi yn eich profedigaeth.'

Gwenodd arnaf. Wyddwn innau ddim sut i ymateb. Dweud diolch? Dweud 'mae'n iawn'? Yn y diwedd gwenais yn ôl, cyn troi am y tŷ lle canfûm Trefor yn llechu y tu ôl i'r drws.

'Epistol, myn cythral,' ysgyrnygodd. 'Mi ro i epistol wrth ei ben o cyn bo hir.'

Cipiodd y llythyr o'm llaw a'i daflu ar lawr glân y portsh.

'Llneua d'eglws dy hun, y sant digywilydd,' mwmialodd. 'Neu tala'r minimum wage i dy slaf.'

Tynnais fy siaced ledr, a than gyfarwyddyd swta Trefor fe'i rhois i hongian ar fachyn rhwng dau arall a'r labeli 'His' a 'Hers' arnynt. Roedd arogleuon bwyd yn codi o lawr isaf y tŷ, a sŵn clindarddach llestri.

'Y peth efo'r ffernols crefyddol yna ydi eu bod nhw'n dy gael di pan ti lawr,' meddai Trefor wrth fy ngwthio i'r ystafell fyw flodeuog a chartrefol. 'Watsia di nhw. Dyna be ddaru nhw efo Miriam.'

Rhegodd yn hir ac yn huawdl.

'Mae Lasarys fatha rhyw gi defaid pan fydd o'n gweld dafad golledig, yn ffroeni'i thin hi fel cythral. Mae hi fatha *One man and his God* rownd y lle 'ma.'

Ar groes-gongl i'r teledu roedd bwrdd crwn wedi'i osod ar gyfer tri o bobl, gyda matiau yn dangos golygfeydd o Eryri wedi eu rhoi rhwng y cyllyll a'r ffyrc, a'r enwau arnynt yn Saesneg. Aeth Trefor i eistedd i'r sedd a'i galluogai i weld y teledu heb orfod troi ei ben. Roedd can o gwrw Newcastle Brown eisoes wedi'i agor o'i flaen, a theclyn rheoli'r teledu wrth ymyl hwnnw. Drachtiodd yn hir o'r can, ac ar ôl sychu'r ewyn oddi ar ei fwstásh, gwnaeth arwydd arnaf i eistedd o flaen 'A View of Snowdon', gan ddangos can o Stella Artois oedd wedi'i agor ar fy nghyfer.

'A be oedd y priest o'r East yn cega amdano fo heddiw, tybad? Rybyr jonis? Ta mama dibriod?'

'Sôn am y tywydd oedd o,' codais y can at ymyl fy ngwefus a cheisio swnio'n ddidaro. 'Ha bach Mihangel.'

'Ha bach pwy? Angal? Blydi hel!'

'Indian summer,' cyfieithais.

'Indian summer?' daeth cawod o boer o enau Trefor gan wlychu dyfroedd Lake Padarn. 'Mae'n Indian summer drwy'r blydi flwyddyn yn Brynhill 'di mynd. A dydw i ddim yn sôn am global warming.'

Daeth Miriam i mewn dan gario dysgl a stêm yn codi ohoni. Syllais mewn rhyfeddod ar y bastai, a'r tatws stwnsh yn donnau gwynion rheolaidd drosti, a'u brig wedi'u crasu'n goch.

'Gafoch chi chapattis adag cymun heddiw, Mir? A dipyn o gyri sôs i'w olchi fo lawr?'

'Am be wyt ti'n cega rŵan?'

'Y lembo Lasarys 'na, neu beth bynnag ydi'i enw iawn o. Ali, mae'n siŵr. Mwydro pen yr hogyn 'ma, a fynta 'mond newydd gyrraedd.'

Gwyrodd Miriam i osod y bastai ar ganol y bwrdd, a chymylwyd ffiniau ei hwyneb gan y stêm. Roedd cledrau'r menyg popty wedi'u deifio gan fwyd poeth. Tynnodd ei ffedog, a'i phlygu'n ofalus cyn ei gosod ar y seidbord lle'r oedd tri phlât patrymog yn barod ar ein cyfer. Wrth lwyeidio'r bastai ar bob plât dwrdiodd ei gŵr yn dawel:

'Ti'n gneud dim ond rhedag ar y cradur. A fynta wedi dŵad mor bell. Ac wedi dysgu Cymraeg mor dda. Yn well o lawar na chdi. Er cymaint ti'n bractisio.'

'Dwi'm yn dallt gair mae'r cwd rhwd yn ei ddeud.'

'Tasat ti'n darllan dy Feibil, ella basat ti'n dallt mwy.'

'I be? Ac eniwe, does 'na neb yn dallt y dyn. Mae'i Gymraeg o'n rhy blydi fawr inni.'

'I'r saint?' meddai Miriam yn sychlyd.

'Cega bach sy gin y saint,' mynnodd Trefor, gan dderbyn plataid o fwyd o law ei wraig. 'Dyna pam dan ni'n goro siarad trwy'n trwyna.'

Chwarddodd.

'Ac eniwe, Besanti dan ni'n siarad, dim Cymraeg y blydi Beibil. Mae hwnnw fatha foreign tongue i'r saint. Fasa waeth i Lasarys siarad Hindustani ddim.'

'Punjabi,' mentrais.

'Y?'

Rhythodd Trefor arnaf.

'Punjabi,' meddwn wedyn, a mentro egluro: 'Dyna be fasa fo'n siarad. Neu Urdu. Os ydi o'n dod o Lahore.'

Daliodd Trefor i edrych arnaf, a'i ên yn llac uwchlaw'r bwyd.

'O, deud ti! A pwy wyt ti mwya sydyn? Professor of Rogan Josh? Ta mab yng nghyfrath Mrs Gandhi?'

Plannodd ei fforc yn ei fwyd yn ddig. Gosododd Miriam fy mhlât bwyd o'm blaen, a'i threm ar gorun ei gŵr wrth iddo rofio'r bwyd i'w geg.

'C'mon, washi,' heriodd. 'Deud sut ti'n gwbod gymaint

am geography a chditha wedi cael dy hel o'r ysgol yn bymthag oed?'

'Paid â siarad efo dy geg yn llawn, Trefor!'

'Ddaru o ddim gneud ei GCSEs, naddo? Mi gafodd hyd yn oed David ni bedair o'r rheiny, hynny o werth fuon nhw i'r cradur. Ond mi gafodd hwn ei ecspelio, ti'm yn cofio'r stori?'

Edifarhais i mi ddweud dim. Roedd fy mwyd – y bwyd cartref anghyfarwydd ac amheuthun – yn oeri ar y plât, tra edrychai Miriam yn benisel.

Cydiais yn y can Stella ac yfed swig, a theimlo fy mol yn griddfan wrth i'r cwrw ei gyrraedd. Dywedais mewn llais bach:

'Mae gin i ddiddordab yn y rhan yna o'r byd. Wedi bod yn darllan dipyn. Ar y we.'

'Ar y be?'

'Achos dyn o Bacistan oedd 'y nhad i,' eglurais. 'Meddan nhw.'

Cydgododd Miriam a Trefor eu pennau.

'Be, Pacistani, 'lly?'

'Nhw sy'n dod o Bacistan fel arfar.'

Ystyriodd Trefor.

'Mwslim oedd o? Ta un o'r petha tyrban 'na? Sheiks ydyn nhw, dywad? Ta Shakers?'

Ochneidiais. Ochneidiodd Miriam.

'Mwslim,' atebais. 'Am wn i.'

Ysgydwodd Trefor ei ben a chwarddodd yn ddireidus.

'Wel, myn uffar i. Hogyn bach half-caste yn byw yn Arvon Villa. Tasa'r hen snoban yn fyw, mi fasa'n troi yn ei bedd! Dynas ddaru dreulio'i hoes yn trio bod yn bur. A be naeth hi ar ôl colli arni: gadal ei thŷ i hannar sant, hannar gwaed a hannar Mwslim. Hogyn coffi llefrith o Saron Bach, via hôm Caersaint.'

'Trefor!'

Prin yr oedd Miriam wedi cyffwrdd yn ei bwyd.

'Dim ots gin i o gwbwl,' meddai yntau'n hwyliog. 'Jyst gweld y peth yn od ydw i. Ac o'r olwg hurt sy 'di bod ar hwn ers cyrraedd, dyna mae ynta'n feddwl hefyd. Does gynno fo ddim syniad be sy wedi'i hitio fo.'

Gwyrodd ymlaen tuag ataf, a chlywais arogl y cwrw ar ei wynt.

'Titha 'di synnu cymaint â'r gweddill ohonan ni. Mi fedra i ddeud ar dy wymab di. Little boy lost. Ond paid ti â phoeni, mi fydd Mir a fi'n gefn i chdi wrth i chdi ddod i drefn. Mi rown ni drefn ar y tŷ, a threfn arna chdi, a dy helpu di i ffeindio job – a gwraig! Mi fyddi di rêl boi wedyn.'

Winciodd. Llanwyd finnau gan wae.

'Toes gin ti gymaint o hawl â'r RSPCA i gael tŷ ar ôl hen fodan ddw-lali? Er i chdi fynd a'i gadael hi pan oedd hi fwya d'angan, a hitha wedi beichio crio am ddyddia wedyn. Yndo, Mir? Na, fuodd hi byth yn hen bitsh mor hallt wedyn. Yr halan wedi mynd yn ei dagra hi, yli.'

Craffodd arnaf, a phlygais innau fy mhen i guddio fy ngwrid. Doedd dim ots gan Trefor. Gwthiodd ei fys trwy fodrwy alwminiwn ei ail gan o gwrw a'i thynnu'n galed tuag ato. Ar ôl yfed am sbel, edrychodd arnaf eto.

'Ti ddim yn bad, chwaith, a chysidro. O frown, dwi'n feddwl. Mi fasat ti'n pasio am sant isio sgrwb. Neu un o'r petha 'na sy'n mynd o dan lamp.'

Ysgydwodd ei ben a chodi ei fforc.

'Hen lol ydi hynna hefyd. Roedd bod yn fudur yn ddigon da i genod ers talwm.'

'Byta dy bei, Trefor.'

'A deud y gwir, ti fawr brownach na Miriam,' aeth yn ei flaen, a chodi fforcaid o datws i'w geg. 'Jipsiwns oedd teulu'i thaid hi. Y Roma yna. Dim Romans Segontiwm, dydi hi ddim mor hen â hynny. Y lleill. Ond bod y cradur bach wedi priodi dynas capal. Dim rhyfadd bod dy fam yn hurt erbyn heddiw, Mir, a'i gwaed hi'n llifo ddwy ffor'.'

Syllodd Miriam ar ei bwyd.

'Marw ddaru dy fam di?' holodd Trefor wedyn. 'Ta miglo?'

Anadlais yn ddwfn.

'Marw. Pan o'n i'n wyth oed.'

'Does gin ti ddim mam na tad, felly?'

Roedd tôn ei lais yn gyhuddgar. Ysgydwais fy mhen ac ymbalfalu am y cwrw.

'Nain a taid?'

'Cael ei mabwysiadu ddaru Mam. Gen ddau o bobol ganol oed. Nesh i crioed eu nabod nhw.'

'Ti ddim 'di cael fawr o lwc, naddo? Dy fam yn ei bedd, a dy dad wedi miglo...?'

'Mynd adra i Bacistan ddaru o.'

Roeddwn bron â gwylltio. Doeddwn i ddim wedi cael fy nghroesholi fel hyn ers...

'Dyna pam maen nhw'n dy alw di'n "Jaman", ia? "Anlwcus"! Mi fydda David yn deud y gair rownd y ril, bydda, Mir? Jaman hyn, Jaman llall, yn enwedig adag gwaith cartra.'

Oedodd.

'Ond mae gin ti enw iawn, siawns?'

'Jamal.'

'Y?'

'Ar ôl dad. Jamal.'

'Wela i. Ac mi aeth hwnnw'n Jaman,' ysgydwodd ei ben, a chwerthin. 'Lle da am nicnêms ydi Ysgol Mabsant!'

'Gwyn oedd Mam yn 'y ngalw fi,' meddwn wedyn, gan dynnu'n groes iddo.

'Gwyn?'

Edrychodd arnaf yn anghrediniol. A'r eiliad nesaf ffrwydrodd ei chwerthin ar draws y bwrdd.

'Gwyn? A chdithau'n half caste? Honna ydi'r ora eto!'

Dyrnodd y bwrdd ag ymyl ei law. Codais innau ar fy nhraed. Daeth ebychiad o siom o du Miriam.

'O, Trefor, ti 'di brifo teimlada'r hogyn! Y chdi a dy herian didrugaradd!'

'Dipyn o dynnu coes...'

Dechreuodd Miriam hel y platiau gwag at ei gilydd, gan grafu'r sbarion yn dwmpath ar ymyl un plât.

'Ti byth yn gwbod pryd i gau dy geg. Yr un peth efo'r Tad Lasarys. Chwerthin am ben hwnnw bob cyfla.'

'Hei, hold on, dydw i ddim yn racist, os mai dyna be ti'n feddwl.'

Edrychodd Trefor arnaf yn erfyniol.

'Fi? A finna 'di priodi Jipsan?'

Ystwyriais.

'Padi oedd 'y nhaid i. Ac mi oedd gin Nain ei hun waed Sbanish, fatha'r rhan fwya o bobol Pen Llŷn. Tasat ti'n gweld blewog oedd ei breichia hi. Y gwir ydi, efo'r genes sydd gin i, mi faswn i'n medru chwara i bob tîm yn y Commonwealth Games.'

Yn bwdlyd, cydiodd yn y teclyn wrth ei benelin a chodi sain y teledu.

'Blydi niws,' cwynodd wrth i lais Llundeinig lenwi'r ystafell. 'Codi'r felan ar rywun ar ddechra wsnos newydd. Pryd mae *DIY SOS*, Mir? Hei, lle dach chi'ch dau yn mynd?'

Diolchais innau i Miriam wrth ei helpu i gario'r llestri gweigion i lawr y grisiau, ond roedd hithau'n dawedog. Roedd hi'n bryd i mi fynd. Cyn gynted ag y gallwn gadewais y ddau i bigo ar ei gilydd. Nid fy nghyfrifoldeb i oedd eu gwneud nhw'n hapus. Ond wrth dynnu fy nghôt oddi ar fachyn canol y portsh, teflais gip trwy ddrws yr ystafell ffrynt ar Trefor yn agor ei drydydd can o Newcastle Brown. Tywyllodd ei wyneb gan siom wrth i'r ewyn oferu dros ymyl y can cwrw a syrthio'n slafan hyd ddyfroedd glas Lake Padarn. Ac amheuais innau fod mwy i groeso'r Spicers na chymwynasgarwch cymdogol.

7

Y<small>N Y MUNUDAU</small> cyntaf wedi i mi gamu i Arvon Villa o wresogrwydd Tremfryn, daeth Arfonia ataf ar ei gorau, yn ei chrinolin sabothol a'i pherlau drud. Roedd ei gwallt mor burwyn ag erioed, a'i dwy ael yn dywyll. Daeth ataf yn y cyntedd, a chan f'arwain gerfydd fy llaw i'r parlwr, atgoffodd fi sut y rhoddodd do uwch fy mhen pan oeddwn yn ddigartref, a geiriau yn fy ngheg pan oeddwn yn preblian, a maeth yn fy nghorff pan oedd hwnnw'n newynu. Diolchais innau iddi – droeon. Ond doedd hi'n gwrando dim. Aeth i eistedd yn ei chadair freichiau a rhythu trwof i'r cyntedd gwag, fel petawn innau'n ddim byd ond ysbryd, cyn dechrau hymian ei hoff emyn, yn arwydd cryf bod y felan arni.

Mi glywaf dyner lais
Yn galw arnaf i,
I ddod a golchi 'meiau gyd
Yn afon Calfari…

A sŵn yr emyn yn llenwi fy mhen, camais wysg fy nghefn allan o'r parlwr ac i'r bathrwm yng nghefn y tŷ. Bwriwyd fi gan yr arogl llaith, a chan y rhaeadrau gwyrddlas llonydd dan dapiau pres y bath. Roedd y sebon Imperial Leather wedi sychu ar sìl y basn, a'r craciau'n lletach, bron, na'r sebon ei hun.

Mentrais droi'r tap oer. Tagodd unwaith, yna ffrydiodd dŵr coch ohono. Roedd y peips wedi rhydu erioed. Trochais fy wyneb a theimlo fy hun yn sobri. Ond wrth i mi godi fy mhen eto, a gweld fy hun yn y drych brychlwyd, dychrynais wrth weld yr olwg oedd arnaf: gwallt angen ei olchi, barf dridiau ar draws fy ngên a chleisiau dan fy llygaid. Byddai'n rhaid mynd i gawodydd y ganolfan hamdden i lanhau fy nghorff unwaith eto, fel y gwnawn yn nyddiau Arfonia.

Tra llosgai fy wyneb wedi sgrwbiad y lliain, trois i mewn i'r ystafell gefn. Fan hyn roedd hi wedi marw. Anadlais aer sur y llofft a theimlo cyfog yn codi.

Roedd angen agor y ffenest. Camais heibio i'r gwely a thynnu'r llen les yn galed, nes i dyllau'r les redeg o un i un. Daeth hanner y llen i ffwrdd yn fy llaw. Hongiai'r gweddill yn garpiau. Dallwyd fi am funud gan fflach o oleuni lliw copor, wrth i'r machlud dasgu oddi ar doeau llechi Caersaint. Pyramidau tai pâr Sgubor Las. Toeau'r tai rhes yn esgyn ac yn disgyn fel grisiau. To llydan y baracs. To adnewyddedig festri Feed My Lambs. Ac yn bigau rhwng y toeau codai pinwydd duon Segontiwm, twr coch y dynion tân a chopa to sinc y stiwdio deledu. Yn y pellter, fel tanau eithin ysbeidiol, disgleiriai ffenestri velux tyddynnod Eryri.

Oedais am eiliad i hawlio'r olygfa. Fi oedd piau'r tŷ rŵan. A chydag ymdrech bôn braich, agorais y ffenest i adael awyr hydrefol min y nos i mewn.

Teflais y rhacsyn les i'r llawr, a throi i wynebu'r gwely. Roedd y cwilt wedi rhychu, fel croen ar gwstard oer, a'r clytwaith yn frau, er bod y pwythau'n dal yn dynn. Rhesi o bwythau yn dal dim byd wrth ei gilydd. Dan rychiad y cwilt roedd pant yn y fatres lle'r arferai gysgu. Ar y cwpwrdd wrth y gwely roedd nofel ar ei hanner, un o'r rhamantau rhad yr wylai Arfonia drostynt pan dybiai fy mod ynghwsg ar y chaise longue yn ei pharlwr.

Ac at y gadair hir honno yr ymbalfalais yn y diwedd, a gorwedd arni, gan dynnu'r garthen binc dros ran uchaf fy nghorff. Fy noson gyntaf yn ôl yn Arvon Villa. Ac er tywyllu'r dydd, ac er imi gau fy llygaid, welwn i ddim byd o'm blaen ond corff bach Miss Bugbird yn gwyro dros lyfr yn ei chadair freichiau, ei fferau main yn ymgroesi, a'i dwylo cnotiog yn frith gan alwad y pridd.

Cadwodd ei llais fi'n effro am oriau, wrth iddi fy nwrdio am dorri gair â'r cymdogion, ac wrth iddi gywiro fy mhriodddull Besanti gan lafarganu salmau neu ganu emynau i roi esiampl o'r hyn oedd yn Gymraeg da. Rhywbryd wrth i'r wawr dorri, deffrowyd fi o gwsg anesmwyth gan larwm tyner: tincial esgynnol te yn llenwi cwpan frau.

Caeais fy llygaid eto, er nad oedd disgwyl cwsg i bechadur fel fi. Cyn i neb arall godi, mi ddringwn i ben Brynhill i gyflawni'r gymwynas olaf. A chyn i lwch Arfonia Bugbird setlo dros Gaersaint ac ariannu wyneb aflonydd culfor Menai, mi ddeuai Jaman, neu yn hytrach, *Gwyn* Jones i lawr o ben y bryn a'i fryd ar fod yn ddyn newydd.

8

R HAID FY MOD wedi pendwmpian. Erbyn codi a gadael
y tŷ roedd y Spicers ar y stryd o'm blaen, Trefor yn
llwytho'i dŵls i gefn ei fan goch a Miriam mewn ffedog
'Souvenir of Caersaint' a hwfer proffesiynol-yr-olwg o'i
blaen. Ar bostyn y giât roedd dau fŷg coffi.

'Wel, ar y gair, dyma'r dyn ei hun!' meddai Trefor, a rhoi
slaes i gefn y fan. 'Chest ti fawr o gwsg, yn ôl d'olwg di. Be
oedd? Ysbryd Miss Bugbird yn 'cau gadal i chdi gysgu? Ta
ciando ciami?'

Anwybyddais ei herian agos-at-yr-asgwrn, a chamu
trwy'r giât i'r stryd. Roedd Miriam wedi plygu i godi deilen
oddi ar y palmant.

'Dwi'n synnu at y Cownsil yn cadw'r coed 'ma i fynd,'
meddai. 'Munud doith glaw'r hydref mi fydd y dail yn
slwish. Mae'n beth digon peryg i blant bach 'rysgol.'

'Arwydd o stryd grand ydi rhes o goed,' broliodd Trefor.
'Pan ti'n gadael ein stryd ni mae Brynhill yn mynd i lawr yr
allt.'

Daliwyd ei olygon gan yr wrn yn fy llaw.

'Be sy gin ti? Cadw-mi-gei Miss Bugbird? Llawn pres
papur, yn ôl ei sŵn o.'

'Ei llwch hi.'

Cefais eiliad o foddhad wrth synnu Trefor.

'Hynna bach sy 'na?' meddai, gan sychu diferyn o goffi
o gil ei geg. 'Tydi'r Crems 'ma'n betha didrugaradd. Ond
wedyn, doedd hitha ddim dau damad. Er bod gynni hi
feddwl mawr ohoni'i hun. Ei cheg hi oedd y peth mwya

amdani, a lle gwag ydi hwnnw, am wn i.'

Eto, heb ei fodloni, daliodd i graffu ar yr wrn, fel petai'n cael trafferth cysoni maint bywyd a'i weddillion.

'O lle mae hi isio ffling, eniwe? Paid â deud o ben yr Wyddfa. Mi oedd 'na raglan ar S4C y noson o'r blaen yn deud bod 'na gymaint yn taflu'u llwch o ben fanno, mae'r pridd wedi drysu a phob math o floda newydd yn sbringio fyny. Coed bananas fydd hi nesa.'

'Dim ond o ben Brynhill.'

'Reit o'r top?'

'Dyna oedd hi isio.'

'Isio, isio, isio. Un felly oedd Madam. Unig blentyn, garantîd,' trodd ei ben i gyfeiriad y graig. 'Fush i erioed ar y top fy hun. Maen nhw'n deud bod yr olygfa'n werth chweil. Dim ond i chdi gau dy lygaid a smalio bod yn rhywla arall!'

'Mi fuon ni yno unwaith pan oeddan ni'n canlyn, Trefor,' meddai Miriam yn dawel.

'Asu, do? I be, dywad?'

Gosododd ei fŷg yn ôl ar bostyn y giât.

'Fush i erioed yn ddyn fiw. Mae pobol yn meddwl mai "fiw" ydi enw'n tŷ ni, ond "Tre" am Trefor ac "M" am Miriam ydi "Trem". Ynde, Mir?'

Amneidiodd ei wraig, a throdd yntau i anwesu'r plac a ddynodai enw'r tŷ.

'I be ei ditha i stryffaglio i ben fancw? Gwagia'r llwch yn fan hyn. Chei di ddim gwrtaith gwell. A fydd Miss Bugbird ddim callach. Dydi hi ddim mewn unrhyw stad i ddeud dim. Nac i weld y fiw chwaith.'

'Mae gin ti goffi ar dy fwstásh, Trefor,' meddai Miriam yn swta. 'A gad lonydd i'r hogyn.'

Sychodd Trefor ei fwstásh â'i fys a'i fawd.

'Llonydd? Cheith yr hogyn ddim llonydd, siŵr Dduw,

hyd yn oed ar ôl taflu'r llwch. Achos mae'r hen sguthan yn dal i lenwi'r tŷ 'na. Ti'n gwbod be maen nhw'n ddeud. Croen marw ydi dwy ran o dair o lwch tŷ.'

Winciodd arnaf, fel petai newydd ddweud rhywbeth beiddgar.

'Ond os gofynni di'n glên, ella daw Miriam acw efo'i Dyson, ar ôl iddi orffan slafio yn yr eglwys yna. Wedi'r cwbwl, ei mam oedd yn arfar llnau i Miss Bugbird, ers talwm byd. Ynde, Mir? Nes iddi gael y sac. Adag Investiture Prince Charles.'

'Cyn hynny,' meddai Miriam.

'Meddylia!' trodd Trefor ataf. 'Dydi'r lle ddim 'di cael ei llnau ers dros ddeugian mlynadd. Mi helpa inna di efo'r tamprwydd, washi. Os na cha i joban ar Phase 1 heddiw. Ond dwi ddim am ddal 'y ngwynt.'

Agorodd ddrws ei fan. Roedd enw ei fusnes wedi ei beintio mewn llythrennau melyn ar hyd-ddi: 'Trefor Spicer: Property Management / Trwsio Tŷ'. Ac o dan hynny roedd y geiriau 'Bacha Menyn? Bacha Trefor!'

Gwelodd fi'n gwenu.

'Ti'n ei chael hi?' holodd. 'Bacha menyn... bacha Trefor! Fi feddyliodd am honna. Ti'n cael mags gen yr Asembli am roid enw Cymraeg ar dy fusnas. Er bod y ffernols wedi bygwth cymyd y pres yn ôl. Deud mai Besanti oedd o, a dim Cymraeg. Mi fuodd raid iddyn nhw gael rhyw broffesor o goleg Bangor yn reffarî yn y diwadd, a ddaru'r llywath hwnnw ddim ond rhoid ei din 'sgyrnog ar y wal. Ond mi oedd hynny, wrth lwc, yn ddigon i fi gael cadw 'mhres.'

Doedd dim taw arno heddiw, fel petai ar bigau'r drain ac yn siarad i esmwytháu ei groen ei hun. A 'bacha menyn' oedd ganddo yntau wrth frwydro â'i wregys diogelwch. O'r diwedd taniodd yr injan a refio'n galed. Yna gadawodd ni mewn cwmwl o fwg llwyd, a'r beipen egsôst rydd yn rhuo.

Syllodd Miriam a minnau ar ei ôl, a'n tawelwch yn cyfleu rhyddhad neu hiraeth – neu efallai'r ddau.

Dim ond pan gliriodd y mwg y sylwais fod y Range Rover arian yn dal y tu allan i'r Plas.

9

'PAID Â CHYMYD dim sylw o'r petha gwirion mae Trefor yn ei ddeud,' meddai Miriam wrth iddi dynnu'r hwfer o'i hôl. 'Tynnu coes ydi'r cwbwl. Mae o 'di mynd yn waeth yn y ddwy flynadd ddwytha. Ers i David ein gadael ni. Troi pob dim yn jôc.'

Cerddai'r ddau ohonom i gyfeiriad yr eglwys a'n meddyliau ar lwch: Miriam a'i hwfer gwag a finnau a'r wrn llawn.

'Blin ydi o, am wn i,' aeth yn ei blaen. 'Ac yn trio peidio dangos hynny. Gobeithio ceith o waith heddiw. Dim ond hyn a hyn o DIY fedar dyn ei neud.'

Roedd rhyw dristwch yn ei llais, a hwnnw'n taro'n od â'i dull di-lol o siarad. Ceisiais droi'r sgwrs i gyfeiriad gwahanol.

'Be ydi'r Phase 1 yma?'

Ysgydwodd Miriam ei phen.

'Rhyw fflatia newydd. Ar hen safla Menai Auto Parts.'

'MAP?'

Amneidiodd Miriam. A throdd y sgwrs at Trefor drachefn.

'Y peth trist ydi mai fanno oedd Tref yn weldar. Ond mi gaeodd dros bum mlynadd yn ôl, wedi'r hen streic annifyr yna. A dydi o heb weithio i neb ond fo'i hun ers hynny.'

Gwnaeth Miriam ymdrech i sirioli, a chrychodd y croen o gwmpas ei llygaid yn rhwydi mân.

'Mi helpith chdi efo Arvon Villa, beth bynnag. Mi fydd yn braf cael hogyn ifanc ar y stryd 'ma eto.'

Ac wrth iddi ddweud hynny gwyliais ei threm yn anwesu enwau tai ei chymdogion: Tegfryn, Goleufryn, Delfryn...

'Dim ond Gwynfryn sy wedi newid dwylo ers i Tref a finna ddod yma yn y saithdega. Dan ni i gyd wedi gneud yn iawn efo'n gilydd erioed. Heblaw am Miss Bugbird, druan. Roedd hi'n rhy indipendant.'

Taflodd gip arnaf, a phan welodd fy mod yn gwrando'n astud arni, ychwanegodd:

'Ond mi oedd 'na rywbath amdani yr o'n i'n ei licio. Dipyn o, be fasat ti'n ddeud, *ysbryd*. A balchdar.'

Daeth y ddau ohonom i stop o flaen picellau du-loyw eglwys Sant John Jones. Chwiliodd Miriam ym mhoced ei ffedog am gylch o oriadau. Edrychais innau ar y plasty Sioraidd gyferbyn. Plas Brynhill oedd perl y stryd. Ac edrychai'n fwy perlaidd nag erioed. Roedd yr hen bortico ansad wedi ei dynnu ymaith, a'r waliau wedi eu gwyngalchu â hen wyn. Wrth bostyn y giât roedd llechen betryal wedi'i gosod, a gwynder yr ysgythriad, 'Plas Brynhill (1830)', fel carreg fedd newydd yn dangos newydd-deb y plac.

'Pobol newydd yn y Plas?'

Amneidiodd Miriam, a rhoi sgwd i'r goriadau i'w lle.

'Mi fuodd yr hen Admiral farw ryw dair blynadd yn ôl. Ei iau o 'di mynd.'

Gostyngodd ei llais wrth daflu cip at ochr draw'r stryd.

'Hogyn o sir Fôn sy'n byw yna rŵan. Medwyn Parry. Dyn busnas. Reit uchal yn y Cyngor.'

'Fo bia'r Range Rover?'

'Ia. Ac mae o 'di priodi hogan Jac Santa gynt.'

'Santa?'

Cododd Miriam ei bys at ei gwefus, a sibrwd:

'Ia, ti'n gwbod. Maffia Caersaint. Teulu Bold. Maen nhw'n deulu mawr. Dwi ddim yn nabod hon. Ei mam hi o'n i'n ei nabod – honno fuodd farw'n ifanc. Yn Malta. Ac mae hon yn gymaint o fadam bob tamaid. Sbio lawr ei thrwyn ar y gweddill ohonan ni ar y stryd 'ma. Deud dim wrth neb, er bod golwg reit unig ar y beth bach.'

Edrychais o'r newydd ar y Plas, a theimlo fy nghynnwrf yn cynyddu.

'Mi oeddwn i'n nabod un o genod Bold yn yr ysgol.'

'Mi fu'st ditha yn Ysgol Mabsant,' tynnodd llais Miriam fi'n ôl o'm hatgofion. 'Faint fasa d'oed di rŵan?'

'Dau ddeg pump.'

Aeth cysgod ar draws ei hwyneb. Neu hwyrach mai haul y bore a aeth y tu ôl i gwmwl.

'Dwy flynadd yn hŷn na David ni...' meddai, bron wrthi'i hun.

Heb ddweud gair ymhellach, trodd ei chefn arnaf i ddatgloi drws yr eglwys, a chamu i'r tywyllwch. Gwrandewais ar olwynion yr hwfer yn clecian ar y teils, fel cymeradwyaeth unig, oer.

Oeddwn i wedi'i phechu, rhywsut?

Hen beth greddfol oedd yr euogrwydd yma. Roedd yn bryd cael gwared arno. Sythais fy ngwar, er nad oeddwn i'n herian neb ond fi fy hun, a chan ganolbwyntio ar y ffigysbren yng ngardd y Plas, croesais y stryd.

Wrth gwrs, gwyrais tua'r chwith cyn cyrraedd y giât. Doedd fiw i hogyn o hôm wneud dim arall. Ond roedd y cof am siarsio awdurdodol gŵr y Plas yn dal i fy ngwylltio. Ac wrth gerdded heibio i'r tanc o gar, meddiannwyd fi gan hen ysfa Jaman Jones, yr hogyn drwg. Gydag ymyl yr wrn rhoddais grafiad slei i baent arian ystlys y Range Rover.

10

ARWYDD NEWYDD OEDD y plac o lechen Dinorwig
a osodwyd wrth fôn y llwybr ac arno'r geiriau 'Parc
Brynhill'. Doedd fawr o sail dros alw'r graig yn barc, ond
bod cariadon yn dod yma i garu a phlant ysgol i ysmygu.
Hynny, a'r ffaith nad oedd mwyafrif pobl Caersaint erioed
wedi tywyllu'r lle. Roedd rhyw fandal o sant wedi rhoi
Tipp-ex trwy enw 'Brynhill', ac wedi ysgrifennu 'Everest'
yn ei le, ac un arall wedi rhoi 'Chomolungma' ar draws
hwnnw mewn permanent marker piws.

Dringais trwy'r mân wellt gwlithog. Doedd neb o
gwmpas ond gwylanod yn hedfan o'r môr i ben y mynydd.
Oedais am eiliad i wrando ar ddwndwr traffig y ffordd
osgoi: sŵn tonnau'n torri ar draeth pell. Yna esgyn eto, nes
cyrraedd y fforch gyntaf yn y llwybr, lle'r oedd mainc bren
wedi'i gosod ar sil yn y graig.

Sefais i gael fy ngwynt ataf a darllen graffiti'r fainc.
Angerdd. Malais. Smaldod y saint. Enwau wedi'u hamgáu
mewn calonnau.

Lle da i gariadon oedd craig Brynhill, yn rhannol gan fod
goleudy Llanddwyn i'w weld mor glir ohoni. Wrth gwrs,
doedd gen i ddim cariad heddiw i gyd-hiraethu am y smotyn
gwyn a ymgodai o'r twyni pell. Trois yn hytrach i sbio tuag
i lawr, gan edmygu'r olygfa dros dref Caersaint.

Codai toeau a thyrau'r hen dref bron gyferbyn â mi, a
rhaid fyddai dringo'n uwch cyn ei gweld yn ei gogoniant.
Camais ymlaen hyd y serthaf o'r ddau lwybr, heibio i lwyni
eithin oedd ar fin ailflodeuo, nes cyrraedd y rhan lle moelai'r

graig yn gnawd rhychiog. Hen graig annymunol yr olwg oedd hi, a'r hafnau cynoesol yn rhoi gwedd ddioddefus iddi, a'r cylchoedd cennog melynwyrdd fel hen gleisiau. Digon hawdd dweud bod dynion wedi ei sathru ers miloedd o flynyddoedd. Codai yn ei noethni Cyn-gambriaidd uwchben y dref, a doedd dim rhyfedd mai 'Bryn Hyll' oedd enw'r saint ar y lle.

Hyll neu beidio, roedd yr olygfa oddi arni yn llwyr a phanoramig. Trois yn f'unfan, a theimlo'r un hen gyffro wrth weld cadwyn laslwyd mynyddoedd Eryri yn hanner cylch o'm cwmpas. Iseldir glas Arfon wedyn, a'r caeau'n wawriau o wyrdd rhwng yr Eifl a Chaersaint. Cilgant traeth y Foryd yn ymestyn o Gaersaint at Ddinas Dinlle, a môr Iwerddon yn disgleirio yn y pellter. Dau drwyn o dir – Caer Belan a thwyni Niwbwrch – bron â chyffwrdd wrth Gap Abermenai. Ac yn llenwi'r hafn rhwng Arfon ac Ynys Môn, y Fenai ei hun, a honno heddiw mor las â llygaid Arfonia, a'r traethau gwyllt yn codi'n sarnau aur ohoni – o leiaf hyd nes y rhusiai'r llanw eto o ddau ben y culfor.

Ar ôl bod yn gaeth cyhyd mewn lle mor llwyd, meddwodd fy synhwyrau ar yr harddwch lliwgar o'm cwmpas. Roedd fy mhen yn troi, a'm corff yn ysgafnhau, felly ceisiais sadio trwy hoelio fy sylw ar Gaersaint ei hun. Ond wedi saith mlynedd, ac o uchder cariadus craig Brynhill, roedd ffurfiau cyfarwydd yr hen dref yn fy ngwefreiddio.

Yr un un oedd hi ag erioed, wrth gwrs. Y castell euraidd yn ganolbwynt. Cefnlen dywyll Coed Elen, a'r castell smal yn y pellter. Toeau culion, uchel siopau a banciau'r Maes Glas. Toeau sgwâr y capeli a'r Con Clyb. Toeau llyfn swyddfeydd y Cyngor. Muriau a phyrth yr hen gaer a'i strydoedd grid. Toeau ceimion y plastai canoloesol. Ac roedd sglein newydd ar rannau o'r dref heddiw: waliau rhai o'r siopau wedi eu peintio'n lliwgar, wal y prom wedi ei gwyngalchu a muriau Fictorianaidd yr hen Royal Hotel, yn syth oddi tanaf, wedi eu peintio'n lliw mwstard Seisnig.

Crwydrodd fy ngolygon draw at goedwig wen mastiau'r iots, a gwelais mai yn ardal Doc Victoria yr oedd y newid mwyaf. Roedd warws ac arni'r enw 'Oriel' mewn llythrennau breision wedi ei chodi gerllaw'r Archifdy. Ond yn fwy na hynny, fel y dywedodd Miriam, roedd ffatri rhannau ceir MAP wedi ei dymchwel, a bloc enfawr o fflatiau gwynion ar ganol ei godi yn ei lle ar lannau'r hen ddoc. Ceibiai a rhofiai'r peiriannau, gan rwygo'r tir y bu saint y gorffennol mor ddiwyd yn ei sadio.

Mygais rywbeth tebyg i siom. Nid fy lle i, ar ôl bod i ffwrdd cyhyd, oedd achwyn. Roedd rhaid i bethau newid, ac roedd y saint, fel pawb arall, angen gwaith. Wrth wylio'r labrwrs mewn siacedi fflwrolau yn cerdded hyd y trawstiau dur, meddyliais tybed a gafodd Trefor job.

Roedd logo coch, glas a gwyn cwmni adeiladu Wogan-Williams yn stamp ar ochr y teirw dur a'r cloddwyr. Ac yn crogi oddi ar y trawstiau uchaf roedd baner yr un cwmni, ynghyd â balŵn fawr ar ffurf taflegryn, a'r cyfan yn hysbysebu 'Homes For Sale / Cartrefi ar Werth'. Gwenais yn hunanfodlon. Roedd gan rai ohonom gartref yn barod.

Trois fy sylw at ben Brynhill, a gwasgu'r wrn yn dynnach yn fy llaw. Nid yn sgil y dringo'n unig yr oeddwn yn chwysu. Wrth nesáu at y copa, roedd y ddyletswydd oedd o'm blaen yn fy arswydo fwyfwy. Fy nghymwynas olaf ag Arfonia. Y cyfle olaf i mi ddiolch iddi. Gwneud iawn â hi…

Obelisg ithfaen a ddynodai'r copa, a hwnnw'n gofgolofn i'r saint a gwympodd yn Rhyfel y Böer. Ond sefais cyn cyrraedd y gofeb wrth glywed llais benywaidd cynhyrfus yn codi o'i hochr bellaf. Oedais am eiliad i wrando. Siaradai

Saesneg dieithr a chyfareddol. Sbeciais heibio i'r obelisg, a chael fy syfrdanu.

Yno, mewn dillad golau, safai merch benfelen a ffôn wrth ei chlust. Caeais fy llygaid a'u hagor eto. Oherwydd hon oedd un o'r merched prydferthaf i mi eu gweld yng Nghaersaint erioed.

Siaradai'n gynhyrfus i'w ffôn, gan syllu ar y watsh aur am ei harddwrn, a chrychu ei haeliau'n ddig. Symudodd ei gwallt melynwyn trwy olau'r haul. Ac yn sydyn, stampiodd sawdl main ei hesgid ar wyneb craig Brynhill. Yn ei dicter aeth i siarad ei hiaith ei hun; Rwsieg, efallai, yn llawn synau gyddfol.

Yna, yn annisgwyl, dechreuodd siarad Cymraeg, a daeth sŵn cyfaddawd i'w llais:

'Wela i ti wedyn, te. Yn y Shamleek.'

Diffoddodd ei ffôn trwy ei gau'n glep, a mwmial rhywbeth eto yn ei hiaith hyfryd ei hun. Gwthiodd y teclyn arian i boced clun ei throwsus. Crwydrodd fy nhrem at ei choesau lluniaidd. Fferau noeth. Sandalau strapiog.

Dêt oedd ganddi, mae'n rhaid. Ond ar ben Brynhill, cyn naw o'r gloch ar fore Llun? Roedd y peth yn hurt! Nes i mi feddwl yn sydyn mai fi oedd y dyn y disgwyliai amdano. Ac mai Arfonia oedd wedi rhaglunio'r cyfarfod. Wedi tynghedu'r dramores benfelen a minnau ynghyd. Finnau'n berchen tŷ, a hwnnw'n wag. Hithau'n chwilio am noddfa mewn gwlad estron...

Dyrnodd fy nghalon, a dechreuais chwysu o'r newydd. Petawn ond yn medru ffeindio fy llais a'i chyfarch...

Ond yn fy nryswch, a minnau'n camu ati, llithrodd yr wrn o'm gafael a disgyn ar wyneb y graig. Daeth y caead i ffwrdd dan glindarddach. Llifodd peth o'r llwch allan o'r wrn.

Trodd y ferch benfelen mewn braw. Rhythais innau ar ran o weddillion Arfonia'n llithro i rychau'r graig. Edrychais ar y ferch. Yna sbio i lawr eto a gweld y llwch yn gwasgaru.

Teflais fy hun ar fy ngliniau i roi'r caead yn ôl, gan sgubo pridd a mân ddeiliach i'r wrn, ynghyd â'r llwch. Erbyn codi fy mhen eto roedd y ferch wedi troi ei chefn, a sodlau main ei sandalau'n clecian hyd wyneb y graig. Baglais ar fy nhraed i alw arni – petawn ond yn gwybod ei henw! – ond roedd hi eisoes hanner y ffordd i lawr, a'i phen wedi ei daflu'n ôl fel caseg yn ffromi.

Rhegais – yn dawel, rhag iddi glywed – a gwasgu'r wrn mewn rhwystredigaeth. Ond doeddwn i ddim am ildio i anlwc Jaman Jones, ac yn fy ymgais newydd i fod yn ddyn a reolai ei dynged ei hun, camais i ganlyn y ferch benfelen, gan anghofio'n llwyr am gais olaf Arfonia Bugbird, a'r gymwynas nad oedd byth wedi ei chyflawni.

Sgrialais i lawr y graig, ond erbyn hyn, doedd dim golwg ohoni, a hithau wedi ymgilio'n rhyfeddol o chwim. Ac yn y fath esgidiau anaddas!

Mor gyflym y diflannodd nes i mi amau am funud fy mod wedi breuddwydio. Oedais i gael fy ngwynt ataf. Ond wrth sefyll yno wrth lwyn o eithin yn pendroni p'un a ddylwn ddringo eto at y copa, ynteu mynd adref a dechrau o'r newydd yfory, clywais leisiau dig gŵr a gwraig yn codi o ardd y Plas. Geiriau'n cael eu hysian a'u hyrddio. Seibiau tyn.

Clustfeiniais. Tybed?

Aeth fy chwilfrydedd yn drech na mi, a chamais yn nes at y wal frics, at y patshys duon lle bu plant Ysgol Mabsant yn rhoi'r gwellt ar dân.

Ond roedd y ffrae yn tynnu tua'i therfyn, a'r bwlch rhwng pob cyhuddiad yn cynyddu. Doedd y ffrae mwyach yn ddim mwy nag ambell ebychiad. Gwasgais fy nghorff yn erbyn y

brics a'm codi fy hun i sbecian trwy do'r tŷ gwydr. Trwy'r
deiliach a dyfai yn hwnnw gwelwn gefn gwraig y Plas. Safai
ar garreg drws y ffrynt a'i golygon ar y giât yr oedd ei gŵr
newydd fynd trwyddi.

Un o ferched Santa? Craffais. Tonwen Bold...? Roedd
yn ormod i'w obeithio. Ac eto...

Mater bach i Jaman Jones oedd dringo wal, yn enwedig
pan olygai hynny allu gweld yn well. O uchder craig
Brynhill doedd hi fawr o wal beth bynnag, er y codai dros
ddeg troedfedd o lawr gwastad gardd y Plas. Gwthiais flaen
fy nhroed i fwlch yn y mortar a hybu fy hun i fyny.

O sbecian dros ymyl y tŷ gwydr ni welwn fwy na chefn
y wraig. Cefn cul. Addawol. Ond gwallt brown cwta oedd
gan hon. Gwisgai grys gwyn a jeans, ac roedd ei llaw dde'n
cynnal bôn y cefn. Wrth ei hymyl safai bachgen bychan pryd
golau yn dal ei llaw.

Gwyrais yn fy mlaen eto. Yn sydyn daeth llais dyn yn
tyngu llw ar y stryd:

'Blydi fandals!'

Gwenais. Gyrrwr y Range Rover yn damnio'r crafiad ar
ei gar! Daeth dolef sydyn: sŵn drws y Range Rover yn cael
ei ddatgloi. Cododd gwraig y Plas ei braich am ysgwydd
ei mab bach, wrth i injan y Range Rover refio'n rymus,
cyn iddo gychwyn ar ei daith i lawr Stryd Thomas, arafu,
rhuo wrth ddringo dros bonciau Stryd Victoria, a refio'n
fodlonach wrth ymroi i ryddid Ffordd Bethlehem...

Ymhen rhai eiliadau byddai gwraig y Plas yn troi at y tŷ,
a dyna fyddai fy nghyfle i weld ai hi oedd hi. Modfeddais yn
fy mlaen at ymyl to'r tŷ gwydr. Y bychan a drodd yn gyntaf
at y tŷ, ac yntau wedi'i wisgo mewn crys ac arno logo Ysgol
Sant John Jones. Haliodd fraich ei fam nes ei bod hithau'n
troi yn yr unfan. Ac yna...

Tonwen! Tonwen Bold!

Cododd ei phen yn sydyn, fel petai wedi clywed y floedd gariadus, hiraethus, fud. Ciliais yr eiliad honno rhag iddi fy ngweld. Ond collais fy nghydbwysedd, ac yn y symudiad sydyn llithrodd yr wrn o'm gafael am yr eildro'r bore hwnnw. Syrthiodd yn galed trwy do'r tŷ gwydr, a daeth sŵn gwydr yn torri'n deilchion, ynghyd â bloedd o fraw o'r ardd islaw. Sgrialais innau'n ddireolaeth o ben wal y Plas a glanio rhwng y llwyn eithin a'r patshys llosgedig o wair. Caeais fy llygaid a theimlo hen wae'r hogyn anlwcus.

Dim ond un ffordd oedd i lawr o ben Brynhill, a heibio'r Plas yr âi honno. Gwyddai Tonwen hynny'n iawn, ac erbyn i mi hercian at y giât ffrynt, safai hi a'i mab yno'n aros, wrn Arfonia yn un llaw a ffôn yn y llall, yn barod i ffonio rhywun mewn awdurdod – yr heddlu, efallai, neu ei gŵr. Roedd braich y mab yn dynn am ei chlun.

Syllodd arnaf am sbel, fel petai'n ceisio dirnad pwy – neu efallai *beth* – oeddwn i. Ai fandal? Ynteu ffŵl mwy diniwed?

Mentrais innau, er gwaethaf fy nghywilydd, edrych arni hithau. Roedd cerydd yn ystumio'i gwedd. Ac eto, yr un un ag erioed oedd hi. Y talcen gwyn. Y llygaid gwyrddion golau. Ond roedd ei gruddiau'n deneuach. Ei gwallt wedi ei dorri'n fyr. A phryder, yn lle hyder, a lanwai ei gwedd.

Yr un hefyd oedd fy nheimlad i o'i gweld â phan welwn hi ar iard yr ysgol gynt. Y pwl yn y stumog. Y wasgfa yng nghyffiniau'r galon. Y don boeth yn codi trwy'r gwddw a'r talcen yn torri'n chwys. Fferdod yn gwefreiddio blew mân fy ngwar…

'Chi bia hwn?'

Daliodd yr wrn i mi. Rhyfeddais o weld bod y caead yn dal yn ei le.

'Sori. Damwain... baglu nesh i.'

Ildiais i'w cherydd yn llwyr. Yn falch o gael ei sylw. Yn falch o gael siarad â hi am y tro cyntaf erioed. Ond roedd hi'n ymosodol, fel petai'r ffrae â'i gŵr yn dal i'w chorddi.

'Mi fasa Macs wedi medru bod i mewn yna. Yn hel tomatos. Basat?'

Amneidiodd y bychan, ac edrych arnaf o gornel ei lygaid wrth ddweud:

'Tomatos gwyrdd. I Nain Sir Fôn.'

Cynigiais glirio'r gwydr. Ond ysgydwodd Tonwen ei phen a gwthio'r wrn i'm llaw.

'Fasa Medwyn ddim yn rhy hapus taswn i'n gwadd dyn diarth i mewn i'r ardd. *Fydd* o ddim yn hapus,' pwysleisiodd. 'Cadw'n glir fasa ora. Mi rown ni'r bai ar y fandals.'

Dyna'r gorchymyn i mi ymadael. Yn rhydd. Yn ei dyled. Ond ar ôl disgwyl cyhyd – deng mlynedd, deuddeg – i gyfnewid gair â hi roeddwn yn gyndyn o fynd. Daliais fy nhir a sefyll yno. Wedi'r cyfan, roedd hon yn stryd i mi erbyn hyn. Ac yn y diwedd, Tonwen a drodd ymaith.

'Ty'd Macsi, dan ni'n hwyr ofnadwy bora 'ma.'

Dechreuodd symud tua'r tŷ. Cefais innau fy syfrdanu, oherwydd wrth iddi droi, gwelais fod ei bol yn feichiog, fawr.

Gan daflu cip dros ei ysgwydd, holodd y mab yn bryderus:

'Dyn drwg ydi o? Mae o 'di torri tŷ gwydr Dadi.'

'Damwain oedd hi,' meddai Tonwen. 'Dwi'n meddwl.'

Cynhyrfais eto. Roedd yn rhaid i mi ddweud mwy. Manteisio ar y cyfle. Gosod rhyw sylfaen.

'Diolch!'

Llamodd fy nghalon wrth iddi oedi.

'Diolch am beidio ffonio'r polîs.'

Taflodd hithau gip dros ei hysgwydd. Roedd dryswch yn ei gwedd. Gwnes fy ngorau i edrych yn ddidaro.

'Gwyn ydi'r enw. Dwi'n byw'r ochr arall i'r stryd. Y tŷ pen. Arvon Villa.'

Dilynodd trem y bychan gyfeiriad fy llaw, a chododd ar flaenau'i draed i geisio gweld dros glawdd y Plas.

'Tŷ Miss Bugbird?' holodd Tonwen yn syn, gan droi ataf ar ei gwaethaf. 'Ydi hi 'di mynd?'

A chyn i mi ateb, dywedodd ychydig yn flin:

'Ddeudodd Medwyn ddim byd.'

'I lle mae hi 'di mynd, Mam?'

Edrychodd Tonwen i lawr ar ei mab. Yna arnaf i, fel petai'n fy herio i gynnig ateb. Cydiodd rhyw ddiawledigrwydd ynof, a chodais yr wrn a oedd yn dal i gynnwys llwch Arfonia a'i ddal o'm blaen. Bu'n funud cyn i Tonwen sylweddoli. Lledodd ei llygaid. Cododd ei llaw at ei cheg.

'O, mam bach. Feddylish i ddim! Finna'n meddwl mai rhywbath efo drygs oedd o…'

Gwenais eto. Yna cefnais arni, cyn difetha'r funud feichiog.

Wrth groesi'r stryd gwrandewais ar holi taer y mab.

'Pwy ydi o, Mam? Deud!'

'Dwn i'm pwy oedd o. Dim ots rŵan. Ty'd i'r tŷ. I fi gael mynd â chdi i'r ysgol. Ac mae'n siŵr bod yn well inni ffonio dy dad.'

Codais innau fy mhen yn llawn buddugoliaeth, cyn gweld Miriam yn sbio arnaf o ddrws Sant John Jones, ei llaw'n dynn ar gorn y Dyson a syndod yn ystumio'i gwedd.

11

UN O'R PETHAU yr oeddwn wedi breuddwydio am eu gwneud ar ôl dychwelyd i Gaersaint oedd mynd am frecwast i Gaffi Besanti. Felly, ar ôl ffarwelio â Miriam, gan addo mynd ati am baned pnawn, trois i lawr at sgwâr Brynhill er mwyn mynd i gyfeiriad y dref.

Yn nrws ei siop safai Llifon Gwyrfai yn syllu ar draws y sgwâr fel sgweier tew dros ei erwau. O fod yn hogyn busneslyd roedd bellach yn ddyn busnes. Ond yr un olwg oedd arno ag erioed. Bochiai ei freichiau o lewys cwta ei grys, ac roedd plygiadau ei fol yn llinellau cyfochrog rhwng y ceseiliau a gwregys ei drowsus. Ac roedd ei lygaid mor chwim, a'i geg yr un mor barod. Bloeddiodd ei lais main ar draws y sgwâr:

'Wel, sbïwch pwy sy'n ôl! Jaman Jones. Fatha ci wedi dŵad yn ôl at ei gachu!'

Heb godi fy llaw i'w gyfarch, brysiais yn fy mlaen dros bont y ffordd osgoi, gan syllu tua goleudy Llanddwyn yn y pellter wrth groesi gwagle affwysol yr inner relief road.

A dyna gamu'n ddiogel at ben Penrallt! Roedd y stryd honno mor dywyll a serth ag erioed: mân sbwriel wedi hel yn ei chwterydd, a blodau dant y llew yn heuliau sathredig rhwng y gyfnewidfa ffôn a maes parcio swyddfeydd y Cyngor. Roedd rhywun wedi sgrialu 'Lembo' mewn gwyrdd uwchlaw un gwter, ac roedd stensil Che Guevara wedi'i beintio droeon hyd furiau'r gyfnewidfa.

Gadewais i ddisgyrchiant fy nhynnu at lawr y dref, heibio i'r ganolfan waith lle'r oedd arwydd newydd ac arno enw

'Cynulliad Cenedlaethol Cymru', a hogyn a hogan denau yn mwytho'u milgi, a hynny o gnawd oedd arnynt wedi ei rybedu efo tlysau. Yn is i lawr roedd siop dorri gwallt Hercan wedi ei throi'n ganolfan ar gyfer y digartref, gydag intercom wrth y drws i ddweud nad oeddech yn neb. Fanno fyddwn innau heblaw am Arfonia.

Daliai siop gigydd Kitchener Huws i sefyll ar y gornel lle'r ildiai Penrallt i Ffordd Bangor. Roedd lori wen newydd gyrraedd o'r lladd-dy, a rhes o fwtsieriaid mewn ffedogau cochion yn cario moch i gefn y siop: cyrff melyngoch, diben, wedi eu hollti hyd-ddynt, a'u coesau wedi ymestyn fel petai'r hanner moch ar ganol llam.

'Sobor o beth pan ti'n goro cario'r hwch trw dy siop dy hun!' cwynodd un.

'Traed moch,' meddai'r llall.

Ar stryd y Bont Bridd croesais y ffordd, a chamu i awyrgylch cynnes Caffi Besanti. Doedd dim wedi newid yma: yr un oedd y waliau melyn a'r rhesi o fyrddau fformica a bwydlen blastig ar ganol pob un. Yr un ag erioed oedd yr arogl hefyd: arogl coffi, a thost, a chig moch wedi'i ffrio, ond heb y mwg sigaréts. A digon tebyg oedd y cwsmeriaid a'u sgwrs. Caeodd bwrlwm y lleisiau trwynol amdanaf wrth i mi syrthio i'm hen sedd rhwng y ffenest a'r balmwydden blastig.

Mi wyddwn pwy oedd y weinyddes, er nad oeddwn yn ei nabod, a synnais o'i gweld yn gweini yng Nghaffi Besanti o bob man, gan mai un o hipis Caersaint oedd hi. Dynes ganol oed a'i gwallt wedi'i liwio â henna. Hongiai clustdlysau bron i lawr at ei gên, a gwisgai grys paisley dan ffedog neilon Caffi Besanti. Ar ei brest lydan roedd bathodyn yn dweud 'Almut'. Cyfarchais hi'n Saesneg, gan archebu brecwast trwy'r dydd a choffi trwy lefrith, ond nid atebodd hi, dim ond crwydro draw at ddyn o'r enw Alun Stalin, leffti mwyaf Caersaint, a dechrau sgwrsio â hwnnw. Ac o wrando, sylweddolais fod Almut yn siarad Cymraeg croyw.

'Mae angen inni wneud rhywbeth yn erbyn y dyn. Mae o fel unben.'

'Protestio fel tasa'n bywyda ni'n dibynnu ar y peth, dyna sydd isio,' meddai Alun, a'i wallt yn siglo'n gynffonnau brith ar ei war. 'Codi'r bobol yn ei erbyn o! Os na nawn ni, pwy neith?'

'A pwy neith banad i fi?' blocddiodd un o'r cwsmeriaid ar draws eu pwyllgor. 'C'mon Helmut, dwi'n tagu!'

'Dwi yma i weini, ond nid i wasanaethu,' meddai Almut yn ôl, a cherdded at ddrws y caffi er mwyn gadael Alun allan yn ei gadair olwyn.

'Mi gawn ni air heno yn y Mona,' meddai yntau, a thaflu cip dirmygus ar y cwsmer yn ei gap baseball.

Gwyliais Alun yn olwynio'i gadair i gyfeiriad y Clwt Mawn, ar ei ffordd yn ôl i'r Archifdy. Gyferbyn â'r caffi roedd ysmygwyr tafarn yr Harp yn tindroi wrth geg Stryd y Priciau Saethu, a syllais arnynt am sbel gan geisio dyfalu beth roeddent yn ei ddweud.

Erbyn i mi droi'n ôl roedd Almut yn cario'r coffi tuag ataf, a'r ewyn yn goferu dros ymyl y cwpan, fel tonnau mewn tymestl.

'Unrhyw jans am y brecwast?'

Gadawodd fi heb ddweud dim.

'Paid â cymyd sylw ohoni hi, mêt,' meddai'r cwsmer smala gan wagio sachaid o siwgr i'w de. 'Jyrmanas.'

Roeddwn wedi hen yfed fy nghoffi erbyn i Almut ddod yn ei hôl a gosod o'm blaen lond plât hirgrwn o gig moch, wy, tomatos, pwdin gwaed a bara saim.

'Mae hwn yn llawn colesterol,' meddai'n swta.

Cipiodd y fwydlen, a tharo'r cefn â'i mynegfys modrwyog:

'Mae 'na ddewisiadau amgen.'

Ar gefn y fwydlen roedd rhestr o fwydydd a diodydd dan y pennawd 'Y Dewis Iach / The Healthy Option'.

'Mi fasa'r hogyn yn debycach o'u trio nhw tasa fo'n dallt be ydyn nhw,' meddai'r un cwsmer eto. 'Llyfnyn Ffrwythog Anllaethog, myn cythral!'

Trodd Almut ei chefn arno ac egluro wrthyf i beth oedd cynnwys y dairy-free fruit smoothie, gan egluro bod fersiwn llaethog i'w gael hefyd.

'Mae ein llaeth i gyd yn lleol,' sicrhaodd fi.

'Lleol?' galwodd y cwsmer o'r tu cefn. 'Dydi saint normal ddim yn gwbod be ydi buwch. Caffi ydi hwn i fod, Helmut, dim health farm.'

Trodd Almut ato.

'Yr hyn a fwyti, hynny wyt ti.'

'A gegodd, a rechodd,' meddai yntau.

Trois at y brecwast saim, ond diflannodd fy archwaeth wrth gofio am haneri'r moch wrth siop Kitchener. A daliai Almut i sefyll yn ymyl, gan esgus tynnu'r llwch oddi ar y balmwydden blastig. Roedd golwg benderfynol arni, fel petai wedi synhwyro fy mod eisiau newid a hithau'n barod i'w roi i mi.

Hi enillodd yn y diwedd. Gwthiais y plât oddi wrthyf, ac ildio iddi:

'Mi dria i eich diod be-dach-chi'n-galw chi.'

'Cachwr,' meddai'r dyn â'r cap.

A phan ddaeth Almut yn ei hôl dan gario gwydraid o hylif trwchus cochlyd, dywedodd yntau:

'Enjoia dy chwd!'

Yna cododd o'i sedd, rhoi ei fys yn ei geg a smalio cyfogi,

gadael tair punt wrth ymyl ei blât a mynd allan o'r caffi, gan gyfarch un o'i gydnabod trwy ei alw'n 'sant anghynnas'.

Gwenais innau, a brysio i yfed fy niod, er mwyn i minnau gael mynd i grwydro strydoedd Caersaint eto, a gwrando ar y lleisiau Besanti yn llenwi'r lle â sen a ffraethineb.

Safai Almut bellach wrth y cownter, yn syllu ar ffyddloniaid Caffi Besanti yn sglaffio, a chadach tebyg i sachliain yn ei llaw, ynghyd â photel o hylif Ecover.

'Blasus?'

'Well na'r disgwl. Faint sy arnaf i i chi?'

Rhoddais fy llaw ym mhoced fy jeans. Yno'n saff yr oedd y papurau pum punt yr oeddwn wedi eu canfod mewn amlen las ynghanol dail te Arfonia y bore hwnnw.

'Os wyt ti'n addo dod yn ôl,' meddai Almut, 'mi gei di hwnna am ddim.'

Gwenodd. Roedd yna rywbeth braf amdani wedi'r cwbl; rhyw sicrwydd a gofal. Ac wrth i orchymyn diamynedd godi o ddyfnderoedd y caffi – 'Almut! C'mon, dwi'n llwgu!' – gwenais yn ôl ar yr Almaenes, a theimlo rhyw gydymdeimlad sydyn at un arall a oedd wedi mabwysiadu Caersaint yn gartref iddi, hyd yn oed os nad oedd Caersaint – ddim cweit – wedi ei mabwysiadu'n ôl.

12

Blasai awyr hallt wymonllyd Caersaint yn ffresh a rhydd wedi arogl ffrio Caffi Besanti. Trois at stryd dywyll y Bont Bridd a'i chadwyni o fylbiau lliw heb eu goleuo, a gwthio yn fy mlaen i ben draw'r stryd honno, cyn bwrw fy hun i oleuni agored y Maes Glas, calon fywiol Caersaint.

Yna lloriwyd fi yn y fan gan y llanast yn y lle.

Roedd byddin o ddynion mewn siacedi oren a hetiau caled yn ymosod ar y Maes Glas, a cheibiau a driliau niwmatig yn treiddio trwy'r llawr fel llafnau bidog. Crwydrai jaciau codi baw ar hyd y lle fel tanciau enfawr, yn dyrnu ac yn darnio, ac roedd conau oren a gwyn wedi eu gwasgaru dros bob man. Rhwng y Morgan Llwyd a Thafarn y Castell roedd drysfa o ffensys metel a gadwai'r bobol at ymylon y sgwâr. Roedd drysau'r siopau oll wedi'u cau rhag y llwch, a doedd dim golwg o'r farchnad ddyddiol ynghanol y chwalfa. Ar ochr bellaf y Maes roedd cofgolofn Syr Hugh Owen wedi ei thynnu i lawr a baner enfawr Wogan-Williams yn chwifio'n goch, glas a gwyn oddi ar bostyn yn ei lle. Ac edrychai'r castell yn bitw ac amherthnasol ynghanol y mwg a'r sŵn.

Trois at un o'r cerddwyr eraill i holi beth oedd ar droed, ond doedd dim gobaith cael ateb. Roedd sŵn y peiriannau'n fyddarol a brysiai pawb yn ei flaen i le tawelach. Cyfeiriodd un ddynes at hysbysfwrdd a godwyd ar waelod Stryd Llyn, rhwng y senotaff a banc yr Holy Saints, a cherddais draw at hwnnw.

Yn bennawd ar yr hysbysfwrdd roedd y geiriau 'Cyngor Tref Caersaint, mewn partneriaeth â Chynulliad Cenedlaethol Cymru: Gwelliant i'r Maes Glas, Caersaint'. Hyd y gwaelod roedd paragraffau cyfreithiol mewn print mân, ynghyd â chyfarwyddyd sut i gael mwy o wybodaeth. A llenwid y gofod yn y canol gan ddyluniad pensaernïol a ddangosai drawsffurfiad y Maes Glas yn biazza Ewropeaidd.

Syllais mewn rhyfeddod. Roedd blas y dyfodol ar y cynllun, ac adeiladau Fictorianaidd y Maes yn awr yn wyn gloyw, heb geir na bysus na thacsis ar gyfyl y lle. Crwydrai pobl ddiwyneb ar draws y Maes, a'i lawr yn fosaic cywrain o lechi porffor, glas a gwyrdd. Bob hyn a hyn tarddai ffynnon o'r palmant – rhyw hanner dwsin o jetiau dŵr yn crymu tuag at ei gilydd – a'r bobl fwy myfyrgar yn oedi i'w hedmygu. Roedd 'saint' eraill yn eistedd ar feinciau sgleiniog, yn syllu fel zombies tua'r castell. Ym mhen pellaf y Maes roedd cofgolofn Lloyd George wedi mynd, ynghyd â'r sgwâr bach y safai arno, a'r toiledau cyhoeddus oddi tanynt. Ac yn eu lle, gyferbyn ag un o byrth y castell, roedd set eang o risiau gwynion yn disgyn tuag at y Cei Llechi, lle'r oedd pawb yn llyfu lolipop.

'Chwerthin nesh i hefyd,' meddai llais wrth f'ymyl, 'nes iddyn nhw dorri'r goedan goncyrs.'

Dyn mewn crys melyn, blodeuog oedd yn siarad, a chroes fawr yn hongian ar gadwyn o gwmpas ei wddw, ac yn ymgolli yn y goedwig o flew brith ar ei frest.

'Meddylia! Blydi cownsil! Dŵad yma efo'u chainsaws bora banc holide, pan oedd pawb yn cysgu. Mae'r peth yn warthus.'

Cododd ei ddwrn ar y peiriannau ar y Maes.

'Gwarthus!'

Yna pwyntiodd at y tir dan ei draed, a deallais innau. Cyfeirio at yr hen gastanwydden yr oedd o. Yma yr arferai unig goeden y Maes Glas sefyll, sef man cyfarfod dêts ar bnawniau Sadwrn. Yr unig beth a oedd yn weddill ohoni oedd amlinell y boncyff eang, a hwnnw wedi'i dorri'n llwyfan, bron at lefel y stryd. Wrth gwrs, roedd Haydn Palladium wedi manteisio ar hwnnw, yn bodiwm ar gyfer ei brotestio. Roedd o heddiw mor theatrig ag erioed, a phosteri sloganaidd wedi'u glynu dros ei gorff i gyd: *Stop the Blitz! Sbïwch Llanast! This is not Democracy! Ni bia Caersaint!* Ac ar goron bosterog am ei ben roedd sloganau pellach yn datgan: *Dim Maer! No to an Elected Mayor!*

'Nei di seinio hwn, pishyn?'

Daliodd ddeiseb o'm blaen, a'i llond o lofnodion annarllenadwy. Cymerais y feiro o'i law.

'Yn erbyn be mae o?'

'Bob dim, sant! Bob blydi dim sy'n digwydd yn y dre 'ma 'di mynd. A bob dim sy *ddim* yn digwydd hefyd.'

Gyda chwifiad ei law cyfeiriodd at y sloganau ar hyd ei gorff. Yna trodd ei gefn i ddatgelu cwynion pellach.

No to Wogan-Williams!

Med Medra! Dos Adra!

'Pwy 'di Med Medra?' holais, a sylweddoli'r eiliad honno y gwyddwn yn iawn pwy ydoedd.

'Y mochyn Môn powld 'na sydd isio bod yn faer Caersaint,' meddai Haydn. 'Mae o a Wogan-Williams fel Bob y Bildar a Wendy ar hyd y lle 'ma.'

Cododd un bys ar ben y llall i gyfleu agosrwydd rhy agos, ac wrth i mi dorri fy enw gwrandewais arno'n bloeddio ar siopwyr Stryd Llyn:

'Dowch i joinio'r campên yn erbyn y Cownsil! *Stop the Anglesey Dictator! NBC! Ni Bia Caersaint!*'

Ond er ei brofiad ar lwyfannau Llundain, prin yr oedd ei lais i'w glywed trwy ddrilio a cheibio'r Maes Glas. Gadewais iddo, ac anelu am Stryd Llyn i chwilio am ddillad.

Er bod gennyf bres yn fy mhoced, doedd Caersaint ddim y lle gorau i brynu dillad newydd. Ar ôl galw yn Woolworth i brynu bag o pick'n'mix er cof am yr hen ddyddiau, ynghyd ag ychydig dronsys a sanau, trois am siop Dr Barnardo lle prynais bâr o jeans ail-law, ynghyd â chrys glas tywyll. Pan oeddwn yn camu trwy'r llenni gingham o ystafell wisgo'r siop, rhoddodd yr hen wraig y gorau i brisio'i gemwaith plastig.

'Tei?' meddai i ddechrau. 'Tri am bunt.'

Yna craffodd arnaf dros ei sbectol.

'Dwi'n dy nabod di? Ti'n edrach yn debyg i rywun.'

'Neb,' atebais yn swta, a thaflu papur pumpunt ar y cownter.

Ac i osgoi gorfod ateb rhyw gwestiynau chwithig am deulu, neu ddiffyg teulu, brasgamais heibio i'r siwtiau tywyll a'r ffrogiau blodeuog ac allan trwy ddrws y siop.

'Mi fasan nhw'n prowd iawn ohonat ti, pwy bynnag ydyn nhw,' galwodd yr hen wraig i'm cefn. 'Tall, dark and handsome. Tasat ti ond yn torri'r mwng 'na...'

Yn brafiach mewn dillad cymharol lân, camais yn eofn trwy dwrw mawr y Maes Glas, cyn troi i lawr Stryd Twll yn y Wal. Y drws nesaf i dafarn y Twll gwelais swyddfa newydd *Llais y Saint*, a rhag ofn i Babs Inc ddod ar fy nhraws, camais yn chwim yn fy mlaen.

Croesais at gornel Stryd Star Bach a llonni wrth weld bod Siop Cloch yr Uwd yn dal yno. A hithau'n ddydd cyntaf Hydref roedd y pwcedi a rhaw a'r peli traeth wedi ildio'u lle i stoc y Nadolig, a chrogai bwrdd du yn y ffenest yn dweud *Only 85 days until Christmas*, a nifer y diwrnodau wedi ei ysgrifennu â sialc.

Gwasgais fy nghorff at y ffenest, gan weld f'adlewyrchiad fy hun ynghanol y teganau. Roedd y gwydr yn oer dan fy nhalcen, a than frathiad yr hen boen o fethu cael, a phres Arfonia'n llosgi twll yn fy mhoced, camais i mewn i'r siop i brynu set Scalextric.

Anti Meryl oedd piau Siop Cloch yr Uwd, ac roedd yn nodweddiadol o berchennog siop deganau yn yr ystyr y casâi blant yn ddiwahân.

'Presant?' holodd.

Amneidiais, dim ond i'w gwylltio, achos anrheg i mi fy hun oedd y ceir rasio. Grwgnachodd hithau wrth lapio'r bocs mewn papur wedi pylu, ac i'w gwylltio ymhellach gofynnais am damaid o ruban o'i gwmpas. Tynnodd lafn siswrn yn ffyrnig hyd y rhuban, hyd nes y crebachodd – a bodloni Meryl.

A'r parsel dan fy nghesail, a minnau'n teimlo fel hogyn bach wedi cyffroi, brysiais yn fy mlaen at ben draw'r Stryd Fawr. Wrth nesáu at Blas Porth yr Aur a Phlas Bold daeth arlliw o heli afon Menai i godi glafoer i'm ceg. Camais o led-dywyllwch y stryd, o dan fwâu carreg y Porth, ac allan i'r goleuni, gan adael i'r heulwen fy nhrochi'n llwyr.

Am yr eildro'r diwrnod hwnnw cipiwyd fy ngwynt gan harddwch Caersaint. Roedd y môr yn llonydd a glas, a heulwen glaer mis Hydref yn gloywi'r tir gan oleuo pob blewyn a phob deilen a phob cragen. Sgimiodd dau filidowcar tywyll hyd wyneb y dŵr o'm blaen. Yn y pellter, ar draeth gwymonllyd y Foryd, safai crëyr glas a'i draed yn y dŵr gan edrych yn broffwydol ymhell tuag at draethau Môn.

Seiren Pont yr Abar a'm deffrodd eto, wrth iddi rybuddio cerddwyr ei bod ar fin ymrannu'n ddwy. Dilynais y sŵn fel petai'n alwad, a brysio yn fy mlaen hyd y prom i gyfeiriad y bont. Roedd rhai o weithwyr y Cyngor ar egwyl ganol bore yn bwyta brechdanau o fagiau papur, eu coleri'n llac dan gwlwm y tei, a gwylanod a cholomennod yn pigo o gwmpas eu traed. Cyfarchais ambell un, ond heb aros i siarad. Cyflymodd fy ngham gan eiddgarwch plentynnaidd, heibio i'r Caffi Cwch. Am y tro cyntaf ers blynyddoedd cawn brofi hud gweld y bont yn torri'n ddwy.

Ac fel erioed, gwelais y cerddwyr yn cael eu hatal gan giât a gaeai'n ddisymwth yn sgil rhybudd y seiren. Gwyliais hanner pellaf y bont yn symud, a'r bont yn ymrannu mor llyfn a gosgeiddig ag erioed. Yn y caban wythochrog ar ei chanol gwelwn ffurf gyfarwydd corff mawr Peilat Jones, ceidwad enigmatig Pont yr Abar.

Hwyliodd cwch o'r enw *Duchess* allan o'r cei, ac ar ôl dilyn ei chŵys am sbel trois i wylio'r bont yn cau. Daliais fy ngwynt. Rhyw foddhad dinistriol oedd gwylio'r ymrannu: gwefr gweld rhywbeth yn torri. Ond roedd gwylio'r ymuno'n fater mwy difrif, yn peri rhyw ansicrwydd gan fod cyfanrwydd pont yn y fantol.

Gwyrai rhai o'r cerddwyr dros y giât i weld yr uno. Camodd eraill yn eu hôl, o gwrteisi, neu o fraw. Daliai pawb eu gwynt. Ac yn raddol, daeth y ddwy fraich at ei gilydd, fodfedd wrth fodfedd ddi-sŵn, nes eu bod yn union gyferbyn â'i gilydd, ond bod y naill fymryn yn uwch na'r llall. Yna, gydag un hwb sydyn daeth dau hanner y bont i gyffyrddiad â'i gilydd. Cododd ochenaid o ryddhad o blith y cerddwyr. Roedd yr asiad yn llyfn. Y bont yn gyfan eto! Eiliad o oedi, ac agorodd y giatiau, a llifodd y cerddwyr yn ddiamynedd drosti, heibio i bresenoldeb annirnad gweithiwr y mecanwaith.

Dim ond o bell y meiddiais innau edrych ar Peilat Jones, gan ostwng fy ngolygon yn gyflym wrth i'w gorff helaeth wargrymu o'i gaban.

Roeddwn wedi bod yn ymwybodol ohono erioed, y dyn tywyll a dirgel hwnnw. Wedi ei ofni, rhywsut. Gwyliais o'n cloi'r drws, ac yn troi at ei fwthyn dan gysgod Coed Elen. Y bwthyn od a edrychai fel wyneb llygadog, di-geg. A'r rhimyn castellog hyd y talcen a roddai i dŷ dinod wedd caer.

Diflannodd Peilat Jones i'w dŷ. Trois innau i syllu ar gerrynt Afon Menai yn gynyrfiadau croes hyd wyneb y dŵr, ac ar y ddau alarch a nofiai yn yr Abar. Roedd llonyddwch eu plu gwyn yn drawiadol, a hwythau'n gorfod cicio'n galed i wrthsefyll tyniad y llif.

Ac yn sydyn daeth rhyw gwmwl drosof, rhyw iseldra wedi'r cyffro. Edrychais ar y parsel rhubanog, a meddwl beth ddaeth dros fy mhen yn prynu peth mor hurt. Roeddwn wedi disgwyl y byddai crwydro Caersaint eto wedi fy llenwi â rhyw gysur tangnefeddus. Ond roedd rhywbeth – y newidiadau i'r Maes Glas, efallai, neu'r gymysgedd o'r cyfarwydd a'r newydd, neu hyd yn oed unigrwydd Peilat Jones – wedi fy anniddigo.

Peint fyddai'n fy setlo. Peint o gwrw lleol y Prins o Wêls, a hwnnw wedi ei dynnu ym mar y Mona. A chael ei lymeitian, yn ôl traddodiad, ar wal wen y prom dan wylio'r haul yn symud ar draws yr awyr.

Yna, mwyaf sydyn, fel petai rhywun wedi clywed fy nymuniad, gosodwyd y peint hwnnw wrth fy ymyl ar y wal.

13

'GOTCHA!'
Gwthiodd rhywbeth caled, fel blaen gwn, i mewn i mi. Codais fy mhen a gweld sbectol ddu a mwgwd o golur.

Lens camera oedd blaen y gwn, a hwnnw'n hongian ar strap ddu dros fronnau anelog golygydd a pherchennog newydd *Llais y Saint*. Teimlais dro rhyfedd ym mhwll fy stumog.

'Barbara,' meddwn yn sychlyd. 'Sut dach chi? Ers talwm.'

'Ers talwm?'

Wedi tynnu ei sbectol cododd hithau ei haeliau kohl, a chraciodd y colur oren o gwmpas ei llygaid. Yna edrychodd ar gloc ei Blackberry.

'Hm... rhyw dri chwartar awr.'

Gweiniodd y ffôn mewn câs lledr du, a'i wthio i boced ei siaced.

'Welish i chdi yn ffenast y caffi,' eglurodd.

Roedd ganddi ddiod yn ei llaw. Jin-a-thonic, yn ôl ei oglau. Doedd rhai pethau ddim yn newid.

'Does 'na neb yn cael dianc oddi wrth Babs Inc ddwywaith mewn diwrnod. Yn enwedig pishyn fatha chdi,' pinsiodd hynny o gnawd y gallai afael ynddo. 'Ti 'di teneuo. Dy gnawd ci bach wedi mynd.'

Roeddwn yn adnabod Babs ers degawd a mwy, er y dyddiau hynny pan fyddai'n loetran wrth giatiau Ysgol Mabsant yn hwrjio ffags ar hogiau pymtheg oed.

Cyw newyddiadurwraig oedd hi bryd hynny, yn dilyn galwedigaeth ei thaid ac yn torri ei dannedd ar y *North Wales News* a chnawd hogiau ugain mlynedd yn iau na hi. Roedd yn love-bites drosti, a'i dull ffafr am ffafr o garu'n ein siwtio ni i'r dim.

Fel llawer o ferched hŷn, mi gymerodd Babs ryw ffansi arbennig ataf i, a finnau'n rhy swrth i'w gwrthod. Ond roedd yn ddynes beryg, a dialgar. Pan glywodd am fy ffling â chwaer Llifon Gwyrfai, trodd yn eiddigeddus gas, a dialodd yn galed. Hyd heddiw fe'i cawn yn anodd ei thrystio.

'Yf dy Brins-o-Wêls!' hwrjiodd. 'Mae dy geg yn bownd o fod fel cesal camal ar ôl saith mlynadd.'

'Dach chi 'di bod yn cyfri?'

'Cyfri'r dyddia, Jaman bach, ers i chdi fynd,' cellweiriodd. 'Ac mae co' da yn beth handi i newyddiadurwr.'

Tapiodd ochr ei phen ag ewin rouge-noir. Codais innau'r peint yn ofalus, gan edrych arni dros wyneb gwridog y cwrw. Dododd Babs ei sbectol ddu gerfydd un goes ar wddw isel y crys du nes datgelu'r hollt rhwng ei bronnau.

Trois oddi wrthi a gadael i'r cwrw lifeirio'n araf dros sychder fy nhafod. Gwirionais ar y blas melog, a drachtio'n hir, hir, cyn sylweddoli bod Babs yn syllu'n foddhaus ar y gwydr yn gwagio.

Cododd ei llaw at y parsel ar y wal wrth fy ymyl.

'Presant bach i chdi dy hun?'

'Presant i rywun arall,' daeth y geiriau allan heb i mi sylweddoli.

'O?'

'Hogyn bach… ffrind i mi.'

Cododd Babs ei haeliau.

'Mae gin ti *ffrind* yn barod?' gwenodd yn goeglyd. 'Dwi'n ei nabod hi?'

Trois yn ôl at y cwrw. Atebodd Babs ei chwestiwn ei hun.

'Bownd o fod. Tydw i'n nabod pawb yn y dre 'ma! Chdi'n enwedig, Jaman Jones,' meddai wedyn. 'Nabod dy dueddiada cocwyllt di'n iawn.'

Chwarddodd eto, a gwthio'r parsel o'r neilltu er mwyn rhoi lle i'w thin ar y wal. A'r eiliad honno, fel petai Babs wedi rhaglunio'r cyfan, glaniodd baw gwylan yn sbloetsh dros y papur lapio pŵl.

Chwarddodd Babs yn uchel.

'Go dda!' curodd ei dwylo. 'Yr hen gudyll cachu'n cei! Tasat ti'n cofio dy Besanti, Jaman Jones, mi fasat wedi gadael dy barsal mewn lle callach.'

Poerodd ar hances bapur wen a sychu'r staen oddi ar y papur.

'Fel newydd!'

Taflodd yr hances fudur i'r Fenai a chwerthin wrth i'r clyrch heidio ati. Yna, cododd y parsel a'i roi yn fy nwylo, fel petai'n rhoi'r anrheg i mi ei hun.

'Sôn am bresanta, dipyn o *bresant* oedd cael y tŷ ar ôl Arfonia Bugbird, ynde?'

Edrychais arni heb ddweud dim. Roedd y colur oren wedi smentio dros fân dyllau croen ei thrwyn, gan orffen yn drai caled wrth waelod ei gên.

'Pwy ond Jaman "charmer" Jones fasa'n mynd i neud community service at hen bitsh grintachlyd fatha honno, ac yn landio efo'i thŷ hi yn y diwadd? A hynny ar ôl cymyd ei phres hi a'i miglo hi o'no.'

'Chymish i erioed bres oddi arni hi.'

Daeth y gwadu'n frwd ac yn fuan, a rhegais fy hun am adael i Babs fy nghyffroi. Oedais am funud. Yna dweud yn fwy oeraidd:

'Faswn i byth wedi goro gneud community service yn y lle cynta, heblaw am eich straeon c'lwyddog chi a Llifon Gwyrfai.'

'Arna chdi ffafr i fi, felly, does? Mi nei di ffortiwn pan werthi di'r tŷ 'na.'

'Pwy ddeudodd 'mod i'n gwerthu?'

Wfftiodd Babs.

'Be nei di efo chdi dy hun yn Gaersaint? Mynd i labro yn y doc? Llnau toilets pobol ddŵad? Achos does gin ti ddim hyd yn oed un TGAU i dy enw, nag oes? Hynny o help fasa hynny.'

'Dim diolch i chi.'

Syllodd arnaf, fel petawn yn nwydd mewn siop.

'Ella basa gin i job i chdi. Efo'r papur.'

'Yn hel c'lwydda am bobol Caersaint a'u cael nhw i drwbwl? Dim diolch.'

'Niws ydi niws, boi bach.'

'A be fasa'r cyflog? Ffafra rhywiol, yr un fath ag ers talwm?'

Gwnaeth Babs ryw sŵn twt twtian gyda blaen ei thafod.

'Chlywish i mohonat ti'n cwyno erioed. A finna'n meddwl bod gynnon ni'n dau berthynas fusnas go dda.'

'Pa berthynas arall fasa gynnoch chi efo neb?'

Chwarddodd hithau'n wag.

'Fi? Dwi'n *fam* rŵan. Oeddat ti ddim yn gwbod?'

Roedd min rhyfedd yn ei llais. Aeth i boced ei siaced a thynnu copi o bapur newydd wedi'i sgrolio ohoni. Gosododd y papur yn ei chôl a dechrau ei siglo o ochr i ochr yn wirion.

'Dyma fo, yli. Fy mabi newydd i. *Llais y Saint*. Wedi'i greu efo'r pres gesh i ar ôl Taid. Roedd hi'n hen bryd i'r dre 'ma gael ei phapur ei hun ar ôl yr holl flynyddoedd.'

Anwybyddais hi ac yfed at waelod fy ngwydr. Ond roedd Babs yn dechrau mynd i hwyl, gan siarad fel petai'n sgwennu erthygl olygyddol.

'Dwi am neud Caersaint yn brifddinas print Cymru eto, fel roedd hi pan oedd Taid yn hogyn bach. Dwi am roi'r newyddion yn ôl yn Gaersaint. A Caersaint yn ôl yn y newyddion!'

Ceisiais innau roi pin yn ei swigen.

'Ar y we mae pob dim rŵan, Babs. Rhatach. Cyflymach. Mae gynnoch chitha'ch Blackberry.'

Hanner chwareus oeddwn i. Ond adweithiodd Babs yn ffyrnig. Treiddiodd gwrid dwfn trwy wawr gopor ei cholur, ac meddai'n finiog:

'Y we? Y stwff 'na mae lembos yn Llundan a Caerdydd yn ei sgwennu? Pobol fel fi sy'n gwbod hanas go iawn Caersaint, boi bach. Dyna pam dwi'n shifftio tair mil o gopïa bob wsnos.'

'Rhoi nhw i ffwr' am ddim ydach chi.'

Roedd y cwrw wedi llacio fy nhafod. Ond doedd Babs, fel erioed, ddim am gael ei rhoi yn ei lle gan hogyn.

'Llais papur ydi llais Caersaint wedi bod erioed,' atebodd, a dechrau defnyddio'r papur i brocio fy nghorff. 'Na, does 'na ddim byd tebyg i ista yn y Mona efo peint o Brins, ac inc hanas Caersaint yn staenio dy fysadd di. Chymrith ddim byd le papur yn y diwadd! Fedri di ista ar dy *we* i stopio dy din fynd yn sgwâr ar y wal 'ma? Fedri di fyta chips allan o dy *we*...?'

Daliodd ddalen flaen y *Llais* o fewn modfeddi i'm hwyneb, a daeth yr hen dinc creulon i'w llais:

'... a darllen hanas y dyn sy isio bod yn waredwr Caersaint yr un pryd, trwy'r halan a'r saim?'

Fferrais. O flaen fy wyneb roedd llun gyrrwr y Range

Rover. Med Medra. Gŵr y Plas. A'r erthygl flaen yn gyfweliad ecsglwsif â'r dyn a oedd am fod yn faer etholedig cyntaf Caersaint, ac am 'godi'r hen dref yn ei hôl'...

Gostyngodd Babs y papur.

'Ti'n gwbod pwy ydi gwraig hwn?'

Craffodd arnaf.

'Ti'n cofio? A chditha'n fachgen ifanc, ffôl, yn byw yn ôl dy ffansi...'

Dechreuodd ganu 'Bugeilio'r Gwenith Gwyn'. Trois fy nghefn arni, a sefyll. Ond tawodd Babs yn sydyn, fel petai rhywbeth newydd ei tharo.

'Pam na sefi di yn ei erbyn o, Jam?'

Teimlwn hi'n syllu arnaf, a chwarddais yn sych er mwyn cuddio fy nheimlad. Gosodais fy ngwydr gwag rhyngom. Ond aeth Babs yn ei blaen.

'Hogyn bach o hôm yn faer. Dyna be fasa stori!' rhwbiodd ei dwylo, a gwelais yr ewinedd dugoch yn gwibio trwy'i gilydd fel haid o gocrotshys. 'Fatha Dick Whittington. Ond heb giaman.'

Bachais y parsel oddi ar y wal, a pharatoi i fynd. Nid i gael fy sarhau gan hon y des i'n ôl.

'Cadw fo,' meddai Babs a thaflu'r copi o *Lais y Saint* ar ben y parsel. 'Presant arall i chdi.'

Gadewais i'r papur ddisgyn i'r llawr.

'Faswn i ddim yn iwsio eich c'lwydda chi i sychu 'nhin, Babs.'

'Fyddi di ddim yn deud hynna ar ôl i chdi setlo,' meddai. 'Pan weli di mor bwysig ydi'r papur yma er mwyn dallt y dalltings yn y dre. Mae Med Medra wedi gweld hynny.'

Plygodd yn drafferthus i godi'r papur oddi ar y llawr. Sgroliodd o'n dynn eto. Yna, gosododd y sgrôl fel sbienddrych wrth ei llygaid a throi i gyfeiriad Pont yr Abar.

'Sbia ar y Peilat Jones 'na,' meddai'n sydyn. 'Wedi bod yn rhythu arnan ni ers oes.'

Ar fy ngwaethaf, trois yn chwilfrydig at lan arall yr Abar. Ac roedd Babs, am unwaith, yn dweud y gwir. Safai ceidwad y bont yng ngardd ei fwthyn yn syllu yn syth tuag atom, ei gorff yn ddelw lonydd a'i war fymryn yn grwm fel gwar crëyr. Aeth ias drosof.

Fel petai'n synhwyro ein bod yn sôn amdano, trodd Peilat ei gefn arnom, a chilio'n od o chwim i noddfa ei dŷ.

'Mae'r dyn yna'n cuddiad rhywbath,' meddai Babs. 'Gneud dim byd ond sbio ar bawb. Fatha rhyw byrfyrt.'

Cododd ei chamera a thynnu llun o war Peilat Jones. Gwrandewais innau ar glician electronig yn dynwared sŵn lens yn cau. Roedd hyd yn oed camera Babs yn ffalsio.

'Ond dw inna'n cadw llygad arno fo, ac mi fydda i'n gneud exposé arno fo cyn hir. Y fo a'i orffennol. Doedd o fawr o beilat, yn ôl pob sôn. Mi grashodd yr unig gwch call gafodd ei dywys erioed.'

Cerddais oddi wrthi. Roedd ei chwant am dynnu pawb trwy'r llaid yn ffiaidd. Ond daliodd Babs i weiddi i'm cefn.

'A be am dy orffennol di, Jaman Jones? Y chdi a Miss Bugbird!'

Baglais, a dod i stop.

'Mae 'na fwy i dy stori ditha na hen ferch yn pitïo bastad! Toes?'

Roedd fy ngwaed yn berwi. Ond doedd gwawd dialgar, ysglyfaethus Babs ddim am fy nhrechu y tro hwn. Trois ati'n galed a dweud:

'Dwi'n siŵr y gnewch chi'n siŵr o hynny, Babs.'

Yna, gwasgais y ceir rasio at fy mrest a cherdded i ffwrdd. Hyd yn oed pan seiniodd seiren y bont am yr eildro, throis i ddim yn ôl, dim ond dal fy nghwys ac anelu at Borth yr Aur.

Wedi'r cyfan, roedd pethau'n wahanol rŵan. Roedd gennyf dŷ i fynd yn ôl iddo. Cartref i roi trefn arno. Corff angen ei sgrwbio. Ac anrheg i'w roi yn nwylo hogyn bach.

14

ERBYN DIWEDD Y pnawn, roeddwn yn eistedd yng nghwmni Miriam ar lawr isaf Tremfryn. Naws waharddol gartrefol oedd i'r gegin, yn bennaf oherwydd yr arogl Domestos, er bod awel yn tynnu at ffenestri agored y lloriau uwch. Trefn a glanweithdra a deyrnasai yma, fel yng ngweddill y tŷ. Roedd popeth wedi'i osod mewn lle pwrpasol: cwpanau ar silffoedd, llieiniau a ffedogau ar fachau, bwydydd rhydd mewn jariau wedi'u labelu. Roedd briwsion a llwch wedi'u hysgubo a staeniau wedi'u sgrwbio o'r golwg.

Wrth i Miriam wneud paned, gwrandewais ar wich y lori ailgylchu yn gwagio blychau glas Brynhill. Yn is dôn furfurol, ac yn nes o lawer ataf, roedd hyrddio tawel y peiriant golchi, a Miriam wedi mynnu golchi fy nillad, gan gynnwys y dillad newydd o siop Dr Barnardo. Gadewais iddi. Roedd ei chynhesrwydd mamol yn peri i mi deimlo'n braf, ac roedd cael sgwrsio mor ddwys ddidaro yn ollyngdod, ar ôl bod fy hun cyhyd.

'Be nei di efo chdi dy hun, tybad?' meddai Miriam wrth agor paced o fig rolls efo'i dannedd.

Gwagiodd y paced bisgedi yn dwmpath ar blât, ac aros am ateb. Syllais innau ar fy nillad yn cylchdroi yn y peiriant, yn cael eu taflu unwaith y naill ffordd, yna'r ffordd arall, a'r dŵr ewynnog yn swilio trwyddynt ac yn codi'n donnau lliw te yn erbyn y gwydr. Ar dalcen y peiriant roedd cloc digidol yn dangos y munudau'n pasio.

'Efo fi fy hun. Yr un peth ag y baswn yn ei neud efo rhywun arall, am wn i. Trio pasio'r amsar.'

Yna difrifolais.

'Mi faswn yn licio gneud rhywbath efo 'mywyd. Rhywbath gwerth chweil. I neud iawn…'

'Gneud iawn? Am be, dywad? Rhedag i ffwr' oddi wrth hen wraig oedd yn dy gadw di mewn carchar?'

'Carchar?'

Gwenodd Miriam.

'Roedd hi'n gymaint o deyrn, toedd? Doedd y peth ddim yn iach.'

O ganol fy nghywilydd, teimlais ryw ddyletswydd i achub cam Arfonia; roedd hi'n ddynes mor hawdd rhedeg arni.

'Roedd hi'n iawn ar y dechra. Jyst isio'n help i, nôl negas, mynd â'r bin allan ac ati. Ond mi ddechreuodd fynd yn reit ffond ohonaf i, am wn i. Finna ohoni hitha, er mor bigog oedd hi'n medru bod. Ro'n i'n licio'i chwmni hi.'

Roedd Miriam yn gwrando'n astud ac yn amneidio bob tro y petruswn.

'Ond mi aeth yn ormod?'

'Do,' cofiais. 'Mwya sydyn rhyw ddiwrnod. Fel tasa 'na rywbath wedi dod drosti, mi aeth yn ofnadwy o… be fasach chi'n ddeud… possessive. Deud nad o'n i byth i'w gadal hi. Y basa hi'n mynd at y plismyn, a deud 'mod i wedi dwyn rhywbath. Gair hen ddynas barchus, yn erbyn hogyn efo record.'

Edrychais ar Miriam. Wyddwn i ddim faint a wyddai, na pha fath o straeon oedd wedi cyrraedd Caersaint ar ôl i mi adael.

'Doedd gin i ddim dewis ond mynd ganol nos. I gael blaen ar y polîs…'

'Gadal fasa unrhyw hogyn ifanc wedi'i neud,' cysurodd Miriam fi, ac estyn ei braich ar draws y bwrdd. 'A ddaru hi ddim byd, wedi'r cwbwl, naddo?'

'Yrrodd hi neb ar 'yn ôl i?'

Teimlais fy nhu mewn yn troi.

'Naddo, siŵr. Roedd hi'n torri'i chalon o hiraeth. A phan o'n i'n trio dallt yn union be oedd, doedd hi'n gneud dim byd ond ysgwyd ei phen a deud trwy'i dagra mai rhywbath personol oedd o, ac na fasa hi byth yn dod dros y gollad.'

Roedd fy nghalon yn dyrnu. Tynnodd Miriam ei braich yn ôl yn ofalus.

'Roedd hi'n dal i obeithio, dwi'n meddwl, y basat ti'n dŵad yn ôl rhyw ddiwrnod. Ond mae'n siŵr dy fod titha wedi mynd reit bell o Gaersaint – mewn saith mlynadd.'

'Dim ond Werddon...'

Trois i ffwrdd a thrawyd fi'n sydyn gan fudreddi'r dŵr yn y peiriant golchi. Yr un hen fudreddi. Doedd ond hanner awr ers i ffrwd galed power shower Tremfryn guro f'ysgwyddau i, siampŵ Miriam roi sglein i'm gwallt, ac i raselydd *bic* Trefor eillio fy nghroen yn llyfn. Ond fyddai Jaman Jones, yr hogyn bach o'r hôm, byth yn lân go iawn.

Torrodd llais aderyn bach Miriam ar draws fy meddyliau:

'Mi faddeuodd Miss Bugbird i chdi'n diwadd, mae'n rhaid. A dy dynnu di'n ôl i Gaersaint trwy adal y tŷ i chdi. Rhywbath tragic yn y peth, toes?'

Ond gan weld fy mod bellach yn agos at ddagrau, cododd Miriam i arllwys mwy o de o'r tebot, gan wneud ei gorau i ysgafnhau'r sgwrs.

'Ti yma rŵan. Dyna sy'n bwysig. Hynny, a ffeindio job. A ffeindio hogan bach i rannu'r tŷ efo chdi.'

Gwyliais y llefrith yn troi'n gymylau cochlyd yn y mỳg. Roedd yn rhaid i mi ffeindio fy hun yn gyntaf.

'Cheith hogyn del fatha chdi ddim traffarth efo genod. Dwi'n synnu nad oes gin ti neb yn barod. Be sy? Methu cael hyd i'r un iawn?'

Meddyliais am y ferch bryd golau, estron ar ben Brynhill. Ac wedyn am Tonwen Bold.

'Mae 'na ddigon o rai iawn,' mwmialais. 'Methu comitio dwi.'

'Dydi hynny ddim yn syndod, nacdi, 'ngwash i. Ond mi ddysgi di.'

Synnais at ei phendantrwydd.

'Ti'n dal yn ddigon ifanc i setlo, beth bynnag. Mi briododd Trefor a finna'n rhy ifanc. Wel, fi oedd yn rhy ifanc – newydd droi'n un ar hugian. Mi oedd Tref bron i ddeg mlynadd yn hŷn. Fel mae dynion.'

'Roedd o'n llai cegog yr adag honno,' meddai wedyn, ac ychwanegu: 'I sant. Ond mae o 'di newid dipyn yn y cyfamsar. A finna, mae'n siŵr. Fo'n fwy blin, a finna'n... dristach.'

Rhoddodd ei mỳg ar y bwrdd a chodi ei llaw at gynffon ei gwallt, fel petai am sicrhau ei bod yn dal yno.

'Dim priodi un dyn ti'n ei neud. Ond priodi hwnnw, a rhes o rai erill y bydd o'n troi i mewn iddyn nhw yn ystod ei fywyd. Mae hi fatha blind date efo'r un un bob tro. Am oes,' ochneidiodd yn dawel. 'Ti'n synnu nad oes 'na fwy yn diforsio, er na ddylwn i ddeud hynna, a finna'n Gatholic i fod erbyn hyn.'

Gwyliais hi'n chwarae â chylch main ei modrwy briodas.

'Mae'n siŵr mai sticio efo'n gilydd 'nawn ni'n dau. Bellach. Dan ni 'di bod trwy lot. Colli dau fabi ar y dechra, ar ôl trio am flynyddoedd. Dyna be oedd creulondab. Wedyn mi ddaeth David, yn atab i weddi. Dwi'n cofio Tref yn deud bod cael David fatha ffeindio bod Santa Clos yn bod. Ac wedyn dyna'i golli ynta wedyn.'

Pallodd y geiriau. Yfodd Miriam yn hir o'r te.

'Mi fuodd Trefor yn lwcus o'ch cael chi, beth bynnag.'

'Titha'n gwbod be i'w ddeud i blesio merchaid. Twyt? Dim rhyfadd bod Miss Bugbird wedi cymyd atat ti.'

Gwthiodd y plataid bisgedi tuag ataf.

'Heb sôn am ddynas y Plas bora 'ma,' cellweiriodd. 'Mi drodd rownd i sbio arna chdi, wedi i chdi fynd.'

'Ffrind ysgol.'

Roedd fy llais yn floesg. Hoeliais fy sylw ar y fisged yn fy llaw, gan ei throchi yn y te a gwylio'r toes yn tywyllu ac yn breuo.

'Ond faswn i ddim yn gneud gormod efo hi,' aeth Miriam yn ei blaen yn ofalus. 'A hitha'n fam ifanc. Ac yn disgwyl. Mae 'na olwg ddigon digalon arni hi weithia, pan fydd hi'n meddwl nad oes 'na neb yn sbio. Y gŵr 'na byth adra, bron. Ac mae'n siŵr bod ei hormons hi dros y lle i gyd.'

Dodais y fisged yn fy ngheg cyn iddi ddatgymalu.

'A fasat ti ddim isio tynnu Santa yn dy ben. Heb sôn amdano *fo*, Med. Yn enwedig a chditha'n mynd i fod yn chwilio am joban. Ynde?'

Gwenais i'w chysuro.

'Dim angan i chi boeni. Dydw i ddim yn bwriadu dechra affêr. Na magu plant rhywun arall. Dwi 'di gneud digon o betha gwirion yn 'y mywyd, ond...'

'Tydi o'n ddim o 'musnas inna, chwaith,' ymesgusododd hithau.

Prysurodd i droi'r stori – os troi hefyd.

'Fuodd gen David ni ddim cariad erioed. Am wn i. Soniodd o erioed am neb, beth bynnag. Mi o'n i'n disgwyl bob tro oedd o ar leave o'r Armi y basa fo'n sôn am rywun, neu ddod â rhywun adra efo fo. Ond doedd 'na neb. Byth.'

Syllodd ar wyneb melamin y bwrdd, a'i llaw chwith yn chwalu'r cylch gwlyb a adawyd gan waelod y mŷg.

'Cael ei ladd ddaru o?'

Daeth clec o wddw Miriam wrth iddi gamlyncu ei the.

'Affganistan. Dwy flynadd bron.'

Daeth hysian sydyn o gyfeiriad y ffwrn, a chododd Miriam i roi menyg popty am ei dwylo, gan fynd i weld lle'r oedd y bwyd arni. Llanwyd y gegin gan wres ac arogl cig yn rhostio wrth iddi osod y tun ar stand pwrpasol, codi'r caead a bwrw ei phen i ganol y stêm, fel petai'n ymgrymu i gymeradwyaeth y saim.

'Mae Trefor yn licio'i gig.'

Ailosododd y tun yn y ffwrn.

'Dim ond cyw iâr fydd o'n gael rŵan. Ei golesterol o'n ddrwg, felly dim croen calad. Llai o lanast saim, cofia,' gwenodd. 'Ers talwm mi oedd hi'n fatar o Mr Muscle bob nos Sul. Fasa gin i ddim amsar rŵan, a finna'n mynd i'r eglws.'

Gwyrodd at gwpwrdd wrth ei chlun chwith i estyn am datws, a'u trochi mewn dŵr yn y bowlen olchi llestri, gan rwbio'r baw oddi arnynt ag un llaw, tra oedd y llall yn estyn am gyllell o'r drôr. Gwyliais hi, a rhyfeddu. Gwnâi'r cyfan heb feddwl, a'i sgwrs yn dal i fynd, tra prysurai ei chorff â gwaith arall.

Daeth sŵn y peiriant golchi yn sugno'r dŵr o'r drwm, a chlec y deial yn cyrraedd rhan nesaf yr olchfa. Cylchdrodd y dillad mewn cyfres o hyrddiadau cynyddol, nes o'r diwedd roeddent yn chwyrlïo'n dynn ym mol y peiriant, a dim i'w weld yn y ffenest ond lliwiau aflonydd yng nghrombil gwag y drwm. Gwichiodd y peiriant yn uchel a gorfoleddus, ond dal i grafu'r tatws a wnâi Miriam. Ac yn raddol, fel petai'n araf farweiddio, neu efallai'n ildio i ddisgyblaeth oddefol Miriam, dechreuodd y peiriant arafu, a grwgnach, nes daeth – wedi un hyrddiad olaf – dawelwch llwyr.

'Dyna hynna drosodd!' meddai Miriam, a gosod y tatws yng ngwaelod y pressure cooker, cyn estyn am fasged wellt wen. 'Mi rown ni'r dillad ar y lein rŵan. Does 'na nunlla gwell na Brynhill am sychu. A ninna mor uchal.'

'Ara bach,' meddai wrth i mi benlinio o flaen y peiriant ac ymgodymu â'r drws cyndyn. 'Gad i'r beth bach ddod at ei hun.'

Roedd ei chydymdeimlad yn ymestyn hyd yn oed at beiriannau.

Doedd yr iard gefn fawr mwy nag ychydig droedfeddi sgwâr ac wedi'i gorchuddio'n llwyr â choncrid. Codais innau fy ngolygon at y lein ddillad. Sut oedd un mor fach â Miriam yn mynd i gyrraedd lle mor uchel? Ond eisoes roedd hi'n camu at fachyn pwrpasol ar y wal ac yn dadweindio'r lein trwy olwyn y pwli. Disgynnodd y lein wen tuag atom, a thros y munudau nesaf dysgodd Miriam i mi sut i hongian trowsusau a chrysau yn y dull mwyaf manteisiol o safbwynt gwynt a haul.

'Weindia hi'n ôl i fyny.'

Ufuddheais i'w gorchymyn, a theimlo rhyw lawenydd wrth godi'r lein yn uchel i'r awyr. Bywiogodd y dillad tywyll yn y gwynt gan chwifio rhyngof a'r cymylau arian.

Trois at Miriam dan wenu. Ac mewn eiliad o ddealltwriaeth sydyn, dywedodd hi:

'Braf fasa cael gneud yr un fath â nhw, ynde? Cael codi'n lân dros ben y toea, a fflio yn y gwynt, a'r haul yn cnesu dy gefn. A dau beg solat yn dy ddal di'n saff lle wyt ti.'

Chwarddodd y ddau ohonom, a syllu ar y dillad dawnsiog, gan rannu am funud beth o'u hysgafnder.

15

WFFTIO TREFOR A chwalodd ein cymundeb iard gefn. Daeth atom trwy ddrws y cefn, a'r crych rhwng ei aeliau'n dangos nad oedd yn hapus. Bwriodd ei anfodlonrwydd ar ei wraig, a'i lais yn chwareus ond heb fod yn ysgafn.

'Fan hyn wyt ti, felly? Yn potsian efo dynion ifanc yn lle rhoi bwyd ar y bwr'.'

'Dysgu Gwyn 'ma i roi dillad ar lein,' eglurodd Miriam. 'Doedd gen yr hogyn ddim syniad ar ôl blynyddoedd o iwsio laundrettes.'

'Job dynas ydi rhoi dillad ar lein.'

Plygodd Miriam i godi'r fasged wen, a golwg ddig arni wrth iddi gamu i'r tŷ. Roeddwn innau ar fin ei hamddiffyn pan drodd Trefor yn gyhuddgar ataf, a'i fwstásh yn codi ac yn gostwng.

'Dy ddillad di ydi'r rheina?'

'Y... Miriam gynigiodd eu golchi nhw...'

'Naci, rheina!'

Pwyntiodd ataf yn ddig, ac yn benodol at y siwt redeg Adidas yr oedd Miriam wedi ei rhoi i mi i'w gwisgo. Daeth yr hen awydd gwadu at flaen fy nhafod.

'Miriam ddeudodd y baswn i'n cael menthyg...'

'Hen dracsiwt David ydi hi,' daeth llais Miriam o ddrws y cefn. 'Doedd gen Gwyn 'ma fawr ddim byd arall glân. Dim ond trôns a sana.'

Syllais ar gnawd rhychiog gwar Trefor, a theimlo'n annifyr unwaith eto wrth feddwl am David Spicer yn gwisgo'r dillad rhedeg.

'Dim ots gin ti, nacdi?' meddai Miriam wrth Trefor.

Syllodd y ddau ar ei gilydd am rai eiliadau, fel petai rhyw
frwydr fud yn eu tynnu at ei gilydd. Trefor a ildiodd – yn
y diwedd. Ysgydwodd ei ben, ac roedd ei lais yn feddalach
pan drodd yn ôl ataf.

'Sioc gesh i am funud. Na, na, paid â'i thynnu hi. Asu,
be ydi'r otsh be mae neb yn wisgo, eniwe? Mae 'na ddyn
yn Hen Walia'n gwisgo stiletos. Cadwa hi, washi. Am byth.
Dwi'n falch o'i gweld hi'n cael iws. Ar ôl i fi dalu pres da
amdani. Pan oedd gin i bres da i'w dalu.'

'Ond mi faswn i'n dallt…' ymbalfalais â'r sip. 'Ar ôl be
ddigwyddodd… a finna pwy ydw i.'

Syllodd Trefor arnaf a pheri i mi dewi.

'Na na, dim yr hen Fwslims drwg laddodd 'yn hogyn
bach i, washi. Mi fasa hynny wedi bod yn haws côpio efo fo
o beth uffar. A ninna 'di cael 'yn dysgu o'r crud i'w casáu
nhw.'

Carthodd ei wddw.

'Na, friendly fire oedd hi. Achos ein bod ni'n gymaint
o fêts efo'r Americans.' Ciliodd Miriam wysg ei chefn i'r
gegin.

'Mor uffernol o friendly,' aeth Trefor yn ei flaen, 'nes
ein bod ni 'di goro rhoid ein hogyn bach i orfadd yn ei arch
fesul coes a braich. Mi gafodd ei yrru atan ni mewn bocs.
Fatha jig-so. Efo darna ar goll…'

Llifodd defnyn o boer o gil ei geg, hongian ar ei ên, yna
disgyn gan adael blotyn du ar ei ofarôl.

'Wyddwn i ddim…'

'Sut oedd disgwl i chdi, a chditha i ffwr'?' meddai yntau'n
ymosodol. 'A sôn am fod i ffwr'…'

Aeth plwc trwy ei gorff fel petai'n ei orfodi ei hun i droi
at fanion bywyd bob dydd.

'Gan na fu'st ti ddim yma, sgin ti ddim hawl cwyno. Ond dwi 'di bod yn mynd drosodd i'r ar' drws nesa efo galwyn o Weedol unwaith neu ddwy'r flwyddyn. Ac wedi rhoi sbre galad iddi.'

Hawdd oedd gweld hynny. Yn groes i'r ardd flaen, prin oedd y chwyn a godai hwnt ac yma yn iard gefn foel Arvon Villa. Sbeciai ambell flodyn dant y llew rhwng y slabiau, ac roedd mwsog melynwyrdd i'w weld mewn cilfachau di-haul, ond yr unig lesni go iawn oedd y barf hen ŵr a dyfai o'r waliau.

Siaradodd Trefor eto.

'Mi oedd y chwyn wedi mynd allan o gontrol, yn tyllu eu hen winadd i mewn i'r mortar. Mi fasa'r wal wedi disgyn yn y pen draw, a wedyn lle fasan ni? Doedd Miss Bugbird byth yn t'wllu'r cefn, felly doedd gin i ddim dewis ond *gneud* rhywbath fy hun. Doedd hi byth yn mynd i lawr y grisia, nag oedd?'

Edrychodd arnaf, a chael ei fodloni gan y nacâd.

'Rhy damp iddi. Dyna pam. Mi fasa'r hen sguthan 'di llwydo ei hun. Dyna ydi'r drwg efo codi tŷ ar allt. Does gin ti ddim ffenast yn dy stafall gefn. Titha heb fod yn sbio, mae'n siŵr?'

Ysgydwais fy mhen – yn euog.

'Do'n i ddim yn licio mynd… heb ganiatâd.'

'Caniatâd? Chdi bia'r tŷ, lembo.'

Gosododd flaen ei droed mewn cilfach yn y wal, a gwneud arwydd arnaf i'w ddilyn.

'Mi fydd hi fel ffatri caws llyffant yna, gei di weld. Digon o fyshrwms i agor siop i jyncis.'

Ond cyn iddo allu codi ei hun dros y wal daeth llais Miriam o'r gegin yn dweud bod bwyd yn barod. Dan regi ei siomedigaeth, gostyngodd Trefor ei gorff at ei dir ei hun.

'Mi fydd raid i chdi roi trefn ar y tŷ 'na, neu mi eith yn fistar arnat ti,' dwrdiodd wrth fy ngwthio o'i flaen i'r gegin. 'Mi ddo i draw bora Sadwrn i ddechra rhoid hand. Sgin i uffar o ddim arall i'w neud. Dim ond jobsys labro oedd gen Wogan-Wancar i'w cynnig. A dwi 'di mynd yn rhy hen i gario palat o frics i fyny ystol.'

Daeth Miriam at y bwrdd dan gario llond dau blât o gig a thatws.

'Mae Phase 2 eto i ddŵad, Tref,' cysurodd ei gŵr. 'Neu dyna mae Medwyn Parry yn ei addo yn y papur.'

'Hy, dwi'm yn trystio hwnnw, chwaith,' cwynodd Trefor. 'Tydi o a dybl-dybliw yn chwara golff efo'i gilydd bob pnawn Sul...? Eniwe, dydi Phase 2 ddim 'di cael planning eto. Rhyw hipis yn trio nadu'r peth – blydi Saeson sy'n byw ar Mynydd Eliffant. Deud bod y peth yn rhy fawr a hyll, ond welist ti hyll oedd MAP?'

Cydiodd yn ei gyllell a'i fforc.

'Deud bod y tir ddim yn saff, achos ei fod o 'di cael ei dynnu o'r môr. Asu gwyn, mi oedd o'n ddigon saff i ddal ffatri a chant a hannar o ddynion, toedd?'

'Mae 'na sôn mai jêl gawn ni,' meddai Miriam. 'Os na cheith Phase 2 blanning.'

'Jêl?' rhythais arni.

'Pam ddim?' meddai Trefor. 'Mi fasa'n change gweld yr Asembli'n codi rhywbath saff! Mentar hyn a mentar llall ydi hi fel arfar. Meddylia,' chwarddodd cyn plannu ei ddannedd yn y cig. 'Saeson wedi talu hannar miliwn yr un am luxury apartments yn Phase 1, ac yn cael llond jêl o saint a bangor-ayes ar stepan eu drws nhw.'

Gwnaeth Miriam arwydd arnaf i eistedd wrth y bwrdd. Ymesgusodais.

'Dwi 'di mynd â digon o'ch amsar chi.'

'Amsar i chdi oedd o,' gwenodd hi.

Wffftiodd Trefor i mewn i'w fwstásh.

'Ti'n siŵr nad arhosi di?' meddai hi wedyn.

Ond roedd ei gwahoddiad yn llai taer nag arfer, fel petai'n synhwyro bod ar ei gŵr eisiau bwrw ei fol ym mhreifatrwydd ei gartref. Felly, gwagiodd weddill y fig rolls i fag tryloyw a'i gau â weiren blastig, a'i roi yn fy llaw.

'Picnic. Rhag i chdi lwgu. Ac mi ddo i â'r dillad atat ti ben bora fory. Wedi'u smwddio.'

'Mi fasa hi'n gynt o beth uffar i chdi fynd drwy'r drws cefn,' meddai Trefor wrth i mi gamu at y grisiau. 'Tasat ti heb fod yn cachu plancia o ofn y sgelingtons yn basement Miss Bugbird! Rŵan ydi'r amsar i'w taclo nhw, washi. Mis yma. Cyn Calan Gaea. Neu mi fydd raid inni gael Father Lasarys draw i chwara ghostbusters.'

Plannodd ei ddannedd drachefn yn y cig, ac am y tro cyntaf ers dod yn ôl o'i helfa ofer am waith, daeth golwg fodlon i'w wyneb, a chorneli ei fwstásh yn codi'n wên flewog o fuddugoliaeth.

16

HEN DOLLTY OEDD tafarn y Mona a safai gyferbyn â'r
man y llifai afon Saint i'r môr. Cefnai'r dafarn ar hen
garchar y dref, ac roedd y casgenni cwrw bellach yn cael
eu storio lle'r oedd crocbren Caersaint yn arfer sefyll. O
ganlyniad, roedd y dafarn yn llawn chwedlau am fwganod
ac ysbrydion y gorffennol, a thaerai sawl yfwr selog ei fod
wedi gweld drychiolaeth dyn a grogwyd ar gam yn hofran
o flaen y jiwcbocs.

Rhyfedd o beth, o ystyried hynny, mai i'r Mona y
dechreuais fynd bob min nos er mwyn dianc rhag bwganod
a drychiolaethau Arvon Villa, a rhag y lleisiau a'r synau a
fyddai'n tarfu arnaf pan fyddai'r dydd yn tywyllu. Ond roedd
swper cwrw gwerth chweil i'w gael yn y dafarn gynnes, a lle
difyr dan y sgrin Sky Sports yn y bar i wrando ar y selogion
yn mynd trwy eu pethau.

Rhyw hanner dwsin oedd cnewyllyn y 'seiat' nosweithiol
– rhyw deulu anghymarus ac anghytûn a'u bryd torfol ar
feddwi. Wrth i'r dyddiau basio mi ddes i wybod eu henwau
i gyd – Pepe, Heulwen Hŵr, Haydn Palladium, Phil Golff,
ynghyd â Pen Menyn a'i ddaeargi mwngral, Magnum.
Roedd eu sgwrs bob amser wrth fodd fy nghalon, yn
gyfuniad santaidd o wawd personol a ffraethineb. A rhwng
treulio oriau'n gwrando arnyn nhw, ac yfed rhyw bedwar
neu bum peint o gwrw Prins o Wêls, mi gysgwn fel babi
wedyn, trwy leisiau a synau aflonyddol Arvon Villa, a chodi
amser cinio drannoeth i ymlwybro at Gaffi Besanti i gael
maldod a fitamins gan Almut.

Babs Inc – pwy arall? – a ddaeth i darfu ar y drefn braf hon. Nos Iau tua chanol mis Hydref oedd hi pan agorodd hi ddrws y bar a gadael chwa o wynt hallt i mewn i'r Mona. Safodd yno mewn clogyn du, a phâr o boots am ei choesau wedi'u cau â chortynnau lledr cris-croes. Ciliais innau i'm cornel, hanner cuddio fy hun â'r llenni patrymog, budur, a gweddïo na fyddai'n fy ngweld.

'Cuddiwch Magnum, mae Cruella de Vil wedi cyrraedd,' hysiodd Haydn Palladium wrth i Babs gamu at y bar.

'Halloween wedi dŵad yn fuan,' meddai Heulwen Hŵr dan ei gwynt.

Ond buan y tawodd y sarhau slei wrth i Babs dynnu papur hanner canpunt o blygion ei chêp a'i chwifio uwch ei phen.

'Anti Babs bia'r drincs i gyd heno, blantos! Be gymwch chi?'

Lledodd llygaid y selogion, o leiaf y sawl a oedd yn ddigon sobor i weld. Galwodd Babs dros eu pennau ar y ferch bryd tywyll a weithiai y tu ôl i'r bar:

'Jin-a-tonic mawr i fi, a'r un peth ag arfar i'r rhein, Rhiannon.'

'Hei, Babs,' galwodd Haydn Palladium. 'Mae gin i niws i dy bapur di. Mae Heulwen Hŵr wedi cael sbectol newydd. Double glazing at gaea. I gadw'i brên hi'n gynnas.'

'Pa frên?' meddai Phil Golff, a'i watsh aur yn disgleirio dan y sbotolau uwch y bwrdd darts.

'Do' imi weld, Heuls.'

Nesaodd Babs at y bwtan fach i ffugwerthfawrogi'r sbectol betryal binc a oedd i fod i gywiro'i llygaid croes.

'Dim sbectol sy gynni hi,' meddai Pepe, a throi ei wyneb lleuad lawn at y lleill. 'Downio dau ddiod yr un pryd mae hi.'

Chwalodd chwerthin blêr ar draws y bar. Gwenais innau. Ond roedd Heulwen wedi digio. Trawodd y llawr gyda phig ei sawdl nes y rhedai crynfâu drwy gnawd corn bîff ei choesau. Doedd hithau ddim am gael ei gweld yn *cymryd*, yn enwedig o flaen dynes arall, a dechreuodd gega'n ôl.

'Dwi'n gwisgo rhein i weld wyt ti mor hyll ag mae pawb yn ddeud, Pepe,' oedodd am eiliad neu ddwy, ac ychwanegu: 'Ac mi wyt ti.'

'Duw, taw, y butan chwil.'

'Taw di, pen pizza.'

Ond doedd Haydn Palladium ddim am golli ei le ar ganol y llwyfan.

'Ddylat ti fyta mwy o garots, Heulwen. Fatha bwni bach. Welish i erioed gwningan efo llygad goc.'

Gwthiodd ddau ddant cwningaidd dros ymyl ei wefus, rhoi dwy law bob ochr i'w dalcen i ddynwared clustiau hirion, a sboncio yn ei unfan gan beri i'r groes ar ei frest lamu. I gwblhau'r perfformiad, gwyrodd at Heulwen, croesi ei lygaid a dechrau canu 'Bright Eyes'.

Ofnais wedyn y byddai Haydn yn dechrau cerdded o gwmpas y bar, fel y gwnâi'n aml wrth ganu, ac y byddai Babs yn fy ngweld. Ond torrodd Heulwen ar draws ei unawd:

'Doro gora iddi, pwff.'

'Clwydda ydi'r busnas carots 'na,' meddai Phil Golff yn bwysig. 'Fytish i erioed garotsian yn 'y mywyd, ac mae gin i twenty twenty.'

'Be? IQ?'

'Mae 'na rywbath i ddeud dros lygada croes,' mynnodd Pepe. 'Helpu chdi groesi'r by-pass, Heulwen, heb orfod symud dy ben.'

'Y twnnal fydda i'n iwsio,' meddai hithau'n bigog.

'Lle drwg am ddrafft, Hŵr, yn enwedig i din noeth,' meddai Haydn.

'Anghofiwch am groesi lôn. Tasa hi'n croesi'i choesa mi fasa'n saffach. I bawb ohonan ni.'

'Deud ti, Phil Golff. Faswn i ddim yn gwbod.'

'Nafsat. Achos dim ond awê fyddi di'n chwara, Haydn Palladium. A 'dan ni i gyd yn gwbod pam.'

Cododd Babs ei llais ar draws y cecru a throi sylw'r selogion at y diodydd oedd o'u blaenau ar y bar. Ac fel y gwyddwn innau bellach, gwyddai Babs hefyd pwy a yfai beth: Pepe a'i Stella, Haydn a'i seidar a blac, cwrw meild i PM, Phil Golff a'i botel Bud, a byddai Heulwen Hŵr yn cael Bacardi Breezers amrywiol eu blas, gan ddibynnu ar ei hawydd ar y pryd. Doedd yr un o'r locals yn yfed y cwrw lleol.

'Dyna ddigon rŵan,' meddai Babs fel prifathrawes. 'Gwrandwch − hisht Pepe! − mae gin i joban bwysig i chi heno. Dwi angan set arall o vox pops.'

'Dan ni'm yn gneud drygs!'

'Be dwi angan,' aeth Babs yn ei blaen, 'ydi'ch barn chi am y syniad o gael Maer i Gaersaint. Mi fydd 'na feature mawr yn y *Llais* ddydd Llun nesa. Ac mae rhaglan current affairs S4C wedi deud bod gynnyn nhw ddiddordab yn y stori. Felly, dwi isio clywad y pros a cons...'

'Dipyn o cons ydi pob maer 'di bod hyd yn hyn!'

Lledodd Haydn Palladium ei geg i wahodd chwerthin.

'Ond mae gynnon ni faer,' meddai Heulwen. 'Y boi hen yna. Hwnna efo BO.'

Wfftiodd Pepe.

'Mae pawb yn mynd i University heddiw.'

'BO, lembo,' meddai Heulwen. 'Blydi Ogla. Run fath ag sydd ar Pen Menyn.'

Trodd at y lleill i ymhelaethu:

'Oeddach chi'n gwbod bod PM a'i fusus wedi symud i

fyny grisia achos bod 'na gymaint o lanast i lawr?'

'Ac mae'r chwain wedi cael digon ac wedi symud allan!' ychwanegodd Haydn.

'Naddo, tad,' protestiodd PM. 'Dydi hynna ddim yn wir!'

Suddais yn is yn fy nghadair wrth weld Babs yn colli amynedd. Gwyddwn o brofiad mai dyna pryd yr âi'n beryglus. Gan godi ei llais dros y bar, galwodd ar i bawb dewi.

'Mae Heulwen yn gwbod yn iawn, fel pob un ohonach chi sy'n darllan y *Llais* yn rheolaidd, nad yr hen deip o faer dan ni'n sôn amdano fo. Naci? Ond rhywbath gwahanol iawn. Ynde? Maer sy'n mynd i fod yn fôs ar y dre 'ma. Rhyw fath o brif weinidog. Ond dros Gaersaint.'

Moelais fy nghlustiau wrth sylweddoli bod y sgwrs ar fin troi at Med Medra. Roedd clywed ei enw, erbyn hyn, yn rhoi rhyw bleser gwyrdroëdig i mi; fel petai o, fel gelyn pennaf i mi, yn atgyfnerthu fy modolaeth i fy hun.

Felly, yn lle codi a dianc o'r dafarn cyn gynted ag y gallwn, oedais i wrando ar Babs yn brolio:

'Hon fydd y dre gynta yng Nghymru i gael maer *etholedig*. Dach chi'n gwbod be mae hynny'n feddwl? Rhywun fydd yn gneud y penderfyniada pwysig drostan ni i gyd.'

'Yr un fath â Maer Llundan,' meddai Haydn Palladium.

'Dick Wellington,' ategodd PM. 'And his cat.'

'Twit o Sais a llond ei geg o datws poeth. Dyna pam adewish i Lundan. Fel protest,' aeth Haydn yn ei flaen.

'Dwi'n siŵr bod pawb wedi dy golli di, HP,' meddai Pepe, cyn rhoi o'i wybodaeth am fusnes y maer: 'Mwnci gafon nhw yn Sheffield neu rywla. Cofio? Bananas am ddim i bawb.'

Ond roedd Phil Golff yn cymryd hyn o ddifrif, ac er bod

Babs wrthi'n ceisio cael tawelwch, cododd yntau ei lais ar ei thraws:

'Dan ni angan dyn tebol. I neud rhywbath dros y dre 'ma. Mae hi'n marw ar ben ei thraed.'

'Rhoid dyfodol Caersaint yn n'ylo un dyn?' trodd Haydn arno. 'Dictatorship ydi hynna!'

'*Ni* fydd yn fotio dros y Maer,' pwyntiodd Phil at ei fynwes ei hun. 'Democrasi ti'n galw'r peth.'

'Fydda i byth yn fotio,' broliodd Heulwen. 'Dwi'm yn coelio yn y peth.'

Gwylltiodd Babs.

'Gwrandwch, bendith tad! Y chi a'ch cecru diffaith!'

Tawodd pawb. Gorffennais innau fy nghwrw. Roedd yn rhaid i mi ffoi.

Ac eto...

'Dach chi'n gwybod pwy ydi'r ymgeiswyr? Dim ond dau sy 'na ar y funud, er bod 'na ddigonadd o amsar i fynd tan y dyddiad cau. Mr Terry Colcroft ydi un ohonyn nhw. Gŵr bonheddig o Rosgadfan sy'n sefyll dros UKIP...'

'Dan ni i gyd yn gwbod mai un ceffyl sy yn y ras yma, Babs,' meddai Phil Golff.

'Un *mochyn*, ti'n feddwl,' meddai Pepe. 'Mae'r sglyfath o sir Fôn wedi prynu pawb arall. Neu eu dychryn nhw off. Mae Llafur yn llyfu'i din o achos bod gynno fo gysylltiada busnas, a Plaid Cymru achos bod o'n Gymro, ac mae'r Toris wedi dallt ei fod o'n un ohonyn nhw. Ac achos bod o 'di priodi i mewn i Santa mae hannar y saint yn ei ofni fo a'r hannar arall yn ei addoli fo.'

Dechreuodd fy nghalon innau ddyrnu wrth wrando'r sôn am Med, bron fel petawn mewn cariad efo'r dyn.

'Mae Medwyn Parry yn foi iawn,' dadleuodd Phil, a phwyntio'i sigarét blastig at Pepe eto. 'Ac yn uffar o bolitisian da. Fo ydi un o'r ychydig rai sy wedi codi oddi ar ei din i roi trefn ar y twll tre 'ma.'

'A leinio'i bocedi ei hun yr un pryd,' atebodd y llall.

'Pwy wyt ti i alw'n tre ni'n dwll, y llo Llŷn?' bachodd Heulwen. 'Sgynnoch chi 'mond castall tywod yn Pwllheli.'

Chwalodd y sgwrs yn gybolfa o fân enllibion. Ac yn y cyfamser, heliais innau fy hun at ei gilydd – unwaith eto. Ond wrth i mi ystwyrian, a chynllunio fy nihangfa, agorodd Babs ei chlogyn mewn rhyw ystum bygythiol a dramatig, gan ddatgelu'r camera a hongiai o gwmpas ei gwddw.

'Downiwch eich diodydd, blantos,' bloeddiodd. 'Dwi angan quote. A llun. Gen bob un wan jac ohonach chi. Yn edrach yn sobor. Achos mi fydd 'na gopi o'r erthygl yma yn mynd at S4C, efo'r llunia, a podcast a ballu. Ac ella dôn nhw'r holl ffor' o Gaerdydd i neud rhaglan am faer Caersaint. Felly, dim mwy o lol, neu mi fydda i'n canslo'r rownd nesa. Dallt?'

Dewisodd fwrdd gyda sgetsh o gastell Caersaint ar y wal y tu cefn iddo, a chan sychu'r bwrdd â hances bapur o'r bocs cyllyll a ffyrc, gwasgarodd hanner dwsin o fatiau cwrw y Prins o Wêls dros yr wyneb staeniog. Rhegais yn dawel. Roeddwn wedi colli fy nghyfle i ddianc. Oherwydd roedd y seiat bellach wedi llonyddu, a'r selogion yn syllu i'w gwydrau gwag, a golwg hiraethus ar wynebau pawb wrth feddwl am yr adeg well pan oedd, a phan fyddai, eu gwydrau'n llawn.

'Pwy gynta?' meddai Babs. 'Heulwen? Mi fydd raid i chdi dynnu dy sbecs newydd. Dim syrcas ydi hon.'

'Pam dach chi 'di peintio'ch gwynab fatha clown, ta?' atebodd hithau'n ôl.

Gwgodd Babs arni.

'PM ddyla wisgo sbecs,' meddai Phil, mewn ymgais i osgoi ffrwgwd rhwng y ddwy. 'I guddiad y ddau darantiwla blewog sy ar ei wymab o.'

Diflannodd canhwyllau llygaid PM wrth iddo geisio gweld ei aeliau ei hun.

'Mae eyebrows PM yn cylt,' meddai Pepe, gan daro'i gyd-sant yn galed ar ei gefn nes y syrthiodd y canhwyllau yn ôl i'w lle. 'Ddylach chi neud feature arnyn nhw yn y *Llais*, Babs. Cael tudalan o'r enw Caersaint Freaks.'

'Papur Cymraeg ydi o, crinc,' meddai Haydn.

'Freaks Caersaint, ta.'

Chwifiodd Haydn ei fraich, a dechrau rhifo â'i fysedd:

'Mi fasat ti'n medru cael blew llgada PM, llygad gòc Heulwen Hŵr, un bôl Phil Golff, gwymab tin Pepe...'

'A llun normal o Haydn Palladium!' cipiodd Pepe.

Ond roedd amynedd Babs yn prinhau, a hithau'n gosod y 'set' ar gyfer y vox pops.

Pan ddechreuai'r recordio mi allwn innau adael.

17

FEL PETAI'N CADEIRIO gêm gwis ar y teledu, galwodd Babs ar Haydn Palladium a'r Pen Menyn i gymryd eu lle. Ufuddhaodd y ddau, y naill yn barablus a'r llall yn fud. Aeth Babs i'w phoced a gosod recordydd llais digidol ar y bwrdd. Cyhoeddodd y dyddiad a'r lleoliad, ynghyd â'r cwestiwn canolog:

'Beth ydi'ch barn chi, y saint go iawn, ar gael Maer Etholedig i Gaersaint?'

Gwasgodd fotwm i atal y recordio am eiliad, a throi at Haydn Palladium.

'Ti'n gwbod be i'w ddeud, HP. Dan ni wedi bod dros hyn o'r blaen, yndo?'

'Ar flaen 'y nhafod i,' meddai Haydn, a rhoi ei law ar y groes o gwmpas ei wddw. 'Mi welist ti fi wrthi ar y Maes. Fatha bod yn Les Mis eto.'

'Rêl blydi revolutionary bach,' gwawdiodd Phil Golff.

Dechreuodd Haydn lefaru ei sloganau, yn union fel y'i gwelais wrthi ar y Maes Glas.

'Dim Maer i Gaersaint! No way! NBC! Ni bia Caersaint!'

Edrychodd ar Babs, a chododd hithau ei bawd i'w gymell i barhau.

'Be dwi'n ei ddeud ydi hyn,' datganodd Haydn, ac anadlu'n ddwfn cyn dechrau llafarganu: 'Med Medra, Dos Adra! Medwyn Môn, Go Home!'

Daeth chwerthin o du'r selogion, a churodd rhai eu dwylo, gan ymuno yn y llafarganu. Ac yn fy mhen ymunais â nhw fy hun. Lledodd gwên fodlon dros wyneb Babs Inc. Ymhen rhyw hanner munud cododd ei llaw a galw am osteg, gan stopio'r recordio dros dro.

'Digon hawdd deud bod Haydn yn pro, tydi?'

Tynnodd lun Haydn Palladium, gan ofyn iddo lefaru 'Prins-o-Wê-e-els' er mwyn gwenu'n braf. Yna daeth yn bryd iddi droi at ei chyfwelai nesaf. Ailddechreuodd recordio.

Roedd PM wedi gwrando'n astud ar gyfraniad Haydn, a'i aeliau anferth, blêr wedi symud nifer o weithiau. Ond yn sydyn, dan bwysau'r recordio, roedd golwg wedi synnu arno, fel petai cwestiwn Babs yn annisgwyl. Aeth eiliadau o dawelwch heibio. Dechreuodd y seiat g'noni.

'Ty'd, PM, y brych!'

'Hyria, y llo blydi llywath.'

'Maer, ia?' holodd PM.

Cododd law fudur at ei ên. Yna, gydag ochenaid hir, cododd ei ysgwyddau, a dweud:

'Ffwc o otsh gin i, deu' gwir.'

Ffrwydrodd chwerthin uchel y selogion ar draws y dafarn. Ond roedd Babs wedi gwylltio. Caledodd ei llais, ac aeth ati i ddwrdio Pen Menyn fel petai'n dwrdio plentyn:

'Yli, PM. Mae'n amsar rhoi rhywbath yn ôl i Anti Babs rŵan. Ennill dy feild. Neu mi fydda i'n deud yn y *Llais* bod Magnum yn y gwely efo chdi a'r musus bob nos.'

'Ych-a-fi,' trodd Heulwen ei thrwyn. 'Meddyliwch am yr ogla. A'r blew.'

'Duw, mae'r ci bach 'di arfar,' meddai Haydn.

Chwarddodd pawb, a minnau gyda nhw. Ond gan ragweld methiant ei chyfweliad, cododd llais Babs yn gadarn ac yn felys uwchlaw'r twrw:

'Be am i chdi ddeud rhywbath fel hyn?' awgrymodd wrth

y Pen. 'Bod be mae Wogan-Williams yn ei neud yn y Doc yn warthus, bod y fflatia'n rhy ddrud i bobol leol, a'i bod hi'n hen bryd i rywun roi bom danyn nhw?'

Dychrynodd PM.

'Bom?'

'Bom. Barod?' meddai, a gwasgu'r botwm recordio.

Agorodd PM ei geg, ond Pepe a siaradodd:

'Hold on am funud, fedrwch chi ddim rhoi geiria yn ei geg o, Babs. Mae gin hyd yn oed PM ei feddwl ei hun.'

'Nag oes, tad,' gwadodd yntau.

Oedodd Babs, cyn troi ei threm oeraidd at y bar.

'Chlywish i neb yn cwyno 'mod i'n rhoi cwrw yn ei geg o. Ac os na chaei di dy geg, Pepe Romanelli, mi fydd hanas y ffags contraband 'na ti'n werthu ar y slei ar dudalan flaen y *Llais* wsos nesa. A llun ohonat ti'n cario'r bocsys o gwch Padi ar draeth Foryd bob yn ail nos Ferchar.'

Gwelwodd Pepe. Crechwenodd Phil Golff. Sugnodd Heulwen yn galed ar y gwelltyn yng ngwddw'i photel, a thawodd Haydn Palladium. Daliodd Babs i syllu ar Pepe am rai eiliadau, cyn troi'n ôl at Pen Menyn.

'Deud rhywbath, PM!'

Agorodd ei geg a'i chau wedyn.

'Ond be dwi i fod i ddeud, Babs?'

Cododd y dicter yn wrid i fochau Babs, ac ymwthio'n ddafnau mân o chwys trwy ei cholur. Tynnodd ei llaw trwy ddüwch ei gwallt. Caeais fy llygaid. Roedd Babs ar fin ffrwydro, a doedd dim dal beth a ddigwyddai wedyn.

'I be dach chi'n da? Pam na newch chi be dwi'n ddeud? Am unwaith?'

Nid atebodd neb y tro hwn.

'I be dwi'n wastio'n amsar?' holodd wedyn. 'Slafio yn y dre 'ma yn trio rhoi trefn ar betha. Dod â mymryn o fywyd i'r lle. Rhoi Caersaint ar y map. Trio gneud i betha *ddigwydd* eto. A faint o help dwi'n ei gael?'

'Faint?' gofynnodd PM, a chael peltan gan Babs am fod mor bowld.

Atebodd hi ei chwestiwn ei hun.

'Sweet FA. Dyna faint.'

'O, chwarae teg rŵan, Babs...' dechreuodd Haydn Palladium.

Ond doedd gan Babs ddim diddordeb mewn 'chwarae teg'.

'Mi faswn 'di medru cael job yn Gaerdydd neu Fleet Street. Dach chi'n gwbod hynny? Mi faswn wedi bod yn byw yr high life, yn sgwennu am fisdimanars selebs a pholitisians. Mi gesh i sawl cynnig. Golygydd y *Wales on Sunday*, neb llai, yn begian arnaf i fynd atyn nhw. Na, meddwn inna. Dwi am fynd yn ôl i Gaersaint, i roid rhywbath yn *ôl* i'r hen dre. I drio *gneud* rhywbath ohoni. I gael gwarad ar eich inferiority complex chi. Ond dach chi'n gwbod be?'

Ysgydwodd pawb eu pennau. Roedd pŵer Babs drostyn nhw'n syfrdanol. Ac roeddwn wedi ildio iddi fy hun, yn dal heb godi o'm sedd y tu ôl i'r llenni yr oedd eu drewdod yn dechrau dweud arnaf.

'Y gwir amdani ydi eich bod chi'n inferior go iawn. Dach chi ddim yn haeddu'r dre 'ma. A dach chi ddim yn fy haeddu inna, tasa hi'n dod i hynny.'

Pepe oedd y mwyaf gwrol o'r selogion, a fo oedd yr unig un a fentrodd ddadlau'n ôl.

'*Ni* ydi'r dre 'ma, Babs. Ar ein hola ni mae hi 'di ei henwi.'

'Chi sy wedi'ch enwi ar ei hôl hi, lembo,' torrodd Babs ar ei draws. 'A dach chi ddim yn deilwng o'r enw, chwaith.'

'Be ydi teilwng?' sibrydodd PM wrth Phil Golff. 'Rhyw fath o gachu?'

'Mae'r sgwrs 'ma'n rhy ddyfn i chdi,' hysiodd Phil yn ôl, ac i brofi ei ddyfnder ei hun dywedodd:

'Be gythraul sy 'na i fod yn deilwng ohono fo, Babs? Does 'na ddim byd i neud yn y twll lle 'ma. Heblaw chwara golff.'

'Ac yfad,' pwysleisiodd Heulwen. 'A shagio.'

'Canu,' meddai Haydn.

'Siarad?' awgrymodd PM.

Daeth tinc erfyniol, hunandosturiol, bron, i lais Babs.

'Dyna be dwi'n trio'i neud. Gneud rhywbath. Achos eich bod chi'n rhy blydi ddiffaith i neud dim eich hunain, a'ch bod chi'n meddwl bod ar y byd rhyw ddylad fawr i chi. Dwi wedi dŵad â'r *Llais* yn ôl i chi, wedi gwario pob ceiniog oedd gin i. A be dach chi'n ei neud efo'ch *Llais* yn y diwadd? Dim byd ond rwdlan. Hobi gora pobol Caersaint. Alcis diffaith!'

Roedd golwg ar Babs fel petai am gerddcd o gwmpas y bar yn chwilio am fwy o ffaeledigion i fwrw ei llid arnynt. A phwy well na Jaman Jones? Dechreuais boeni go iawn.

Ond yn sydyn, newidiodd Babs ei thôn a dechrau ymbil eto ar y criw o gwmpas y bar:

'Helpwch fi, newch chi? I greu dipyn o niws yn y lle 'ma!'

'Ond, Babs, fedrwch chi ddim creu niws allan o ddim byd...' mentrodd Pepe.

'Medraf, tad,' meddai hithau'n ddigywilydd. 'Medraf, Haydn?'

Cytunodd y cyn-actor.

'Medraf, Heulwen?'

'Medrwch, Babs, chwara teg i chi,' meddai Heulwen, a sugno'r diferion olaf o waelod ei photel.

Roedd dicter Babs bellach yn newid yn dôn hunangyfiawn, gwynfanllyd. Ac yn sŵn yr hwiangerdd honno dofwyd yr yfwyr o'r newydd, a chyd-dueddodd eu cyrff tuag ati wrth i'w golygon ymostwng at lawr budur y dafarn. Roedd fel petai Babs, trwy ryw hud, wedi tynnu'r stwffin o'u boliau.

'Medraf, PM?'

Symudodd yntau ei ben i fyny ac i lawr, a golau'r lamp yn llithro dros sglein y saim yn ei wallt.

'Sori, dwi'n hoples,' ymddiheurodd. 'Mae'r musus yn deud hynna bob dydd.'

'Paid ti â gwrando ar y musus. Be dwi'n ddeud sy'n cyfri. Rŵan, drian ni un waith eto…'

A thrwy ddyfalbarhad a gwawd llwyddodd Babs i gael y geiriau a fynnai o enau PM. Roedd ganddi allu goruwchnaturiol, bron, i drin pobl fel pypedau. Ond doeddwn i ddim am ildio iddi. Hanner codais, a dechrau symud fesul modfedd o'm cornel.

Wrth gwrs, doedd dim gobaith dianc rhag un mor llygadog, yn enwedig â minnau wedi cael peint o gwrw, a hwnnw wedi dechrau fy llyffetheirio. A minnau ar godi, rhewais yn fy unfan wrth iddi alw arnaf:

'Paid titha â meddwl y cei di ddeenig, Jaman Jones! Dwi wedi dy weld ti'n llechu'n fancw ers i fi ddŵad i mewn. A chan dy fod ti yma, mi gei ditha chwara dy ran, yr un fath â pawb arall.'

Ac fel Bright Eyes ei hun cyn cael ei hitio, sgrechiais yn fud, rhewi yn fy unfan, a'r peth nesaf a wyddwn oedd fy mod i'n syrthio'n glewt yn ôl i'm sedd. Roedd Babs wedi bod â'r pwer rhyfeddaf drosof erioed.

'Mwrddrwg bach ydi hwn, i chi gael dallt,' aeth Babs yn ei blaen, gan synhwyro gwaed. 'Un o hogia Preswylfa. Toi-boi Anti Babs ers talwm. Cyn i Arfonia Bugbird gael gafael arno fo. Wyddoch chi be ddaru o pan oedd o'n hogyn ysgol?'

'Heblaw am roid un i chdi, Babs?'

'Ia, heblaw am ei rhoid hi i ferchaid oedd yn ddigon hen i fod yn fam iddo fo, os nad nain, am nad oedd gynno fo fam na nain ei hun…'

'Fi nesa!' meddai Heulwen.

'Torri mewn i stordy Ysgol Mabsant, a dwyn llond bocs o permanent markers, a sgwennu graffiti budur hyd walia'r ysgol i gyd. Petha am yr athrawon, a bob dim. Ac wedyn ei enw ei hun. Jaman G. Jones. Ffŵl, ta be? Dim rhyfadd iddo fo gael ei ecspelio cyn gneud ei TGAU.'

'Set-yp oedd hi!' meddwn. 'Set-yp rhyngach chi a Llifon Gwyrfai….'

Ond fel y digwyddai bob tro pan oeddwn ar bigau, aeth y geiriau'n gwlwm yn fy ngheg.

'Be sy, Jam? Wedi colli dy dafod? Ella ei bod hi'n dal i lawr 'y nghorn gwddw i.'

Chwarddodd y lleill, a throdd Babs atynt a'i llygaid yn serennu.

'Sgwn i be fasa barn Jaman ar ein darpar Faer ni? Achos dach chi'n gwbod pwy oedd cariad hwn ers talwm?'

Oedodd i sicrhau eu bod oll yn gwrando.

'Gwraig Med Medra.'

Chwibanodd Haydn Palladium.

'Oedd,' meddai Babs. 'Roedd o wedi mopio efo hi. Mwmial ei henw hi pan oedd o wrthi efo finna. Doedd hi, Tonwen, ddim callach, wrth gwrs. Doedd o ddim uwch na baw sawdl iddi hi. Rapsgaliwn bach o hôm.'

Camodd yn nes ataf, a'i phersawr fel cwmwl gwenwynig yn dod o'i blaen.

'Ond rŵan ydi dy gyfla di, Jaman Jones. I herio Med Medra. Dwi 'di deud wrthat ti be i'w neud. Sefyll yn Faer! Ennill lecsiwn – ac ennill Tonwen Bold yr un pryd! Dyna i chi be fasa stori! Be dach chi'n ddeud, blantos?'

Collwyd fy rhegfeydd yn chwibanu Haydn Palladium a chymeradwyaeth Heulwen Hŵr. Gwthiais y bwrdd nes ei fod yn gwichian hyd lawr y Mona, a bwrw fy hun allan o'r dafarn. Pylodd chwerthin y selogion i ganol y nos. Ac wrth i hyrddwynt y Fenai dynnu dŵr o'm llygaid, rhegais Babs Inc am y milfed tro yn fy mywyd.

Trois i gyfeiriad Pont yr Abar, a rhyw syniad byrbwyll yn fy mhen y gallwn groesi i'r ochr arall a chefnu ar y dref, gan ffoi, fel ers talwm, i eglwys Llanfairfaglan i ganfod rhyw dawelwch eto. Ond roedd tri golau coch y jeti ar yr ochr draw fel petaent yn fy nghadw draw. A phrun bynnag, roedd rhywun yn croesi'r bont…

Digon hawdd oedd adnabod cefn crwm Peilat Jones dan lewyrch oren llifoleuadau'r castell. Ymhell cyn iddo gyrraedd yr ochr hon i afon Saint dihengais rhagddo – y fo a'i farn fud – a throi tua thywyllwch dudew'r prom.

Daeth bloedd o chwerthin o'r tu mewn i'r Mona wrth i mi adael, a rhu newydd o gymeradwyaeth. Rhaid bod y sioe yn dal i fynd yn ei blaen, a Babs yn dal i gyfarwyddo – o leiaf hyd nes y cerddai Peilat Jones i mewn i'w tewi, dros dro, â'i fudandod.

Baglais ar botel gwrw wag. Doedd dim i ddangos y ffordd at Borth yr Aur ond y wal wen, a'r lloer yn ariannu'r lli, a golau dau fwi – y naill yn wyrdd a'r llall yn goch – yn wincian bob yn ail yn y dŵr tywyll.

Rhegais eto, a mynd yn fy mlaen fel dyn dall. Roedd yn bryd i mi ffeindio hogan. Neu ffeit. A gorau yn y byd pe cawn y ddau.

18

YMHELLACH HYD Y prom, a llifoleuadau grymus Phase 1 yn goleuo'r Batri, roedd tri sant ifanc yn eu taflu eu hunain ar furiau'r Eglwys Garsiwn. Disgleiriai eu tracsiwts gwynion yn y goleuni gwynlas, ac roedd logos arian eu capiau baseball yn symud fel sêr gwib wrth i'r naill ar ôl y llall redeg a neidio yn erbyn y mur. Eu gêm, i bob golwg, oedd dringo'r wal heb gymorth rhaff; neu, mewn Besanti, fod yn hiro-din heb ddoniau arwrol.

Arafais fy ngham i'w gwylio. Rhedodd y cyntaf a llamu, gan fachu llond llaw o redyn o'r cerrig sychion uwch ei ben. Dadwreiddiwyd y rhedyn, a disgynnodd y dringwr i'r llawr dan regi. Chwarddodd y lleill.

Cododd ar ei draed a'm dal yn syllu

'Sbia hwnna'n stagio. Ti isio llun, y sant sglyfath?'

Aeth i sefyll at y ddau arall, a safodd y tri yn un rhes a'u trainers yn ysu i gicio. Doedd yr un ohonynt fawr mwy na deuddeg, felly trechais yr awydd i godi twrw, a chilio oddi wrthynt yn sŵn eu llwon Besanti.

Trois heibio i du blaen y Clwb Hwylio yn y Batri a gwrando ar ryw yfwr yn canu karaoke, 'I can't help falling in love with you'. Wrth i rin yr hen gân dreiddio trwy'r nodau fflat cododd rhyw hiraeth gwirion i'm gwddw, felly gadewais yr hwylwyr i'w Elvis di-lais, gan gamu o'r cysgodion i goedwig wen Doc Victoria, lle'r oedd mastiau'r iots yn tincial yn y gwynt.

Sefais yn syfrdan. Ar lan bellaf y Doc, ar hen safle MAP, codai Phase 1 yn horwth enfawr goleuedig, a'r llifoleuadau'n pwysleisio anferthedd y sgaffaldiau a'r hanner muriau concrid. Edrychai gymaint yn fwy o'r llawr nag a wnaethai o ben Brynhill, a sylweddolais o'r fan hon mor agored fyddai'r fflatiau newydd i wynt yr Iwerydd pan ysgubai hwnnw trwy gap Abermenai. O'i gwmpas, i atal pobol Caersaint rhag cyrraedd y safle gwaith, roedd ffens wen ac arni luniau enfawr o gyplau hapus yn yfed bybli, bob yn ail â golygfeydd o Gaersaint o'r awyr, a golygfeydd o ganolfannau siopa. Dros bob llun roedd sloganau yn datgan 'Uwch y Fenai, Uwchben eich Digon' a 'Nothing Overlooked except the Menai Straits'. Meddyliais am Trefor Spicer yn dod wyneb yn wyneb â hyn bob tro yr âi i chwilio am waith.

Yn y pellter, ar y dde i Phase 1, roedd warws fodern yr Oriel wedi'i goleuo o'r tu mewn, ac yn llawn pobl mewn dillad mynd allan yn yfed gwin. Daeth arnaf chwant yfed. Felly, cerddais yn fy mlaen rhwng yr hen fwiau haearn, ac angorau a chadwyni hen longau o flaen yr Amgueddfa Forwrol, gan oedi am bisiad wrth angor anferth yr 'Indefatigable' oedd wedi ei fwrw i'r tarmac. Craffais ar y plac wrth gau fy malog: hanes y ffrigad a ddrylliwyd rhwng dwy bont y Fenai ar ddechrau'r 1960au…

Ar ôl tindroi am sbel rhwng geriach yr hen longau, a'm meddwl yn crwydro – fel y gwnâi bob tro yn y rhan hon o'r dref – at Arfonia Bugbird a'i chyndadau, trois at Lôn Balaclafa a Ffordd Bangor. Ond yn lle mynd i gyfeiriad tafarn y Llong a'r Castall fel yr oeddwn wedi bwriadu, denwyd fy sylw gan fwa haearn hen westy crandiaf y dref.

Nid y 'Royal Hotel' oedd ei enw mwyach. Ar baent melyn ffresh yr hen furiau roedd enw newydd – 'Gwesty'r Royal Shamleek Hotel' – wedi ei godi mewn llythrennau aur. Ac nid yr enw ei hun a'm denodd dan bileri'r portico, mwy na'r 'Croeso Celtaidd Cynnes' a addawai'r arwydd wrth y drws, ond yn hytrach y cof am yr enw 'Shamleek' yn llifo dros wefusau'r estrones hardd ar ben Brynhill.

Camais i mewn i'r gwesty, a gweld bod y tu mewn wedi'i drawsnewid hefyd. Roedd y cyntedd tywyll, Fictorianaidd bellach yn neuadd ganoloesol, gyda chladin derw ar y muriau, llechi ffug ar y llawr, a chanhwyllbren ddu ffug-hanesyddol yn hongian o'r nenfwd. Dros y waliau roedd hen fapiau o Gymru ac Iwerddon mewn fframiau mahogani wedi eu goleuo.

Cerddais draw at y dderbynfa lle'r oedd y dderbynwraig ar ganol rhoi cyfarwyddiadau i gwpwl Americanaidd oedrannus ar sut i gyrraedd y Druid's Lounge. Ar stand gerllaw roedd twmpath o bamffledi. Tra oedd y dderbynwraig yn siarad ar dop ei llais, darllenais innau fanylion adnewyddiad diweddar y 'Royal Shamleek', a gweld mai partneriaeth Gymreig-Wyddelig (gyda chymorth grant Amcan Un) a fu'n gyfrifol am y gwaith. A dyna eglurhad ar yr enw anarferol, a oedd wedi ei greu o gyfuniad o elfennau o symbolau cenedlaethol Cymru ac Iwerddon, sef 'Shamrock' a 'Leek'. Gwenais wrth feddwl am bosibiliadau pellach.

'Good evening, can I help you?' meddai'r ferch mewn llais ma-isio-gras.

Roedd ei gwallt wedi ei dynnu'n ôl yn dynn a'i haeliau wedi eu peintio'n ddwy geg gam ar ganol ei thalcen. Gwisgai fathodyn ar ei siaced ac arno feillionen ar y top a chenhinen ar y gwaelod. Yn y canol roedd yr enw Glenda, ond doedd dim golwg glên na da ar hon. Trodd ei thrwyn arnaf, ac ailadrodd ei chais.

'Medri,' meddwn innau. 'Dwi'n chwilio am hogan sy'n aros yma. Blondan. O Rwsia. Poland, ella.'

Tynhaodd wyneb Glenda, ond ni ddywedodd ddim byd.

'Hogan ddel,' ymhelaethais. 'Ella ei bod hi'n gweithio yma?'

'Does gynnon ni neb foreign yn gweithio yma.'

Synnais at ei thôn ymosodol, ac amau bod Glenda'n cuddio'r gwir.

'Ydi hi'n aros yma, ta?'

'Tydan ni ddim yn trafod ein cwsmeriaid efo neb,' brathodd wedyn, cyn ychwanegu yn hysiog: 'Rhaid i fi ofyn i chi adael. Syr. Rŵan.'

Daliais fy nhir. Daeth golwg gas i wyneb Glenda.

'Allan! Dydi'r bòs ddim yn licio locals. Dallt? Neu dwi'n galw security.'

Pan sylweddolodd nad oeddwn am symud, gwyrodd at feicroffon ar ei desg:

'Brannigan, mae 'na local 'di dŵad i mewn. Hyria.'

A minnau ar ganol dadlau wrth Glenda fy mod – pan oeddwn yn hogyn pymtheg oed – wedi treulio pob Sadwrn oedd gen i'n cario cesys pobl ddiarth i mewn ac allan o'r Royal Hotel, gwasgwyd braich gydnerth dan fy ngên, a thynnwyd fy mhen yn ôl yn galed nes na welwn ddim mwy na chanhwyllbren fylbiog y Shamleek a honno'n ymbellhau. Ac er i mi strancio a chicio a rhegi, llusgwyd fi wysg fy nghefn trwy gyntedd y gwesty ac allan i awyr oer y nos.

Dim ond pan oeddem yn sefyll gyferbyn â'r gastanwydden fawr o flaen y gwesty y llaciodd y grafanc ei gafael o'r diwedd, ac y llwyddais innau i droi fy mhen i weld pwy oedd piau hi. Gwelais fwystfil tywyll a'i ddau lygad yn agos, agos at ei gilydd, a'r aeliau wedi cydblethu'n un uwchlaw clogwyn o drwyn.

'Bryn!'

Ond tagais, wrth i'r grafanc ailddechrau pwyso'n drwm ar fy mhibell wynt.

'Bryn yr Ael!'

Nid atebodd fy hen gyfaill ysgol. Dim ond fy llusgo dan y portico i gyfeiriad y maes parcio bysus lle'r arferai'r Majestic sefyll, a minnau'n gallu gwneud dim ond gwrando o bell ar wadnau f'esgidiau'n cribinio'r llwch llechi.

'Bryn,' meddwn gyda f'anadl olaf, gan halio'i fraich. 'Doro'r gora iddi. Ti'm yn 'y nghofio fi? Jaman sy 'ma. Fi, Jam, dy fêt.'

Trois a throsais yn ei afael. Stranciais â'm coesau. Plannais fy mhenelin yn ei fol, a theimlo'i afael yn llacio am eiliad. Dim ond i dynhau o'r newydd, cyn dechrau fy llusgo, nid at y maes parcio ei hun, ond i fyny at ochr dywyll y gwesty, lle'r oedd awel gynnes yn chwythu o'r gegin trwy'r ffan.

Gwyrodd y cawr tuag ataf, ac ysgyrnygu:

'Dan ni ddim yn licio locals.'

Roedd ei lais fel llais robot.

'Ond ti'n local dy hun!'

Yn y diwedd, llaciodd ei afael, a phan lwyddais innau i godi fy mhen gwelwn Bryn yn sefyll ymhell, bell uwch fy mhen. Roedd ton o emosiwn (nad oedd cweit yn deimlad) yn araf ledu ar draws ei wep, ac yn cynhyrfu blew ei aeliau lle byddai'r bwlch wedi bod. Trois i syllu ar sglein ei esgid, cyn teimlo'i blaen yn cael ei phlannu'n galed yn fy mrest.

Gorweddais yno am rai eiliadau, cyn stryffaglio i godi eto, ac wrth sythu gwelwn fod Bryn yn gwisgo sanau pen-glin a chilt. Roedd rhan uchaf ei gorff wedi ei ddilladu mewn crys gwyn a chôt wennol, a thros ymyl startshlyd y goler codai ei ben fel pen tarw dros wal wyngalchog.

'Bryn yr Ael,' pesychais. 'Be ti'n feddwl ti'n neud?'

'Brannigan,' cywirodd fi. 'Brannigan dwi rŵan.'

'Be ddigwyddodd i chdi yn yr Armi? Sbia,' cyfeiriais at

fy nillad oedd yn llwch llechi i gyd. 'Be gythral ti'n neud?'

'Job fi.'

'Dyrnu dy fêts ysgol? Dyna ydi dy job di, Bryn?'

'Brannigan,' rhuthrodd i'm cywiro eto, ac ailadrodd: 'Dyna ydi dy job di, *Brannigan*!'

Cododd ei ddwrn, a'i ostwng eto wrth i sŵn clindarddach sosban ddod o gyfeiriad ffenest y gegin, a llais yn tyngu mewn iaith ddieithr.

'Ti 'di bod yn un am godi trwbwl erioed, Jam.'

'Jyst chwilio am rywun o'n i. Fodan Rysian. Neu Bolish. Gwallt melyn. Naturiol…'

Ond torrwyd ar draws fy ymholiadau gan lais o'r tu ôl i mi, a Bryn yn prysuro i glymu fy mhen gyda bôn ei fraich eto.

'Pob dim yn iawn, Brannigan? Traffarth?'

'Local, syr.'

'Fedra i ei adael o i chdi?'

'Medrwch, bòs. Syr.'

Erbyn i mi gael fy rhyddhau eto, a throi, roedd y dyn mewn siwt yn diflannu o'r golwg rhwng dau fws. Syllai Bryn ar ei ôl gan ddal ei wynt. Daeth sŵn refio injan deirgwaith, ac o'r bwlch rhwng y bysus daeth y dyn yn ei gar. Range Rover. Vogue. Arian. MED 10.

'Y mochyn yna ydi dy fòs di?'

Goleuwyd ni gan ddwy lamp nerthol wrth i'r car yrru heibio. Ni throdd y bòs ei ben i gyfarch ei fownsar. Ond wrth i'r car mawr grymus droi at Ffordd Bangor, goleuodd wyneb cyd-deithiwr Med yng ngoleuadau melyn Kwik Fit.

'Hi!' bloeddiais. 'Hi oeddwn i'n feddwl! Honna oedd yr hogan!'

Ond nid atebodd Bryn yr Ael. Yn hytrach, cododd ei ddwrn yn araf a dod â hi i lawr yn galed ar ochr fy mhen. Ac wrth i mi syrthio, ac wrth i chwaon sur godi o finiau sbwriel y Shamleek, gwyddwn na fyddai'n hir cyn y cawn innau, am ba reswm bynnag, fynd i'r afael â Medwyn Môn.

19

ER GWAETHAF YSGUBO dygn Miriam daeth tymor yr hydref i goncro Dwyrain Brynhill fel pob man arall, ac roedd dail cwympedig y masarn coch yn rhoi gwedd felancolaidd i'r stryd. Byrhaodd y dyddiau, a phob min nos âi craig Brynhill fymryn yn uwch na'r haul. Yn raddol, dechreuais innau fynd ati i roi trefn ar Arvon Villa. Taflu hen bapurau. Lluchio hen ddillad i fagiau sbwriel a hen lyfrau i focsys. Gwagio droriau, jygiau, fasys. A phob hyn a hyn dod ar draws mwy o arian parod – ugain punt fan hyn, deugain fan draw, bob amser mewn amlen las ac arni'r geiriau 'Y Ddyled', ac enw Capel Seion arni, sef y capel yr arferai ewythr Arfonia fod yn weinidog arno.

Âi ias i lawr fy nghefn bob tro y ffeindiwn y rhoddion rhyfedd hyn. Roedd fel petai Arfonia wedi gadael gwobrau i mi hwnt ac yma, yn dâl am fynd i'r afael â'r llanast yn y tŷ. Ac roedd y papurau bob amser yn newydd sbon, yn grin a glân fel pres monopoli. Dim ond wrth eu codi at olau y gwelwn y marciau dŵr a ddangosai eu bod yn ddilys.

Yn y pres neu beidio, roedd Arfonia yno gyda mi bob munud o bob awr. Am unwaith doeddwn innau ddim yn unig, felly, hyd yn oed ar foreau tywyll wrth i mi godi oddi ar y chaise longue, rhoi punt yn y mesurydd trydan er mwyn berwi'r tecell, a mynd ar fy ngliniau i ddechrau clirio eto.

Llefarai popeth amdani. Aroglai popeth ohoni. Dilynwn drywyddau ei bysedd dros y dodrefn pren a'r llestri tsieina, ac ymgrymwn o flaen hanner lleuadau blew ei gwallt ar wlân y carped. Roedd briwsion ei bisgedi'n fanna pinc hyd y lle, yn crensian dan fy nhraed, neu'n treiddio dan f'ewinedd.

Yn wir, Arfonia Bugbird oedd Arvon Villa. Y nofelau rhamant a'u cloriau rhad. Y menig capel a'r lledr wedi breuo dan flaenau'r bysedd. Y powdwr wyneb Yardley pinc, a gwaelod arian y blwch yn dod i'r golwg ar y gwaelod. Llyfr lloffion yn llawn o amlenni ac arnynt stampiau o bedwar ban byd, yn galendr o gardiau Dolig a chyfarchion pen-blwydd Capten Bugbird i'w ferch yr holl flynyddoedd yn ôl. Valparaiso (1 May 1941). Hong Kong (2 May 1942). Johannesburg (18 December 1942). Ceylon (15 December 1943). Pedair a phump oed oedd Arfonia bryd hynny, cyfrifais. Ond gwag oedd yr amlenni, a'r cardiau a'r cyfarchion wedi hen fynd ar goll.

Ie, Arfonia oedd duwies bydysawd Arvon Villa, ac fel gydag unrhyw dduwdod, po fwyaf y darganfyddwn amdani, mwyaf dirgel yr âi. Roedd pethau dyrys ac anghymharus yn llechu yng nghefn y seidbord, neu wedi eu stwffio rhwng braich cadair a'r sedd. Y llyfr o ryseitiau coginio *Good Housekeeping*, ac arno glawr 1960aidd a llun gwraig tŷ mewn ffedog flodeuog. Y dam crosio baby pink – cwrlid crud ar ei hanner – yn crogi gerfydd un pwyth ar y bachyn. Yr hen doriadau papur o *Herald Caersaint* mewn amlen newydd yr olwg. Ysgrif yn portreadu'r Comodôr Albert Bugbird, sef taid Arfonia a fu'n gapten sgwneri mawreddog ac yn gyfansoddwr siantis fel 'Yn Ôl â Ni i Gei Caersaint'. Hanes colli tad Arfonia yn 1944 pan suddwyd ei long gan U-boat ym môr Iwerydd. Ac – yn annisgwyl – toriadau lluosog yn dweud hanes suddo llong yr Indefatigable ym Mhwll Ceris.

Ond mwyaf dirgel oll o blith yr olion oedd y dwsin ffotograff du a gwyn mewn albwm bychan ac iddo glawr melfaréd, pob un yn dangos Arfonia'n ifanc, ei chroen yn wyn, a'i gwallt yn ddu, a gwên yn heulo'i hwyneb.

Newydd ddarganfod yr albwm ynghanol rhyw hen lyfrau oeddwn i, ac roeddwn ar ganol craffu mewn rhyfeddod ar y lluniau, pan ddaeth bloedd groch drwy dwll y llythyrau:

'Ti 'di marw?'

Ac yna, wedi saib:

'Dan ni am ddisgwl gweld pryfaid ar y ffenast cyn ffonio'r polîs!'

A'r sachau duon wedi lluosogi yn y cyntedd bu'n sbel cyn i mi lwyddo i gyrraedd drws y ffrynt. Pan agorais y drws o'r diwedd roedd Trefor wedi rhoi ei holl bwysau arno, a syrthiodd i'r tŷ dan regi.

'Lle ti 'di bod?' cwynodd wrth geisio cael ei draed dano. 'Mae Mir wedi bod ar goll hebddat ti. A dw inna wedi bod yn torri 'mol isio mynd i'r afael â'r tŷ 'ma. Does gin i gythral o ddim byd arall i neud.'

Safai Miriam ar lwybr yr ardd, a'i phryder yn troi'n rhyddhad wrth fy ngweld yno'n fyw o'i blaen. Mygais ryw deimlad o anniddigrwydd, ac ar ôl gair o ymddiheuriad gwahoddais hi i mewn i ganol y llanast. Roedd Trefor eisoes yn baglu trwy'r cyntedd, yn wyllt a digyfeiriad, fel petai newydd ei ryddhau o garchar.

'Asu gwyn, mae hi fatha toman Cilgwyn yma. Mi fydd 'na wylanod yn dechra hofran yma cyn hir.'

Gwrandewais arno'n trampio trwy'r tŷ dan gwyno.

'Ych-a-fi, mae'r tŷ 'ma'n drewi. Ti 'di dechra pydru dy hun, dywad? Mi fydd raid i chdi adal bwcad o gachu ar stepan drws ar y rât yma. I gadw'r chwain o'r tŷ.'

Trodd ataf.

'A pryd gest ti fath ddwytha? Dan ni 'di bod yn disgwl bob dydd i chdi ddŵad am dy power shower. Mir 'di bod yn gadal llian glân, a finna rasal a sebon.'

Camodd i'r parlwr a gwrandewais arno'n rhegi.

'Oes gin ti *Yellow Pages*? A dydw i ddim yn sôn am y llyfra tamp acw. Dwi am ffonio Sgips Sgubs.'

Yna camodd eto o'r parlwr a chychwyn at yr ystafell gefn, cyn dod i stop sydyn o flaen y gwely. Dilynais o – yn fy nghywilydd.

'Fan hyn farwodd yr hen sguthan, ynde?'

Roedd yn crychu ei drwyn.

'Ti byth 'di newid y sheets! Be ti'n feddwl ydi honna, y Brynhill Shroud? Meddwl y bydd y saint isio rhacs ohoni pan fydd Miss Bugbird yn patron saint y dre 'ma?'

Daeth llais Miriam o'r tu cefn imi:

'Mae'r cradur bach 'di bod yn cysgu yn y parlwr, Trefor, yn lle cysgu yn y gwely.'

'Yn y parlwr? Lle, dywad? Ar hamoc o we pry cop? Dim rhyfadd bod golwg fatha drychiolaeth arnat ti. Mae'r tŷ i gyd yn ysglyfaethus.'

'Hen dŷ anodd ei llnau ydi o,' meddai Miriam. 'Achos yr holl hen betha. Dyna be oedd Mam yn ei ddeud.'

'Duw, fedri di ddim coelio gair mae dy fam yn ddeud,' wfftiodd Trefor, a galw dros ei ysgwydd: 'Mae mam Miriam 'di colli arni. Hollol ga-ga. Ers iddi fynd i'r hôm. Gweiddi "sex" dros y bwr' bwyd a petha. Expression maen nhw'n galw'r peth.'

Ac fel petai'n gweld cysylltiad rhwng cyflwr meddwl ei fam yng nghyfraith a'r llanast yn nhŷ Arfonia, dechreuodd daflu gorchmynion yn erbyn waliau llychlyd y parlwr.

'Be 'dan ni angan ydi clear out i fan hyn i gyd. Taflu'r geriach. Ffluch i'r jync. Dympio'r carpad.'

'Mae 'na antiques yn bownd o fod yma, Trefor,' rhybuddiodd Miriam yn dawel. 'Petha dros y dŵr, yli. Y Capten wedi dod â nhw o'i drafals. Presanta euogrwydd.'

Bwriodd olwg anwesol dros yr hen gelfi a'r ornaments.

'Dwi'n cofio Mam yn deud bod villas North Road yn llawn setia llestri a peisia silc. A'r rheiny byth yn cael eu hiwsio.'

Ond doedd gan Trefor ddim diddordeb yn hanes na daearyddiaeth na seicoleg ystafell wely Arfonia, mwy nag yng nghof anwadal ei fam yng nghyfraith.

'Rybish ydi'r hen ddodran 'ma. Dim gwell na petha dy fam. Mi eith house clearance â'r cwbwl. Ac ella ceith yr hogyn fagan neu ddwy yn y fargan. I brynu bwyd nes ffeindith o job.'

Dechreuodd chwifio'i freichiau'n ddigyfeiriad ar draws yr ystafell, a'i ddwylo segur yn gwirioni o weld gwaith angen ei wneud. Ar ôl troi yn ei unfan am rai eiliadau, camodd at y ffenest.

'Y peth cynta i neud ydi agor hon. I adal dipyn o awyr iach i mewn.'

Tuchanodd yn uchel, a phwdu wrth i'r ffenest aros yn styfnig ar gau.

'Dydi'r bitsh ddim yn byjio. Dipyn o oel sortith hi. A côt o baent i'r sash yr un pryd. Gwyn ydi hi i fod, dim evaporated milk.'

Erbyn hyn roedd Miriam wedi sylwi ar yr albwm lluniau yn fy llaw. Gofynnodd â'i llygaid am gael ei weld.

'Miss Bugbird ydi hon? Ia, hi ydi hi! Mewn ffrog nineteen fifties, efo sgert lydan. Yli hapus ydi hi, Tref. Mewn cariad. Digon hawdd deud ar ei llygada hi.'

'Mewn cariad?' trodd Trefor ei ben. 'Miss Bugbird? Mae 'na frân i frân yn rhywla.'

'Na,' protestiodd Miriam. 'Mae hi'n ddel, Trefor. Roedd hi'n dipyn o ffilm-star ers talwm. Dwi'n cofio Mam yn deud.'

'Mi oedd King Kong yn ffilm-star.'

'A sbia lle mae hi,' cymerodd Miriam yr albwm allan o'm dwylo a chamu at ei gŵr. 'Yr hen bwll nofio ar y Foryd. Ti'n cofio? Lle mae Bath Cottage rŵan. Mi gafon ni lot o hwyl yn fanno ers talwm.'

Gwenodd Trefor wrth gofio.

'Gwymon yn dy geg a shrimps rhwng bodia dy draed.'

A throdd ataf i wneud yn siŵr fy mod yn deall.

'Mi oedd y pwll yn gwagio pan oedd y llanw'n mynd allan, a chditha mewn peryg o gael dy sugno allan drwy'r Gap efo'r teid. Yn Werddon fasat ti, a neb yn gweld lliw dy din di.'

Dododd ei sbectol ar ei drwyn a chraffu ar Arfonia eto.

'Arfonia Bugbird!' chwibanodd yn isel. 'Pwy fasa'n meddwl? Peth mor handi â honna'n troi'n gyrentsian grintachlyd. Be ddigwyddodd, dywad?'

Tynnodd ei sbectol yn fyfyriol, a bodio'i fwstásh. Daeth tinc awdurdodol deimladol i'w lais wrth ddod i'w gasgliad.

'Cael ei jiltio ddaru hi. Bownd o fod,' a throdd at ei wraig y tro hwn, i sicrhau ei bod hithau'n dallt y dalltings. 'Felna mae merchaid. Syrthio mewn cariad. Cael eu siomi. Wedyn suro. A sychu. Fatha pink wafer.'

A chan wneud stori dda'n stori well, trodd ataf:

'Nes i chditha ddwad ati ar dy community service. A dyma'r hen ferch, Miss Arfonia Bugbird – wedi dechra colli arni – yn meddwl bod Prince Charming wedi dŵad yn ei ôl! Ac yn gadal y cwbwl lot iddo fo. Y tŷ. Y dodran. A gwerth hannar can mlynadd o surni. Digon i biclo tunnall o nionod, a dipyn dros ben i roid ar ben dy jips o Siop Cau.'

Gwrandewais yn syfrdan ar stori wneud fy nghymydog. A syfrdanwyd fi ymhellach wrth i Miriam nid yn unig roi ei ffydd yn ffansïon ei gŵr, ond eu hatgyfnerthu.

'Pwy oedd o, tybad?' meddai, a golwg freuddwydiol yn

ei llygaid. 'Hogyn o dre, bownd o fod, a hitha heb hawl i grwydro gen yr hen yncl cas 'na. Ond wedyn, fasa sant yn ddigon da i Miss Bugbird?'

Edrychodd Miriam a Trefor ar ei gilydd, a rhamant y gorffennol yn tanio rhyngddynt. Ac ar ôl ennyd o dawelwch, dywedodd Trefor, a'i lais yn galed a meddal yr un pryd:

'Mi oedd yn ddigon da i chdi, Mir.'

'Oedd, toedd? Ond nid y fi ydi Miss Bugbird.'

'Naci, diolch i Dduw.'

Lledodd ei fwstásh yn wên chwithig. Yn araf, cydiodd y ddau yn nwylo ei gilydd. Teimlais innau fy hun yn pylu'n ddim. A diflannu fyddwn i wedi'i wneud, oni bai fod cnocio taer wedi ymyrryd â serch y ddau oedd i bob golwg wedi rhoi eu bryd ar fod yn fam a thad i mi.

20

Trefor oedd y cyntaf o'r ddau i ymysgwyd o'r gorffennol. Brasgamodd o'r parlwr a baglu ei ffordd at ddrws y ffrynt. Yn y man, cododd ei lais trwy'r cyntedd:

'Chi eto! Bygrwch hi o'ma! Oes 'na ddim llonydd i bobol yn eu tai nhw'u hunain? Y chi a'ch dillad gwisgo fyny a'ch coelion gwrachod!'

Rhoddodd slaes i'r drws nes yr ysgydwodd Arvon Villa hyd at ei seiliau.

'Yr hen blant wrthi eto?' holodd Miriam, heb ddod ati'i hun yn iawn ers llesmeirio yng nghwmni ei gŵr. 'A hitha'n dal yn fora. Dydi Calan Gaea ddim tan nos fory.'

'Naci. Father Lasarys oedd yna.'

Gwelwodd Miriam.

'Isio cyflwyno rhyw Indian bach arall,' aeth Trefor yn ei flaen. 'Cyw ficar newydd.'

'Roist ti fawr o groeso i'r peth bach,' roedd Miriam yn gwaredu'n dawel.

'I be maen nhw'n dwad i fan hyn efo'u Cristnogaeth? Ni aeth â fo atyn nhw gynta. Be gythral maen nhw'n neud, chwarae tic efo'r ysbryd glân?'

A serch cariadus y munudau cynt wedi'i ddwyn mor bowld oddi arno, trodd ei rwystredigaeth arnaf i ac ar Arvon Villa.

'Mae'n hen bryd i chdi roi trefn ar y tŷ 'ma. Mi ffonia i am sgip i chdi heddiw. A pan fydda i'n ôl o'r gwylia, mi ddechreuwn ni arni. Go iawn hefyd.'

'Trip i'r Lakes,' eglurodd Miriam. 'Dyna pam ddaethon

ni rownd. I ddeud ta-ta. Mi fyddwn ni'n mynd hannar tymor diolchgarwch bob blwyddyn. Efo Seran Arian. Ac isio rhoid hon i chdi oeddan ni.'

Aeth i boced ei chardigan.

'Goriad Tremfryn. I chdi gael molchi a byta. Mae 'na fwyd yn y ffrij. Digon i dy gario di drwodd tan Sadwrn nesa.'

'A chofia godi handlan y drws a troi'r goriad ddwywaith pan ti'n gadal,' rhybuddiodd Trefor. 'A phaid â dod â dy slyms i'n tŷ ni. Dwi 'di clywad dy fod ti'n rêl Romeo o gwmpas y dre 'ma gyda'r nos. Ond mi fydd Mir yn siŵr o weld staenia masgara ar y sheets.'

Ymhen yr awr safwn wrth y giât yn ffarwelio â'r ddau, a'u gwylio'n cydgamu at eu coetsh ar lawr y dref, y cês trwm rhyngddynt a'u hanadl yn cydgymylu yn yr aer oer. Wedi iddynt fynd o'r golwg es i'w tŷ i ymolchi. Gwisgais y dillad a smwddiwyd gan Miriam, ac eillio â'm rasal fy hun a'r sebon a adawyd gan Trefor. Yna, yn lân o lwch Arvon Villa, clois ddrws Tremfryn o'm hôl, picio adref, a chamu eto i'r stryd wag.

Gorweddai hadau adeiniog yn llaith a sathredig dan y coed, a phlygais i godi un o'r hofrenyddion gan ei daflu i'r awyr. Plymiodd i lawr heb chwildroi, ac am eiliad teimlais hen siom yn gafael.

Ond doedd dim am fy nal yn ôl heddiw, a chamais heb gywilydd at giât y Plas.

Cnociais ar y drws trwm. Diflannodd sŵn fy migyrnau i ganol y pren. Daeth pesychiad o'r tu cefn i mi. Dychrynais. Ond rhywun oedd ar lwybr y graig yn mynd â'i gi am dro.

Oedais, cnocio eto, a chlustfeinio. A dechrau ailfeddwl. Beth petai Medwyn yn agor y drws?

A minnau ar ganol meddwl ai ofni ynteu gobeithio dod wyneb yn wyneb â gŵr y Plas oeddwn i, clywais lais yn galw o'r tu mewn:

'Help!'

Ymhen rhai eiliadau daeth y gri eto, yn gryfach ac yn fwy angerddol:

'Helpwch fi!'

Heb feddwl ddwywaith rhoddais f'ysgwydd yn erbyn y drws a gwthio. Roedd wedi ei gloi. Rhegais. Cerddais yn gyflym at y ffenestri i drio gweld i mewn, ond roedd y bleinds wedi eu tynnu.

Drws y cefn amdani, felly. Brysiais hyd y llwybr llechi at gefn y Plas, heibio i'r tŷ gwydr (atgyweiriedig) ac at y drws, a gweld gyda rhyddhad bod hwnnw'n gilagored. Rhuthrais trwy gynhesrwydd y gegin, gan ddilyn galwadau'r llais, nes dod i gyntedd golau, cyn troi i'r chwith lle'r oedd Tonwen Bold ar ei gliniau yn ymbil am gymorth, ei bol yn bochio o'i blaen, a'i dwy law wedi eu codi'n uchel uwch ei phen. A blaen gwn wedi ei anelu'n syth at ei chalon.

Wrth glywed fy sŵn yn baglu i'r ystafell trodd Tonwen ataf a rhythu. Rhythais innau'n ôl. Ymhen eiliad roedd y gwn fflachiog wedi ei droi arnaf i.

'Piw-piw!'

Dawnsiodd y mab bach o'm blaen, a chyda rhyw arswyd greddfol codais innau fy mreichiau. Trwy gil fy llygad gwelwn Tonwen yn codi'n frysiog a thrwsgl ar ei thraed.

'Na, na!' bloeddiodd y bychan, gan saethu ei fam a minnau bob yn ail. 'Piw-piw. Ti'n dal yn jêl, Mam!'

'Dwi 'di gorffan chwara rŵan, Macsen.'

Roedd ei llais yn ddigon tyner wrth siarad â'i mab. Ond pan drodd ataf i, a hithau bellach wedi dod dros ei sioc ac yn sylweddoli pwy oeddwn i, roedd ei llygaid yn melltennu.

'Fyddi di'n arfar cerddad i mewn i dai pobol heb gnocio?'

Roedd fy mreichiau'n dal uwch fy mhen, fel rhyw fwnci'n hongian.

'Paid â deud dy fod wedi colli llwch Miss Bugbird eto!'

Roedd hi'n herio − a doedd egluro ddim yn hawdd.

'Chdi oedd yn galw am help…' dechreuais, gan ostwng fy mreichiau.

'Chwara o'n i. Gêm,' yna trodd y tinc coeglyd yn hunandosturi, a chododd ei llaw at ei bol. 'Mi fasa'r sioc wedi medru…'

Roedd y bychan wedi clywed y cyhuddiad yn ei llais. Gwirionodd o gael esgus i'm cosbi:

'Chdi ydi'r dyn drwg! Chdi ydi'r dyn drwg!'

Neidiodd o'm blaen, a golau coch y tegan yn fflachio'n wyllt.

'Piw-piw! Ynde, Mam? Dyn drwg, dyn drwg! 'Na i saethu fo, ia?'

'Yn y munud.'

Gan gamu rhyngom cipiodd Tonwen y gwn o afael ei mab, a gwasgu botwm yn ei garn i'w ddiffodd. A thrwy'r adeg, syllai arnaf, a'i llygaid gwyrddion hardd wedi eu hanelu'n syth tuag ataf.

'A be tasa Medwyn yma?' dechreuodd wedyn, gan bwyntio at y ffenest gwarelog.

Edrychais innau i'r un cyfeiriad a gweld bwlch cyfarwydd lle parciai'r Range Rover. Roedd yr ateb yn syml. Ni thrafferthais ei roi.

'Dydi o ddim yma,' meddai'r bychan yn fy lle. 'Lle mae o, Mam?'

Daliodd Tonwen i syllu allan, fel petai'n chwilio am ei gŵr. Neu yn hytrach yn chwilio am ei ddyfodiad. O fethu ei weld, trodd ataf – ac ymosod eto.

'Dwi wedi goro deud celwydd ar dy gownt di unwaith yn barod...'

Doedd dim rhaid iddi, meddyliais. Hi ddewisodd wneud hynny, a doedd ganddi ddim hawl edliw. Cyn i mi sylweddoli roeddwn yn torri ar draws ei chyhuddiadau.

'Dod â presant i Macsen o'n i. I ddeud sori am y tŷ gwydr.'

Agorodd Tonwen ei cheg. Llamodd y bychan ataf.

'Presant? Lle mae o?'

Teflais fy mawd yn ddidaro dros f'ysgwydd, fel petawn yn berchen y Plas fy hun. Brysiodd yntau tua'r gegin. Edrychais ar ei fam am ganiatâd cyn mentro mynd i'w ganlyn. Ni wnaeth Tonwen ddim ond codi ei hysgwyddau, a golwg ychydig yn bwdlyd arni, fel petawn wedi torri rheolau'r gêm yr oedd wedi dechrau cael blas ar ei hennill.

21

PAN ORCHMYNNODD TONWEN i'w mab ddweud 'diolch', mi wyddwn mai fi oedd yn fuddugol. Rhacsiodd y bychan y papur lapio a'i daflu hyd lawr y gegin, cyn craffu ar y llun ar glawr y bocs. Aeth Tonwen i sefyll yn feddiannol at y simdde. Roedd Aga goch-tywyll y tu cefn iddi ac arni sosban yn cadw'n gynnes, a llwy bren yn cadw'r caead yn gilagored. O gwmpas yr Aga roedd teils o liwiau hydrefol, ac wedyn gypyrddau newydd wedi eu llunio o hen bren.

'Panad?'

Heb aros am ateb, trodd ei chefn arnaf a mynd i lenwi'r tecell. Haliodd Macsen fy llawes:

'Be mae'r gair yma'n ddeud?'

'Scalextric.'

'Tric?'

Chwarddais.

'Trac ceir. Mi helpa i di i'w osod o. Os ydi hynny'n iawn. Efo dy fam.'

Cododd hithau ei hysgwyddau.

'Gan dy fod ti yma rŵan...'

Prin y clywn hi uwch grwndi'r tecell.

'... a Medwyn ddim.'

Ymgollais yn y gwaith o roi'r cledrau at ei gilydd, ac er gwaethaf sglein llawr pren yr ystafell fyw, roedd y trac cyn bo hir yn gyflawn: dau gylch yn cydgysylltu ar ffurf wyth, a phont yn y canol yn atal cwlwm. Rhoddwyd y ddau gar rasio ochr yn ochr ar y trac a dangosais i Macsen sut i ddefnyddio'r teclyn rheoli. Gwenodd yntau wrth weld ei gar coch yn llamu.

Daeth Tonwen at y drws i'n gwylio.

'Decaff,' meddai ac estyn cwpanaid o goffi i mi mewn mŷg ac arno batrwm onglog. 'Dwi ar hwnnw nes daw'r babi.'

Aeth i eistedd ar gadair ledr ddrud a edrychai fel petai wedi ei phrynu yn Habitat. Roedd ei bol yn grwn fel glôb rhwng ei bronnau a'i chluniau, a cheisiais innau beidio â syllu, gan droi yn hytrach i wylio'r bychan yn chwarae.

'Does gin ti ddim plant dy hun?'

Codais fy mhen wrth glywed ei chwestiwn yn annisgwyl.

'Plant? Dydw i ddim wedi tyfu fy hun eto.'

'Na,' meddai hi. 'Mi fedra i weld hynny.'

Doedd dim rhaid i mi ymateb. Roedd Macsen eisiau ras ac awgrymais ein bod yn cael grand prix.

'Be ydi grand prix?'

'Dau gar yn trio ennill. Yn trio cyrraedd gynta.'

'Cyrraedd lle?'

'Fan hyn,' dangosais y marciau ar y trac a ddynodai'r llinell derfyn. 'Y diwadd.'

'Ond fanna ydi'r dechra!'

'Ia, fanna ydi'r dechra a'r diwadd.'

'Yr un un lle?' edrychodd arnaf yn amheus.

'Ia, yr un lle,' meddwn.

'So, lle mae'r ras, ta?'

Edrychais arno. Edrychodd yntau arnaf i. Tebyg oedd ein penbleth ni ein dau. Ac fel petai yntau'n sylweddoli hynny cododd Macsen ei gar coch oddi ar y trac, gan wrthod cymryd rhan mewn gêm na ddeallai mo'i rheolau. Parciodd y car yn warchodol rhwng ei benkgliniau.

Rhoddodd fy nghalon dro od pan chwarddodd Tonwen yn sydyn. Trois ati. Roedd golau'r ffenest ar ei chroen, a'r tyndra wedi mynd yn llwyr.

'Ti'n chwerthin, Mami?' roedd Macsen hefyd yn synnu.

Chwarddodd yntau wedyn, fel petai am gefnogi hwyl ei fam. Tynnodd ei gar o garej dros dro ei drowsus a'i osod yn ôl ar y trac. Codais fy mhen at Tonwen a dal ei llygad.

'Mae o'n gneud rings rowndaf fi.'

Gwenodd hi'n gam.

'Hogyn ei dad. Troi geiria pobol tu chwith, a'u taflu nhw'n ôl atyn nhw. Politics ti'n galw'r peth.'

Daeth saib: finnau eisiau clywed mwy, a hithau'n difaru dweud gormod. Trodd Tonwen fy sylw at y ceir:

'Dechreua di'r ras. Fydd o fawr o dro'n dallt.'

Ac wrth gwrs, roedd y fam yn adnabod ei mab. Deffrowyd greddf cystadlu'r bachgen pum mlwydd, a gorfoleddai gyda phob buddugoliaeth, nes iddo ddod i hawlio'r ddau declyn rheoli ei hun, fel y gallai ennill bob tro.

Doeddwn innau ddim yn cwyno. A Macsen yn chwarae Duw â'r ddau gar, codais innau oddi ar fy mhedwar, a mynd i eistedd gyferbyn â Tonwen.

'Mae o'n licio ennill.'

'Pwy sy ddim?' meddai hi.

Codais f'ysgwyddau.

'Colli dwi'n dueddol o'i neud.'

Gwenodd – ychydig yn ddwys.

'Does 'na ddim colli nac ennill ynddi hi pan ti'n disgwl babi,' meddai, gan anwesu ei bol. 'Ti'n gorfod dysgu derbyn petha. Jyst trio cyrraedd y diwadd. Fedri di ddim cystadlu yn erbyn natur.'

Cododd ei braich yn sydyn, ac ystumiodd ei hwyneb.

'Cic?'

'Dwi'n ei deimlo fo'n waeth tro 'ma. Leinin y bol wedi teneuo.'

Amneidiais. Beth oedd rhywun yn ei ddweud wedyn? Ei llongyfarch? Cydymdeimlo?

'Faint sy 'na?' mentrais yn y diwedd. 'Ar ôl?'

Chwaraeais â'r mỳg coffi i guddio fy chwithdod.

'Diwadd mis Ionawr,' meddai hi, ac ychwanegu: 'Mi fydd 'na waith wedyn.'

Tynhaodd ei gwedd. Efallai mai ei chorff, bywyd y tu mewn iddi'n ystwyrian, a barodd iddi ddifrifoli. Ond roedd yno dristwch hefyd, rhywbeth nad oedd disgwyl ei weld mewn darpar fam. Roedd hi bellach yn syllu ar ei mab yn ymroi i'w chwarae, a'r crych rhwng ei hacliau'n dyfnhau.

Cofiais am Tonwen Bold ein dyddiau ysgol, yr hogan annibynnol, hyderus a smart. Roedd rhywbeth ynddi wedi rhoi ers hynny. Rhyw dân wedi troi'n felan…

'Crash!'

Yn ei frwdfrydedd roedd Macsen wedi gwasgu ei ddeclyn yn rhy galed. Saethodd y car trwy'r awyr ac fe'i taflwyd yn galed yn erbyn y wal. Brysiodd yntau i'w adfer o ben arall yr ystafell.

'Mi ddeudodd Medwyn nad oeddat ti'n perthyn,' meddai Tonwen yn sydyn eto. 'I Miss Bugbird.'

Unwaith yn rhagor, wyddwn i ddim beth i'w ddweud. Gwelodd hithau hynny, ac aeth ati i egluro.

'Ar ôl i fi sôn amdanat ti, er na chysylltish i dy enw di efo'r tŷ gwydr, mi fuo fo'n holi. Mae o'n licio gwbod pwy ydi pwy. Yn enwedig ar garrag ein drws ni.'

'Dyna fo'n gwbod rŵan.'

Synnais mor sychlyd oedd fy llais.

'Cael fy ngyrru ati nesh i,' eglurais ymhen ychydig, er mwyn swnio'n gleniach. 'Yn gosb.'

Lledodd llygaid Tonwen.

'Cosb?'

Gwenais.

'Rhedag negeseuon. Bod yn was bach.'

'Mi ddaru nhw yrru rhywun felna at hen wraig fatha Miss Bugbird, heb neb i gadw llygad arni?'

'Mi o'n i'n ddigon tebol.'

Chwarddodd Tonwen yn dawel. Ac am yr eildro trodd Macsen ati, a boddhad yn ei lygaid wrth weld ei fam yn llawenhau. Roedd hithau wedi ei thrawsffurfio eto, a rhywfaint o'r hen ddireidi yn goleuo'i llygaid.

'Ac mi ddaethoch chi'ch dau yn ffrindia?'

'Do.'

'Oedd hi'n glên?'

'Clên?' ystyriais. 'Nag oedd. Ond roedd hi'n ffeind. Yn ei ffor' ei hun. Mi gesh gynnig symud i mewn ati yn y diwadd. Doedd gin i nunlla arall. Heblaw'r hostal. Dwn i ddim lle faswn i heddiw... Ac mi ddysgish i lot. Mwy nag yn Ysgol Mabsant.'

Gwrandawai Tonwen yn astud. Teimlais innau'n braf wrth siarad felly â hi, yn od o gyffesol. Ac yn sydyn, roeddwn yn dweud mwy:

'Mi nesh i dro gwael efo hi yn y diwadd. Mynd heb ddeud.'

Gadewais y stori ar ei hanner. Gorffennodd Tonwen hi ar fy rhan.

'Ac mi gest ti sioc pan adawodd hi'r tŷ i chdi.'

'Wel... do.'

Nid dim ond yn fy nychymyg yr oedd hi'n cydymdeimlo. Roedd y cydymdeimlad i'w weld yn ei llygaid, ac i'w glywed yn ei llais. Ond unwaith eto roedd hi fel petai'n difaru dweud gormod, ac am dynnu'n ôl. Cododd ar ei thraed, yn arwydd ei bod yn bryd i mi fynd.

'Mi fydd yn braf cael rhywun yr un oed yn gymydog, beth bynnag. Yn lle dy Huwsys a dy Spicers canol oed di...'

Doedd bosib ei bod hi'n unig?

'Ydi gwraig y Plas i fod i siarad efo pobol y stryd?'

Gwenodd hi, a herian yn ôl.

'Na.'

Ac yna, yn fwy o ddifrif:

'Ti'n gwbod sut mae pobol yn busnesa. Y saint, yn enwedig. Sticio'u trwyna i fywyda preifat pobol...'

'Dyna be oedd Arfonia'n arfar ei ddeud.'

'Mae'n siŵr bod gynni hitha ei rhesyma.'

'Dwi 'di ffeindio pawb yn glên iawn hyd yn hyn.'

'Neith o ddim para.'

Tawodd y sgwrs yn ddisymwth. Edrychodd y ddau ohonom ar ein gilydd, y naill a'r llall yn gwrthod ildio. Gwraig y Plas a enillodd y tro yma, ac roedd tôn ei llais yn feistresaidd pan ddywedodd:

'Dos allan drwy'r cefn. Gan mai ffor'no y doist ti i mewn.'

Prin fod gennyf ddewis ond ufuddhau. Ffarweliais â Macsen gan addo dod yn ôl, a chamu trwy'r cyntedd golau i'r gegin dywyllach, gan oedi wrth riniog y drws.

'Diolch am alw,' meddai Tonwen.

Petrusais.

'Chdi ddaru.'

Mi wenodd yn y diwedd – er ei gwaethaf. A chyn iddi weld fy ngorfoledd i, trois fy nghefn arni a gadael y Plas trwy ffordd gefn, ar draws y lawnt a thros yr hen lidiart, gan roi naid i lawr at y stryd. Wrth groesi honno at fy nhŷ fy hun teflais gip at ben rhiw serth Stryd Elinor, gan hanner gobeithio gweld y Range Rover arian yn chwyrnu tuag ataf, a'i deiars yn ofer gynhyrfu dail cwympedig y masarn coch.

22

ROEDD AWYRGYLCH Y Mona'n dew gan wres cyrff a thamprwydd anadl, a hithau'n noson sioe dân gwyllt Caersaint. Gwres, tamprwydd – a thwrw: o'r jiwcbocs ar y naill law roedd Abba yn morio canu 'Fernando', ac ar y llaw arall roedd llais Cymraeg sylwebydd pêl-droed yn bloeddio o deledu'r bar wrth i Gymru chwarae Georgia. Roedd hyd yn oed chwyrnu Peilat Jones yn cael ei foddi gan y sŵn.

Gwthiais fy ffordd at y bar, ac wrth aros am sylw Rhiannon, y farmones, gwrandewais ar baldaruo'r criw arferol.

'Mae'r peth yn afiach,' cyhoeddodd Pepe. 'Rhoid tin y cradur bach ar dân bob blwyddyn.'

'Pwy?' holodd Pen Menyn.

'Penny-for-the-Guy, siŵr Dduw,' meddai Haydn Palladium. 'Remember, remember...'

'Be?' meddai PM eto.

'Guy Fawkes!'

'Cei, tad,' bachodd Heulwen Hŵr. 'Os ti'n fodlon talu.'

Chwarddodd y lleill, a rhoddodd Heulwen binsiad i foch fy nhin wrth fy ngweld innau'n gwenu. Ond roedd golwg bryderus yn dal ar wyneb PM.

'Rhoid ei din o ar dân?' pendronodd dros eiriau Pepe. 'Bob blwyddyn? Sgynno fo ddim sens i gadw'n glir?'

'Dim y fo'i hun ydi o, y sant hurt,' meddai Phil Golff. 'Copi. Pypet.'

'Copi?'

'Mimicio fo maen nhw,' eglurodd Haydn, a symud ei ddwylo'n bypedaidd.

'Am be ti'n cwyno, ta, Pepe?' heriodd Heulwen. 'Os ydi o'n smal.'

'Y syniad sy'n disgysting,' daliodd Pepe ati i ddadlau. 'Y syniad o losgi rhywun achos eu bod nhw wedi sefyll dros eu daliada.'

'Ti 'mond yn deud hynna achos bod o'n Bopist fatha chdi,' meddai Haydn.

'Pisd?' holodd PM, a'r gobaith am rithyn o ddealltwriaeth yn goleuo'i wyneb.

'Trio rhoid democracy ar dân ddaru'r idiot,' meddai Phil Golff yn awdurdodol.

'Rhoi lle ar dân?'

'Yr Houses of Parliament!' gwylltiodd Haydn. 'Great fire of London. 1066.'

'Terrorist oedd y boi,' aeth Phil Golff yn ei flaen. 'A dyna pam mae o'n *haeddu* matsian yn ei din.'

'Be, reit i mewn?' cododd Heulwen y gwelltyn o wddw ei photel.

'Fasa'n gneud dim gwahaniaeth i chdi, Heuls, a dy din di mor boeth yn barod.'

Ond roedd Phil Golff ar gefn ei geffyl. Dechreuodd bicellu awyrgylch y dafarn â'i welltyn plastig.

'Doedd y cythral ddim gwell nag Osama Bin Laden heddiw, tasa chdi'n gofyn i fi. A deud y gwir, mi ddylian ni losgi hwnnw bob 9/11 hefyd. I neud yn siŵr nad ydan ni byth yn anghofio be ddigwyddodd.'

'Be?'

Anwybyddwyd cwestiwn PM.

'Mi fasa'n anodd cael gafael arno fo, mêt,' ysgydwodd Haydn Palladium ei ben. 'Mae o'n cerddad rownd y lle fatha Mwslemas, efo'i ben mewn fêl ddu. A dim ond windscreen bach handi yn y top. Fatha Heuls a'i sbecs.'

Gosododd ei fysedd yn siâp petryal o gwmpas ei lygaid.

'Burqa,' meddwn, gan fentro rhoi fy mhig yn y sgwrs cyn talu i Rhiannon am fy mheint.

'Duw, taw efo dy Gymraeg mawr,' cwynodd Haydn.

'Biti garw na fasa Heulwen yn confyrtio a dechra gwisgo un,' meddai Phil Golff. 'Mi fasa'n help inni i gyd.'

Winciodd Heulwen arno.

'Beth bynnag sy'n troi chdi ar, Phil!'

'*Ti* ddim, eniwe.'

Ond wrth i mi roi'r bumpunt yn llaw wen Rhiannon, a dweud wrthi am gadw'r newid, daeth hysian sydyn Haydn Palladium i dorri ar y cecru:

'Sôn am terrorists! Sbïwch pwy sy 'ma! Alternative Als!'

Safai Almut wrth ddrws y dafarn, a'i braich wedi ei hymestyn i ddal y drws yn agored. Llanwai ei chorff, oedd wedi ei orchuddio gan gôt flewog, amryliw, ffrâm y drws. Y tu cefn iddi gwelid cadair olwyn Alun Stalin yn stryffaglio i fyny'r ramp.

'Als Qaeda, myn uffar i!' meddai Pepe, a chwarddodd ei gyd-yfwyr wrth hogi min eu tafodau ym mha bynnag ddiod a'u boddhâi.

A minnau wedi dod allan i ymlacio, doedd arnaf ddim awydd gorfod gwrando ar bregethu moesol Almut heno, felly cydiais yn fy mheint o Brins a chilio i'r lounge. Yn ffodus, roedd y dafarn yn llawn pobl yn torri eu syched cyn mynd allan i'r cei i wylio'r sioe. Eisteddais wrth yr unig fwrdd gwag yn y lle, gan droi fy nghadair i wynebu'r wal. Ond doedd dim llonydd i'w gael. Erbyn imi yfed hanner fy mheint, roedd llais cyhuddgar yn galw arnaf:

'Lle wyt ti wedi bod ers talwm? Yn dy gragen eto?'

Heb i mi ei gwahodd, estynnodd Almut gadair iddi hi ei hun a gwneud arwydd ar ei chyfaill i'w dilyn.

'Ar fin gadael o'n i,' meddwn yn sych. 'Mae'r sioe ar fin dechra.'

Ond doedd Almut ddim yn gwrando, a hithau'n brysur yn rhwyddhau'r ffordd i gadair olwyn Alun. Gosododd yntau ei beint chwerw ar y bwrdd, a dweud 'smai' yn swta.

'Diolch byth,' meddai Almut wrth ddadweindio'r sgarff Arabaidd ddu a gwyn oddi am ei gwddw. 'Cael dianc rhag y ffyliaid yn y bar.'

'Lympen proletariat,' meddai Alun Stalin yn ddirmygus.

'Lwmpen,' cywirodd Almut ei ynganiad, cyn codi ei pheint nes bod ei breichledi mân yn tincial yn erbyn ei gilydd. 'Prost!'

Ciledrychais ar y ddau dros ymyl fy ngwydr, y hi a'i hwyneb gwridog, ac yntau a'i wallt llygoden fawr, gan obeithio na welai Rhiannon fi yn eu cwmni.

'Dyma Gwyn,' meddai Almut. 'Ffrind i mi o'r caffi. Dyma Alun. Ffrind arall i mi.'

'Ers 1977. Ymhell cyn i chdi gael dy eni,' meddai Alun Stalin, fel petai hynny'n fai arnaf. 'Deng mlynadd ar hugian yn union yn ôl.'

Gwenodd y ddau ar ei gilydd, fel petaent yn sôn am benblwydd eu priodas.

'Ti'n cofio, Alun? Blwyddyn y Queen's Jubilee. Hipis a chomiwnyddion a chenedlaetholwyr. I gyd yn sefyll fel un yn erbyn Cyngor Caersaint.'

'Dyddia da,' meddai Alun. 'Biti inni fethu.'

Roedd yn feddw. Ac roedd symudiadau llac Almut yn awgrymu ei bod hithau wedi yfed mwy na'r ychydig fodfeddi oedd wedi mynd o'i pheint.

'Gwarth o beth,' ysgydwodd ei phen, a'i chlustdlysau'n siglo. 'Torri Caersaint yn ddwy efo'r wal fawr honno. Roedd hi fel bod yn ôl yn Berlin. Ond rhyw ffordd, roedd yn waeth.'

'A'r cwbwl er mwyn codi lôn sy ddim ond yn mynd o un tŷ tafarn i'r llall – o'r Alex i'r Eagles,' wfftiodd Alun. 'Pwy ond y saint fasa'n cael by-pass reit drwy ganol eu tre nhw?'

Gwthiais fy nghadair yn ôl, a pharatoi i adael. Ond rhoddodd Alun ei law ar fy mraich. Craffodd arnaf dros ei sbectol hanner lleuad.

'Pwy fasat ti rŵan, felly?'

'Mae Almut newydd ddeud,' edrychais ar staeniau melyn ei fys ar lawes fy nghrys. 'Gwyn Jones.'

'Ia, ia, ond pwy *wyt* ti? Hogyn pwy wyt ti?'

'Mae dy obsesiwn gydag achau pobol yn afiach, Alun,' cwynodd Almut.

'Dwi'n bownd o fod yn nabod ei fam a'i dad o.'

Dywedais yn bigog:

'Doeddan nhw ddim y teips oedd yn nabod pobol.'

Ond daliodd Alun ati.

'Un o lle wyt ti, ta?'

'Saron Bach,' mwmialais, a throi fy nghefn arno.

'Taw â deud, o fanno dwi'n dŵad. Tydi'r byd 'ma'n fach!'

'Rhy fach o beth uffar.'

'Oedd dy fam a dy dad yn dod o pentra?'

Anwybyddais o.

'Mi fydd raid holi'n chwaer. Dwi 'di gadal pentra ers yr holl flynyddoedd, dwi'n nabod neb yno wedi mynd. Tydi'r lle'n berwi efo Saeson. Dyna pam dwi byth yn mynd yn ôl, er nad ydi'r lle ddim ond dwy filltir o'ma.'

Gwisgais fy nghôt.

'Dwyt ti ddim yn mynd i wylio sioe llwch llygaid cyfalafwyr Caersaint, gobeithio,' aeth Alun yn ei flaen. 'Y Llewpartiaid, myn cythral i! Dim byd ond seiri rhyddion efo sbots ar eu cefna.'

'Mae 'na gannoedd wedi dod, Alun,' edrychodd Almut o'i chwmpas.

'Chwilio am opiate,' meddai Alun. 'Rhywbath i'w cadw nhw i fynd tan sbri Dolig. A Med Medra yn rheoli'r cwbwl. Fel rhyw ddeliwr cyffuria mawr a'i gocên bob lliw. Dydi'r diawl byth yn colli cyfla.'

'Gwylia, mae o'n byw wrth ymyl Gwyn,' rhybuddiodd Almut.

Ond roedd Alun yn rhy feddw i wrando ar Almut. A'r chwerw'n iro'i dafod, aeth yn ei flaen i bardduo Med Medra, ac roedd hynny fel cyffur i minnau. Dechreuais dindroi ar fy ngwaethaf.

'Y diweddara mewn llinach anrhydeddus o grwcs sy 'di ecsbloetio Caersaint ar draul y werin. Ond cheith y diawl ddim ei ffordd ei hun eto. Dan ni'n dau am neud yn saff o hynny.'

Cododd ei fys melyn ataf.

'Darllan di'r wasg, mêt, dros yr wythnosa nesa. Fydd hi ddim byd llai na rhyfal yn y dre 'ma. Guerrilla war. Mi gei di ymuno efo'r rhengoedd, os lici di.'

'Does gin i ddim diddordab mewn gwleidyddiaeth.'

'Nag oes, mwn. Mae'r hogyn acw'n tŷ ni yn union yr un fath. Petha difrifol yn mynd ymlaen yn ei dre fo'i hun… Dach chi'n pathetig. Plant Thatcher!'

'Chi sy wedi'n magu ni.'

Roedd rhywbeth amdano, allwn i ddim peidio â'i ateb yn ôl. Ond roedd Alun yn ei bulpud, heb glust i eiriau'r llawr.

'Siwpergliwio'ch tina i sêt compiwtars, er bod gynnoch chi goesa a'r rheiny'n gweithio. Eich penna a'ch calonna wedi'u heijacio gen Bill Gates a Richard Branson…'

Ond hwnnw oedd y cyhuddiad olaf a glywais cyn i lais Alun Stalin gael ei foddi gan sŵn y bar, a minnau'n cael fy ngharior efo'r dorf trwy ddrws y Mona at awel fain y prom.

23

ROEDD YN NOSON rewllyd a serog, a phaganiaeth yn dew ymhlith saint. Atseiniai'r cyffro yn erbyn Tŵr Eryr y castell, a'r dorf yn dal i luosogi wrth i'r bobl heidio o bob cyfeiriad – o Borth yr Aur a'r Stryd Fawr, o Ben Deitsh a strydoedd y Palas a'r Jêl, o'r hen gei llechi a'r Sowth-o-Ffrans, o'r meysydd parcio, y caffis, y tafarndai a'r archfarchnadoedd – yn nentydd a gydlifai'n gronfa aflonydd o flaen wal wen y prom. Roedd naws carnifal i'r cyfan, yr hetiau a'r sgarffiau lliwgar, y bochau cochion a'r llygaid serennog, y plant wedi'u codi ar ysgwyddau'r tadau, y ffyn tân, mellt y camerâu, lleisiau'n sibrwd, bloeddio, crio, chwerthin, ac fel curiad cyson rhyw ddrymiau bongo, sŵn Llewpartiaid Caersaint yn ysgwyd eu bwcedi at achosion da, a'r ceiniogau ynddynt yn cloncian. Ac yn fwy na dim, yn cydio'r cwbl, roedd y golygon a ddyrchafwyd at ganfas y nos, a'r disgwyl am y sioe a fyddai cyn bo hir yn rhwygo'r düwch yn fil o ddarnau mân.

Yn sydyn daeth llais trwy uchelseinydd, a theimlais yr un wefr â phawb arall wrth glywed gorchymyn o ochr draw yr Abar yn hawlio tawelwch. Roedd y tân gwyllt ar fin dechrau.

'Bombs away!' gwaeddodd rhywun, a llanwyd y lle gan ochenaid dorfol wrth i'r rocedi cyntaf gael eu lawnsio, a'r rheiny'n blaguro ac yn blodeuo yn yr entrychion.

Manteisiais innau ar lacrwydd dros dro'r gynulleidfa i symud oddi wrth oleuni'r dafarn. Gwthiais trwy'r bobl tuag at frig grisiau porth y castell lle gallwn weld yn well.

Wedi'r cyfan, dyma'r tro cyntaf i mi gael gweld y sioe ers blynyddoedd maith.

Wrth ganfod fy nhroedle rai camau o'r brig ar ymyl y grisiau cul, gwrandewais ar yr ebychiadau a'r rhegfeydd yn morio oddi tanaf, a bloeddiadau a deongliadau'r plant yn llenwi'r nos:

'Brocoli!'

'Coedan!'

'Pry copyn!'

'Star Wars!'

'Gwinadd hen wrach!'

'Glitter!'

O uchder y grisiau gwelid dyblu pob gwcledigaeth yn nhŵr tywyll y Fenai, a'r saint wrth eu boddau'n cael dwy sioe am bris un.

Hyn oedd hapusrwydd! Caersaint wedi'i chrynhoi ar y cei, o dan y castell, a phawb yn cydanadlu. A finnau'n eu canol yn rhan o'r cyfan, yn cyfrannu, yn rhan o'r dorf, yn un o'r saint...

Ond roedd holi rhyw hogyn bach yn mynnu mynd â'm sylw. Yn y cefn, ris neu ddwy yn uwch, tua'r chwith. A'r llais yn un cyfarwydd, a'i gwestiynau taer yn fy nhynnu'n ôl ataf i fy hun, dro ar ôl tro.

'Pam maen nhw i gyd yn disgyn i'r dŵr?'

'Lle mae'r lliwia'n mynd?'

'Pam mac'r dŵr yn dal yn ddu?'

Ni throis ar f'union i sbio. Arhosais am fflach, a chael un binc. A fflachiodd y llun wrth i mi edrych dros fy ysgwydd: Tonwen a'i mab, a'u cefnau yn erbyn drws y castell, a hwythau'n syllu i'r awyr uwchben. Pan ffrwydrodd y roced nesaf, trois at Tonwen drachefn a syllu ar y sioe ar groen ei hwyneb, y goleuo a'r tywyllu, a'r symudiadau o dyndra a gwerthfawrogiad yng nghyhyrau ei llygaid a'i cheg. Roedd ei braich am wasg ei mab, ac yntau'n sefyll ar stôl bwrpasol a'i lygaid mawr yn disgleirio. Dim ond mab y trefnydd a gâi'r safle gorau un.

'Ydi'r dŵr yn mynd yn boeth?'

'Eith y dŵr ar dân?'

Boddid ei hatebion hi gan gleciadau'r tân gwyllt.

Ac yna, yn gras ar fy nghlustiau:

'Dadi sy'n tanio pob un, ynde, Mam?'

A hithau'n amneidio ac yn edrych tua'r ochr draw. Trois innau'n f'ôl at y sioe a'r dorf, a siom sydyn yn fy llethu. A theimlo trem rhywun arall ar fy ngwar fy hun...

Trois i gyfeiriad y Mona a gweld y golau coch. Pen pin rhybuddiol, wedi ei anelu'n syth tuag ataf. A'r tu ôl iddo wyneb cnawdol Babs Inc, a'r camera ar draws ei llygaid. Roedd cleciadau'r tân gwyllt yn awr fel bwledi. Gyda fflach a chlec nesaf y tân gwyllt, taniodd ei chamera tuag ataf i.

Rhegais hi, gan fwrw fy hun i'r dorf. Ac fel diferyn o ddŵr yn chwilio dihangfa, gwthiais fy hun trwy'r mannau gwan nes dod allan. Yno, dan gysgod Pont yr Abar, eisteddais ar erchwyn y cei a syllu i'r dyfroedd gwymonllyd.

O fewn eiliadau i ddiwedd y sioe roedd mwyafrif y dorf yn gwasgaru trwy byrth y dref, at eu ceir ac i'w cartrefi. Codais innau ar fy nhraed. Siawns nad oedd Babs wedi mynd erbyn hyn. Roedd fy nhin yn sgwâr, a'r felan yn drom, a doedd dim amdani ond mynd i foddi 'ngofidiau ym mar y Mona.

Camais heibio i geg y bont fel yr oedd y giât gyntaf yn agor eto, a dyna pryd y bwriwyd yn f'erbyn gan gorff bach. Erbyn i mi sadio, roedd y bychan yn carlamu dros y bont ac yn dechrau dringo'r giât ganol a'i drem ar y düwch islaw. Daeth cri o fraw o'r tu cefn i mi. Llamais ar ei ôl, a'i ddal gerfydd ei war cyn iddo neidio.

'Isio mynd at Dad!' ciciodd fi'n galed.

'Macs! Macsen...!'

Tynnais o i lawr, a'i ryddhau i freichiau ei fam. Daeth sŵn cymeradwyaeth o ben pellaf y bont. Ond roedd Tonwen yn hanner wylo, hanner dwrdio:

'Mi fasat wedi boddi!'

'Swn i wedi neidio. Dwi'n medru. Dwi'n super.'

Syllais i'r dŵr tywyll, oer islaw, ac aeth ias drwof. Petai wedi disgyn...

Yn y cyfamser roedd hanner arall y bont wedi dechrau symud tuag atom. Roedd yn bryd i minnau gilio, cyn dyfodiad y tad, taniwr y fflam. Ond roedd maneg Tonwen ar fy llawes, a'i diolch yn fy nal yn ôl.

'Mi lithrodd o 'ngafael i... Fedrwn i mo'i weld o yn unlla...' roedd ei llais yn ddagreuol.

Roedd yn rhythu arnaf, neu drwof. Edrychais arni, a theimlo rhyw dynerwch sydyn.

'Mi ddylwn fod wedi mynd â fo i ben Brynhill,' meddai'n hurt wedyn. 'Fatha ni ers talwm. Ti'n gweld mwy wrth sbio i lawr. Ond mi oedd Medwyn yn mynnu...'

'Mynnu be, Tonwen?'

'Dadi!' bloeddiodd y bychan, gan ddianc o afael ei fam am yr eildro. 'Nesh i ddim disgyn i'r dŵr. Go wir. Fo ydi'r dyn sgetrics, a fo naeth stopio fi neidio. Dyn drwg ydi o?'

Safai Med Medra wrth f'ymyl mewn siaced fflwrolau a honno wedi'i gwisgo dros gôt fynydda ddrud. Edrychodd arnaf yn gyntaf, yna ar ei wraig, cyn mynd ar ei gwrcwd o flaen ei fab.

'Be sy'n bod, Macsen?'

'Isio chdi o'n i,' dechreuodd gwefus y bychan grynu. 'Ond mi ddaru fo stopio fi ddŵad. Ata chdi.'

'Mi oedd Dad yn brysur. Ti'n gwbod hynny...'

Sythodd Med a rhoi ei fraich yn feddiannol am ei fab.

'Trio dringo dros y giât ddaru o,' meddai Tonwen. 'Mi ddaru... Gwyn... ei ddal o'n ôl.'

'A lle oedda chdi?'

Syllodd Med ar ei wraig. Yna, heb aros am ei hateb, trodd ataf:

'Dan ni'n nabod ein gilydd?'

'Ddim eto.'

Cydiodd ein golygon yn ei gilydd a chloi, fel cyrn dau garw.

'Gwyn... sy'n byw yn Arvon Villa,' meddai Tonwen. 'Hen dŷ Miss Bugbird.'

Amneidiodd Med Medra.

'Y toi-boi anffodus. Ffodus.'

Edrychais arno a'i ffieiddio o'r newydd. Y sicrwydd. Yr hyder. Y llyfnder tu allan. A'r bychander tu mewn.

Ddywedais i ddim byd. Dim ond troi fy nghefn ar deulu'r Plas, gan glywed llais Tonwen yn cyhuddo'n doredig:

'Mi ddylat ti fod wedi diolch.'

Ac wedyn, yn finiocach, daerach:

'Mi achubodd o dy fab di.'

Ond llais Med Medra a lanwai fy nghlust wrth i mi gamu oddi wrthynt, a hwnnw wedi codi'n awdurdodol, fygythiol, fel petai'n siarad â'i wraig trwy'r uchelseinydd.

'Chdi gafodd ei hachub, Tonwen. I chdi gael dallt.'

Roedd fy ngwaed wedi ailgynhesu ymhell cyn cyrraedd poethfa'r Mona. Cerddais yn syth i'r lounge, yfed wisgi ar ei ben, prynu tri pheint o Brins a'u cario'n driongl sigledig at y bwrdd yn y gornel.

Roedd y ddau Al yn dal i blotio'n feddw. Dodais beint bob un o'u blaen, ac ar ôl drachtio'n galed o'm cwrw fy hun, eisteddais yn ddigywilydd gyferbyn â nhw, a gwrando ar eu sgwrs am y frwydr dros einioes Caersaint.

Erbyn diwedd y nos, er gwell neu er gwaeth, roeddwn innau wedi hawlio fy lle yn y frwydr honno.

24

GLANHAU LANDERI TREMFRYN yr oedd Trefor pan godais o'r tŷ yn hwyr y bore canlynol a'm bryd ar frecwast yng nghaffi Besanti. Cywilyddiais. Safai'r sgip yn dal yn dri chwarter gwag o flaen y tŷ, a minnau prin wedi dal ati â'r gwaith diflas o glirio Arvon Villa tra bu 'nghymdogion i ffwrdd. Byddai Trefor yn siŵr o ddweud rhywbeth.

Roedd ei gefn ataf, ac yntau wrthi'n glanhau cornel bellaf y landar, a'i fenyg yn carthu baw a dail fesul llawiad, gan ollwng y pydredd i fwced a hongiai ar wregys ei ofarôl. Roedd gobaith sleifio heibio iddo o hyd.

Caeais y drws yn dawel. Ond anodd oedd twyllo dyn a radar cymdogol yng ngwead ei fod. Heb hyd yn oed droi ei ben galwodd arnaf o ben ei ysgol:

'Twll yng ngwaelod y sgip 'cw?'

Sefais yn fy unfan a rhegi. Gwyliais Trefor yn rhoi dyrnaid olaf y poitsh tywyll yn ei fwced, cyn rhwbio'r menyg yn ei gilydd a pheri i'r baw ddisgyn yn slywennod hirion tua'r llawr. Ac er nad oedd ganddo brawf fy mod yn gwrando, ac yntau a'i gefn ataf, daliodd ati i ddweud y drefn:

'Mi faswn i wedi llenwi peth bach fel honna ddwywaith drosodd mewn wsnos gyfan.'

Ochneidiais.

'Dach chi'n ôl?'

'Edrach felly.'

'Gwylia iawn?'

'Newid yn change, tydi? Ond does 'na nunlla'n debyg, nag oes? Yn enwedig efo gwaith yn hel,' oedodd. 'Ynde?'

Amneidiais. Yna ysgwyd fy mhen. Doeddwn i ddim yn siŵr sut i ymateb. Nid bod ots gan Trefor. Doedd o ddim yn sbio.

Herciodd i lawr o ben yr ysgol, a phan osododd ei draed ar y ddaear aeth i boced frest ei ofarôl i estyn ei sbectol. Dim ond wrth ddadweindio'r cordyn y trodd i edrych arnaf go iawn.

'Titha wedi bod ar dipyn o wylia hefyd, yn ôl pob golwg.'

Amneidiodd tua'r sgip.

'Er bod dy fys bach wedi bod yn gweithio'n reit galad, yn ôl be glywish i gen Llifon Gwyrfai bora 'ma.'

Edrychodd arnaf dros ei sbectol. Agorais fy ngheg, ond siaradodd Trefor ar fy nhraws:

'A waeth i chditha heb â gwadu, washi. Petha digon tena ydi walia'r tai 'ma, a dydi Miriam ddim yn grêt am gysgu. Mi glywson ni chdi'n baglu i'r tŷ neithiwr. Asu gwyn, toes 'na ogla diod arna chdi rŵan?'

Crychodd ei drwyn. Atebais innau'n bigog.

'Ylwch, Trefor...'

'Ylwch, be, washi?'

'Os dwi'n penderfynu cymyd dipyn o amsar i ffeindio'n hun...'

'Ffeindio dy hun?' brathodd, a'i drem ar wregys ei ofarôl wrth iddo ddadfachu'r fwced. 'Mi helpa i chdi ffeindio dy hun, washi – ffeindia job!'

Yna, er mwyn profi ei weithgarwch ei hun, penliniodd ar lawnt yr ardd, a mynd ati i daenu'r pydredd deiliog dros bridd noeth y bordor.

'Baw landar fasa hwn i rai. Ond mi neith wely iawn i'r pridd 'ma dros gaea,' siarad â fo ei hun oedd o. 'Ac wedyn mi ddo i atat titha, i roi kick-start i'r twlc ti'n byw ynddo fo.'

Dechreuais golli amynedd. Roedd fy mhen yn dyrnu ac roedd blas drwg yn fy ngheg ar ôl cwrw'r noson gynt, ac roeddwn yn prysur gael llond bol ar gerydd cyson Trefor. A phrun bynnag, roeddwn wedi cael digon ar garthu'r gorffennol o Arvon Villa. Ar fin dweud wrtho lle i sticio'i DIY oeddwn i pan ddaeth y Tad Lasarws i'm hachub.

Mynd o gwmpas Brynhill yr oedd yr offeiriad, yng nghwmni ei giwrat newydd. Arafodd y ddau wrth gyrraedd wal gardd Tremfryn, a chyfarchodd Lasarws ni'n gynnes.

'Dyma Ambrosiws – o Harare – a fydd yn ein cynorthwyo yn eglwys Sant John Jones dros y misoedd nesaf.'

Gwenais ar gyfaill iau Lasarws, gan ysgwyd ei law. Nid atebodd Trefor. Roedd wedi gweld y gŵr ifanc eisoes. Felly, daliodd i edrych ar y pridd a myngial:

'Ambrosiws, myn cythral i. Enw pwdin reis. I be dan ni isio blydi engylfynnwr arall yn y lle 'ma?'

'Ydi Mrs Spicer gartref?' holodd Lasarws ar ei draws, gan sbecian dros y wal.

'Nacdi. Ddim i chdi, eniwe.'

Gwenodd y Tad ar ei giwrat. Roedd anserchogrwydd Trefor yn rhan o hyfforddiant y gŵr iau.

'Tybed a fyddech chi cystal â'i hatgoffa hi y bydd angen trefnu addurno'r eglwys ar gyfer Sul cyntaf yr Adfent?'

'Atgoffa hi dy hun, y lwmpyn diog.'

Gwên arall. Doedd dim gwahaniaeth gan Lasarws – nac Ambrosiws, o ran hynny. Roeddent yn deall rhai fel Trefor i'r dim, ac roedd eu hamynedd yn hir. Yn sŵn ei fyngial rheglyd cerddodd y ddau yn eu blaenau at yr eglwys. A dyna pryd y sythodd Trefor ar ei liniau'n sydyn, a chan godi ei fraich yn uchel uwch ei ben, taflodd lond maneg o'r gwrtaith tywyll tuag at gefnau'r ddau offeiriad.

'Trimiwch eich blydi eglws efo hwnna, pengwyns!'

Ond doedd bôn braich Trefor ddim mor nerthol ag y bu, a glaniodd y gwlybaniaeth yn sbloetsh ar ochr ei fan, gan greu staen rhwng y 'Bacha' a'r 'Menyn'. Rhegodd Trefor. Ac fel arfer, trodd ei rwystredigaeth arnaf i:

'Yli, washi. Fel o'n i ar ganol deud cyn i Cardinal Singh darfu arnaf i, mae'n bryd i chdi daclo'r tŷ yna. Lawr grisia yn enwedig.'

Gwelodd yr euogrwydd ar fy wyneb, a chynddeiriogi.

'Ti byth 'di bod?' crygodd ei lais. 'A chditha wedi bod yn byw yn y tŷ ers dros fis? Ti'n dallt, dwyt, bod y tamprwydd yn treiddio i'n tŷ ni? Ac y pydrith sylfeini'r ddau dŷ yn y diwadd, a lle fyddan ni wedyn?'

Doedd hi ddim yn adeg ateb yn ôl, a Trefor wedi codi ar ei draed i'w lawn awdurdod a'r baw mor agos i'w law.

'Dy lanast di ydi ein llanast ni,' meddai'n dadol ddirmygus. 'Dallt? Dyna be ydi byw drws nesa i rywun.'

'Ylwch, Trefor,' meddwn am yr eildro, ond roedd yr un hen sŵn esgus yn fy llais. 'Dwi 'di trio mynd unwaith neu ddwy...'

'Ofn y sgelingtons sy gin ti?'

Roedd pryfôc Trefor bellach yn hallt. Ond doeddwn innau ddim yn fodlon cymryd mwy. Doedd dim amdani ond cyfaddef; gwneud ffŵl ohonof fy hun neu beidio. Pesychais, er mwyn cael ei sylw.

'Dwi wedi bod yn clywad sŵn.'

'Do, a ninna. Dy sŵn di! Yn cyrraedd tŷ yn chwil gachu!'

Anwybyddais o.

'Rhyw... glecian. Neu gnocio. Neu dician.'

Prun ai oherwydd fy mod wedi codi fy llais, ynteu oherwydd y geiriau annisgwyl, tawodd Trefor am funud.

'Cnocio ddeudist ti?'

Amneidiais.

'Fel hyn, 'lly?'

Cododd ei fwced a chnocio'i gwaelod.

'Ia,' doeddwn i ddim eisiau brifo ei deimladau. 'Fymryn yn arafach, ella.'

Cnociodd Trefor eto. Amneidiais. Agorodd yntau ei geg, yna ei chau eto.

'Dydw i ddim yn coelio mewn bwci-bos,' meddai'n sydyn ac ymosodol. 'Ti?'

Gwadais yn gyntaf. Wedyn mynnu:

'Ond mae 'na rywbath yna'n gneud sŵn.'

Gwyliais y myfyrdodau'n croesi ar draws mwstásh Trefor, ac yna'n ôl.

'Mae rhywun yn gweld amball i beth ar *Sky Discovery…*'

Gadawodd i'r frawddeg bylu i'r dirgel.

'Feddylish i 'rioed… Ar stepan 'y nrws 'yn hun… Be ti'n feddwl?'

Codais fy ysgwyddau. Llonyddodd tafod Trefor tra gweithiai ei ddychymyg. Yna llyncodd ei boer, a bwrw cip i lawr y stryd.

'Ella bydd raid inni alw Lasarys yn ôl wedi'r cwbwl.'

Pendronodd am funud. A dim ond wedi diwedd rhyw gyfres hir a thawel o regfeydd y daeth i benderfyniad, gan sythu ei war a dweud yn dalog:

'Ia, Lasi ydi'r boi. Ei job o ydi delio efo petha fel hyn. Gawn ni weld ydi ei holl fymbo jymbo fo'n *da* i rywbath.'

A chyn i mi allu dweud dim, roedd Trefor wedi brasgamu trwy'r giât ac yn brysio i lawr y stryd. A chan nesáu at ddrws yr eglwys gwaeddodd ar dop ei lais:

'Hoi! Father! Ty'd yn d'ôl! Dan ni angan Indian take away! Mae Miss Bugbird yn hôntio Arvon Villa!'

A chyn pen dim gwelwn Trefor yn gwthio'r ddau

offeiriad i fyny'r stryd, a'i lais yn cyfarth gorchmynion, fel petai'n fforman ar faes adeiladu:

'Fel pâr o exorcists dwi isio i chi roid stop ar hyn. Rŵan. Cyn i'r hen bitsh droi ei misdimanars at ein tŷ ni. Mi oedd yr hen sguthan sbeitlyd yn ddigon o draffarth pan oedd hi'n fyw!'

A heb ofyn fy nghaniatâd i, mwy na chaniatâd y Tadau, gwthiodd y ddau trwy ddrws y tŷ, cyn rhegi'n uchel wrth i'r sachau sbwriel yn y cyntedd lesteirio'u ffordd.

'Gwatsiwch lle dach chi'n rhoid eich sandals, bendith tad. Does gin yr hogyn ddim pres i dalu compo. Ond mae ei lanast o'n gywilyddus.'

Wrth gamu i'w canlyn clywn Lasarws yn dweud yn faddeugar:

'Mae'n cymryd amser i ymdopi â phrofedigaeth, Mr Spicer.'

'Yli, Lasi, ysbryd Miss Bugbird sy'n deud ar yr hogyn, dim galar ar ei hôl hi. Ac mi ddoith i drefn beth uffar yn gynt ar ôl i chdi neud dy black magic. Estynnwch am eich croesa, hogia,' gwaeddodd dros ei ysgwydd. 'Mae'n amsar hocys pocys!'

'Hocys pocys, Mr Spicer?'

'Ave Maria, ta. Duw, mae'r union eiria i fyny i chi. Lawr grisia mae hi wrthi. Cnocio drysa a ballu. Gadal y tŷ i hwn, a gwrthod gadal iddo fo fynd wedyn.'

Ar ôl gwthio Lasarws i lawr y grisiau tywyll o'i flaen, trodd Trefor i egluro wrth Ambrosiws:

'Spooking him she is. Real old bitch. Even when she was alive...'

'Y mae Ambrosiws newydd gwblhau cwrs caboli yn y Ganolfan Iaith Genedlaethol,' galwodd Lasarws o'r dyfnderoedd.

'Mi geith draffarth cyboli gymaint â chdi, boi bach!' gwaeddodd Trefor yn ôl, cyn troi at y gŵr iau eto. 'Been to Nant Gwrtheyrn, have you? Colditz Cymru! Very spooky place. But not as spooky as this house.'

A chyda holl nerth ei gorff, gwthiodd y ciwrat cyndyn i lawr y grisiau at ystafell isaf ddigyffwrdd Arvon Villa.

Trois innau yn fy unfan yn y cyntedd, gan syllu ar y grisiau 'gwaharddedig' a arweiniai at lawr isaf y tŷ, a gwrando ar ru trwynol Trefor yn canu gwrthbwynt â lleisiau melodaidd yr offeiriaid.

'Y? Be?' cododd llais Trefor yn groch a blin ymhen ychydig. 'Woodworm? Dydi woodworm ddim yn cnocio o'r ochor draw, lembo.'

Roedd y Tad Lasarws wedi dechrau dringo'r grisiau eto, a rhywfaint o ddicter yn treiddio i'w lais.

'Rwy'n dweud wrthych mai pryf sydd yna, Mr Spicer. Cawsom broblem debyg yn yr eglwys y llynedd... '

'Pry?' galwodd Trefor i'w ganlyn. 'Sy'n ddigon swnllyd i ddeffro'r hogyn bob nos? A fynta wedi cael llond cratsh o gwrw?'

Daeth y lleisiau cwerylgar alto a bas yn nes, a chamais innau i'r ystafell gefn i wneud lle iddynt.

'Ticbryf!' mynnodd Lasarws, a thinc penderfynol yn ei lais.

'Ticbry? Pry corff! Pry pren! Chwilan anga! Faint o enwa sy gynnoch chi ar y cythral peth?'

'Xestobium rufovillosum,' ychwanegodd Lasarws.

Ond roedd Trefor wedi synhwyro'r coegni.

'Lawr grisia oeddan ni angan dy Abracadabra di, Lasi!'

Erbyn hyn roedd Ambrosiws wedi dod i'r golwg hefyd, ac aeth yntau ati i gyfrannu at ein gwybodaeth.

'Mae'r chwilen yn curo'i phen yn erbyn y pren er mwyn atynnu cymar.'

'Y?' rhythodd Trefor arno.

'Rhyw Ganiad Solomon,' mentrodd Ambrosiws, a gwrido. 'Math o... love song.'

'Love song? Pwy ti'n feddwl sy lawr yna? Engelbert Humperdinck?'

Gwylltiodd yn gaclwm.

'Allan! Y ddau ohonach chi! Mistêc oedd eich gadael chi i mewn i'r tŷ. Chi ydi'r unig bryfaid corff sy yn y lle 'ma.'

Trodd Lasarws yn ddigynnwrf tua drws y ffrynt. Ond daliodd Ambrosiws ddibrofiad i siarad, heb lwyr werthfawrogi maint gwylltineb Trefor:

'Gellir trin y pla trwy gynhesu'r pren... hanner can gradd celsiws...' pylodd ei lais wrth iddo gael ei wthio trwy'r cyntedd.

'Mi ro i gelsiws i chdi! Dim ond un ffor' sy 'na o gael gwarad ar bla, a sbydu toman o wenwyn drosto fo ydi hynny,' rhuodd Trefor. 'Dyna be dach chi Gatholics wedi'i neud erioed, eniwe. Migla hi o 'ma, pwdin!'

Caewyd drws y ffrynt yn galed. Eisteddais innau yn hurt ac anghrediniol ar hen wely Arfonia, gan wrando ar lais Trefor yn dal i rwgnach:

'Matar bach fydd prynu sbre a dau fasg inni gael dechra arni. Mae 'na ddigonadd i'w gael yn B&Q, heb fynd ar ofyn yr Arglwydd Dad. Ac ar ddisgownt trade hefyd. Ddyliwn inna ddim bod yn coelio pob dim dwi'n ei weld ar *Sky*...'

Ymddangosodd o'm blaen a'i wyneb yn wridog.

'Ti'n dŵad? Yn lle ista yn fanna yn chwerthin ar 'y mhen i. Mae gynnon ni waith i'w neud. Gwaith clirio.'

Dilynais o i'r cyntedd. Oedodd Trefor wrth i mi ddod i sefyll ato ar y rhiniog. Roedd y stryd yn wag, ond am y dail yn chwythu ar hyd y palmant, a dim golwg o Lasarws ac Ambrosiws.

'Ond mi fyddi di'n chwerthin ar ochor arall dy din pan weli di be sy lawr grisia,' cododd Trefor ei fys, fel petai am ddysgu gwers i mi. 'Cegin. Un dderw. Solat. 1960s. Heb ei hiwsio erioed. A honno, diolch i dy chwilan cloc anga di, yn siwrwd o dylla pry. Ac yn da i gythral o ddim. I unrhyw ddynas.'

25

CARIWYD LLOND PEDAIR mini-sgip o lanast o Arvon Villa yn ystod y Mis Du, sef llond dwy sgip o bapurau a dillad o du blaen y tŷ, a llond dwy arall o'r cefn, gan gynnwys y gegin yn ei chyfanrwydd andwyedig, rhai o estyll pydredig y llawr a'r sgertins tamp i gyd. Triniwyd gweddill yr estyll â phlaladdwr, a gwerthwyd yr hen bopty a'r rhewgell i Mr O'Toole o Ddinas Diulle, ac aeth hwnnw hefyd â rhai o gelfi parlwr ac ystafell wely Arfonia.

Cefais innau fynd i aros i Tremfryn tra sychai'r plaladdwr, a chysgu yn hen wely David. Ond er gwaethaf caredigrwydd fy nghymdogion, teimlwn waliau Tremfryn yn cau amdanaf wrth i'r mis dynnu tua'i derfyn, a gofal mamol Miriam, a chynghorion tadol Trefor yn dechrau mynd yn fwrn. Doedd dim gobaith sleifio allan am beint heb i Trefor fynnu dod gyda mi. A doedd dim gobaith mynd am sgram i Gaffi Besanti heb i Miriam gael ei phechu.

O'r diwedd, daeth y cyfle i ddianc oddi wrthynt. Roedd Miriam wedi cael ei galw at ei mam rhyw fore Sadwrn, a Trefor wedi mynd i sadio llechen rydd ar do yng Nglyn Incla. Ac yn hytrach na mynd i'r afael â llawr uchaf Arvon Villa, fel yr oedd Trefor wedi fy siarsio, trois yn anufudd i lawr at y dref, gan anelu am Borth yr Aur a'r prom – yn union fel hogyn ysgol yn chwarae triwant.

Braf oedd dod i olwg y môr eto, ar ôl bod yn gaeth ar graig Brynhill ers dyddiau. Roedd gwynt y de-orllewin wedi gostegu a'r cymylau duon o'r diwedd wedi cilio, a haul dechrau'r gaeaf yn rhoi sglein ar ddrych pŵl y Fenai, wrth i hwnnw ddyblu'r coed ar lannau Môn. Doedd dim arlliw heddiw o'r ceryntau a lifai mor gryf trwyddi.

Edrychais ar draeth y Foryd yr ochr draw. Roedd yr hen flwyddyn yn dangnefeddus heddiw, a rhyw olwg arni fel petai'n fodlon â'r hyn oedd hi: cangau noethion Coed Elen yn rhychau yn erbyn yr awyr olau, a haenau glaslwyd y glannau, a'r gwymon du, yn mynegi rhyw dawelwch braf.

Camais heibio i'r Mona heb droi fy mhen i gyfarch neb. Byddai'r yfwyr arferol yno ers hanner awr, ers agor y drws am un ar ddeg. Ond doedd fiw i mi gael fy hudo. Byddai Miriam a Trefor yn siŵr o glywed yr oglau. A beth bynnag, clirio'r pen oedd y bwriad heddiw, nid ei niwlogi ag alcohol.

Gan droi fy nghefn ar y sgaffaldiau wrth fôn Tŵr Eryr y castell, croesais Bont yr Abar. Ond draean fy ffordd drosodd caeodd y giatiau canol yn ddisymwth. Daliwyd fi'n gaeth, ac aeth ias i lawr asgwrn fy nghefn. Sefais yno, fel yr oeddwn wedi sefyll ganwaith o'r blaen, yn gwylio'r ymrannu ar ben draw hanner cyntaf y bont. Ond y gwahaniaeth y tro hwn oedd nad oedd y seiren wedi canu. A doedd dim golwg o gwch a'i fryd ar fynd allan i'r môr. Chwiliais y cei llechi ar y chwith. Troi tua'r dde wedyn, i weld a oedd cwch am ddod i fwrw angor. Dim.

Yn y caban wythochrog ar ganol y bont roedd cysgod llonydd Peilat Jones, a'i farf yn gloywi yn y lled-dywyllwch. Roedd yna rywbeth annaearol amdano, fel petai'n gallu gweld trwoch.

Gyrrais yr amheuon o'm meddwl. Bu gan Peilat Jones enw drwg am gastiau erioed. Am dorri'r bont yn ôl ei fympwy, weithiau heb ganu'r seiren. Am ddial ar elynion trwy atal eu taith. Am herian pobl ddiarth trwy eu dal yr ochr draw. A'i hoff gast, yn ôl pob sôn, oedd torri'r bont yn hwyr y nos, i atal cariadon Coed Elen rhag croesi'n ôl, gan orfodi'r carwyr i gerdded trwy'r fagddu hir droellog at Bont Saint ger Lôn Parc.

Digiais wrtho. Pwy oedd o i'm dal yn ôl, a minnau wedi cael oriau prin o ryddid? Ac fel petai yntau wedi clywed y cyhuddiad, agorodd drws y caban, a safodd Peilat Jones o'm blaen, yn llydan a gwargrwm a het capten am ei ben. Ofnais am funud ei fod am gamu ataf. Ond dal i sefyll wnaeth o, gan rythu'n hir. Roedd yr obelisg a ddaliai gortynnau'r bont grog y tu cefn iddo fel petai'n cynyddu ei fawredd. Yn wir, roedd y cortynnau dur eu hunain fel breichiau yn dod o'i gcfn, fel petai Peilat ei hun yn cynnal y bont.

Dim ond pan ddaeth cerddwyr eraill at y giât, a thwt-twtian, a galw, a rhegi, yr ildiodd y ceidwad. Dychwelodd i'w gaban. A mynd ati eto i gyfannu'r bont.

Wedi'r asiad, camais trwy'r giatiau agored a mynd heibio i'r caban heb sbio gan fod rhyw arswyd yn fy llenwi. A rhaid fy mod wedi cynhyrfu yn sgil ystryw Peilat. Wedi dod oddi ar y bont, ni throis tua'r dde hyd y Foryd a cherdded y filltir dda at eglwys Llanfairfaglan, fel yr oeddwn wedi bwriadu ei wneud. Yn hytrach, ffeindiais fy hun yn dringo'r grisiau serth heibio i fwthyn y ceidwad – bron fel petawn am ei herio, wedi'r cwbl – a mynd ar fy union i'r cae swings lle'r arferwn chwarae yn blentyn.

Doeddwn i ddim wedi bod yno ers blynyddoedd. Ond ychydig o newid a fu, heblaw bod y cyrtiau tennis wedi eu troi'n barc sglefrfyrddio. Yr un oedd y maes bowls, y sgwaryn gwastataf o wair yng Nghaersaint. Yr un, mwy neu lai, oedd offer siglo, llithro a dringo'r cae swings. Ac yr un ag erioed oedd sŵn hwyl y plant yn heulwen oer y bore Sadwrn.

Sefais i wylio mudiant llyfn plentyn yn siglo trwy'r aer, a

chyffyrddiad cyson ei fam yn cadw'r momentwm. Taflwyd fy nghof yn ôl at ryw atgof pell. Fy mam ifanc, bryd tywyll yn fy ngwthio ar siglen yn yr union barc hwn, a minnau'n taflu cip dros fy ysgwydd bob hyn a hyn i wneud yn siŵr ei bod yn dal yno, a gweld ei dwylo coch yn ymgyrraedd o'i blaen, a'i meddwl ymhell i ffwrdd, yn chwilio am y dyn oedd wedi ei gadael.

Mam! Mam!

Oedd 'na rywbeth tristach yn y byd na hogyn yn galw ar ei fam, a honno ddim yn ateb? Mi wyddwn hyd yn oed bryd hynny, er nad oeddwn yn deall, bod ei chalon wedi torri.

Mam!

Syllais yn daer i mewn i'r atgof. Wrth gwrs, nid fy mam fy hun a deimlodd y syllu hwnnw, ond Tonwen Bold, a hithau'n troi'n drafferthus tuag ataf, a'i bol yn bochio dan blygion ei chôt goch gynnes...

Oeddwn i wedi deall mai hi oedd hi? Wyddwn i ddim. Tynnais fy hun allan o ddrysfa'r atgofion, a gwneud ymgais i wenu.

'Chdi sy 'na,' meddai hi, a thynnu un llaw at ei bol. 'Ro'n i'n teimlo rhywun yn sbio.'

'Hen ddyn budur?'

'Dyn gwyllt o'r coed,' gwenodd wrth i mi gamu ati. 'Dyna oedd Mam yn arfar ei ddeud. I nadu i fi grwydro.'

Ond wrth siarad roedd wedi methu un gwthiad, a daeth bloedd o brotest.

'Pwsia fi, Mam, pwsia!'

Trodd hithau at ei mab a chefnu arnaf innau. Felly, rowndiais atynt, fel y gallai Tonwen ddal i gynnal sgwrs a gwthio'i mab i'r entrychion yr un pryd.

Synnais wrth weld yr olwg oedd arni. Roedd blinder yn gysgodion glas o dan ei llygaid, a'i chroen yn dynn ac yn llwyd. Cynigiais wthio'r bychan yn ei lle. Derbyniodd Tonwen, gan symud o'r neilltu, a heb fethu tro gwthiais y siglen. Ond synhwyrodd y bychan y newid, ac anniddigodd, gan edrych dros ei ysgwydd a pheri i'r siglen igam-ogamu.

'Dim y chdi!' dwrdiodd. 'Mam!'

Yna newidiodd ei feddwl:

'Isio dod allan.'

Cydiais yn y cadwyni a llonyddu'r siglen. Dyfnhaodd yr olwg flinedig ar Tonwen, a theimlais innau rywsut fy mod wedi tarfu ar rythm braf y fam a'r mab.

'Mi a' i a gadael llonydd i chi.'

'Na, aros...' gwyliodd Tonwen ei mab yn rhedeg at y sleid mawr, a rhyddhad yn ei hwyneb. 'Mi fydd Macsi'n iawn. Jyst angan dipyn o sylw ar y funud mae o. Synhwyro'r newid pan ddaw'r babi, ella. Fel y gweddill ohonan ni...'

Dechreuodd gerdded tuag at y sleid. Dilynais innau.

'Mi faswn yn licio ymddiheuro,' meddai ymhen ychydig. 'Am Medwyn. Am iddo fo fod mor anghwrtais efo chdi adag y tân gwyllt.'

Chwifiais fy llaw fel petawn yn ddifater.

'Anghofia fo.'

A gwnes sioe fawr o droi'r stori:

'Mi dorrish i 'nghoes ar yr union sleid yma ers talwm.'

'Roeddat titha'n arfar chwarae yma hefyd?'

Teimlais wefr wrth weld y pleser sydyn yn goleuo'i hwyneb, wrth i'n plentyndod ni'n dau gydgysylltu. Yna, yn ôl ei harfer, daliodd ei hun, a mynd i guddio y tu ôl i'w holi.

'Be ddigwyddodd? Efo dy goes?

'Bod yn rhy wyllt, fel arfar. Dwn i ddim faint oeddwn i. Llai nag wyth. Mi oedd Mam efo fi...'

'Hei, sbïwch ar hyn!'

Trodd y ddau ohonom i wylio'r bychan yn llithro tuag i lawr, ac yn cael ei daflu i'r awyr gan y boncen yng nghanol y sleid, cyn glanio'n bendramwnwgl ar y gwaelod. Brysiodd Tonwen tuag ato. Ond roedd y bychan yn holliach, ac ar ôl sicrhau bod ei fam yn poeni, trodd gil ei drem arnaf i.

'Gawn ni fynd i daflu cerrig i'r dŵr, rŵan, Mam?'

'Oreit.'

'Ydi *o'n* dŵad? Y dyn tric sgetrics?'

Cipedrychodd arnaf.

'Wyt ti isio iddo fo ddŵad?' holodd Tonwen yn ofalus.

Bachodd Macsen ar y cyfle i'm harchwilio. Bachais innau ar y cyfle i bledio f'achos.

'Mi fedra i neud iddyn nhw fownsio!'

Ac ar ôl dal ei sylw, eglurais:

'Y cerrig. Ar wynab y môr.'

'Bownsio?'

Daliodd y bychan i graffu. Roedd yn ddrwgdybus. Ond yn y diwedd, a'i chwilfrydedd yn drech na'i falchder, daeth i benderfyniad. Rhoddodd ei ganiatâd cwta, cyn rhedeg yn ei flaen heibio i dŷ'r warden ac i gyfeiriad y traeth.

'Dos di efo fo,' meddai Tonwen. 'Dwi'n ara deg. Colli 'ngwynt. Ysgyfaint rhywun yn cael ei wasgu yn y tymor ola.'

Roedd rhyw lawenydd bendigedig yn y teimlad o gerdded i ffwrdd oddi wrth Tonwen gan wybod ei bod yn dod i'm canlyn. Cyflymais wrth ddilyn y bychan, a'r Fenai'n ymagor yn garped o'n blaenau wrth i'r llwybr fynd ar y goriwaered, a phelydrau o haul arian yn tasgu oddi arni.

'Waw!' gwaeddodd Macsen, gan ddod i stop sydyn ar erchwyn y llwybr. 'Mae 'na gant a mil ohonyn nhw!'

Camais ato a gweld bod traeth y Foryd wedi ei orchuddio gan gannoedd ar gannoedd o gregyn bylchog. Roedd yn olygfa ryfeddol! Doedd Macsen chwaith erioed wedi gweld y fath beth. Neidiodd i lawr at y traeth, gan wrando ar y cregyn yn crensian dan wadnau ei esgidiau. Neidiais innau i'w ganlyn, a phlygu i fodio un o'r cregyn. Roedd yr wyneb rhychiog allanol yn batrwm o wawriau cochlyd, a'r ochr fewnol yn burwyn a llyfn. Pan gyrhaeddodd Tonwen, a sefyll uwchlaw inni ar erchwyn y traeth, estynnais y gragen honno iddi.

'Welish i erioed hyn o'r blaen,' meddai hithau wrth gael ei gwynt ati. 'Mae 'na filoedd ohonyn nhw!'

Gwyliais hi'n symud ei bawd hyd y llyfnder gwyn, wrth syllu ar chwalfa'r cregyn gweigion.

'Cregyn Berffro,' meddwn. 'Dyna oedd Arfonia yn eu galw nhw, beth bynnag.'

Gwenodd Tonwen. Roedd clywed am Arfonia bob amser yn ei phlesio.

'Mi a' i â hon efo fi,' meddai, a dodi'r gragen yn rhywle rhwng plygion lluosog y gôt goch.

Yn y cyfamser, roedd Macsen wedi diflasu ar ryfeddod y cregyn, ac yn hawlio gweld gwyrth y cerrig.

'Bownsia nhw, ta!' heriodd fi. 'Bownsia'r cerrig!'

Felly, er mwyn cadw at fy ngair a phrofi bodolaeth y cerrig a allai lamu droeon hyd wyneb y Fenai, codais garreg lefn a'i nythu rhwng bys a bawd. Plygu ar fy nglin. Troad sydyn, cynnil i'm garddwrn cyn ei gollwng, a ffwrdd â hi ar ei gwastad gan sgimio hyd wyneb y dŵr, a sboncio unwaith, ddwywaith, deirgwaith. Cyn suddo.

Roedd brwdfrydedd Macsen wedi'i ennyn, a hwnnw'r un mor gystadleuol ag wrth chwarae â'r ceir rasio. Clapiodd ei ddwylo, a mynd ati i roi tro arni ei hun, gan ochneidio'n siomedig bob tro y suddai ei garreg ar ei llam cyntaf i'r gwaelodion. Yn y diwedd, gwylltiodd.

'Cerrig chdi sy'n bownsio bob tro. Ti'n niwsans.'

Fel yr oeddwn wedi gosod y gragen yn llaw Tonwen rai munudau ynghynt, dodais garreg wastad yn llaw fach ei mab, a'i thywys i daflu'r garreg gyda'r cyflymder ac ar yr ongl angenrheidiol. Sbonciodd honno unwaith ar wyneb y dŵr, yna suddodd. Ond roedd unwaith yn ddigon o brawf. Bloeddiodd y bychan yn orfoleddus:

'Dwi wedi ffeindio carrag fownsio, Mam! Ga i fynd i'w nôl hi rŵan?'

Chwarddais wrth roi carreg arall yn ei law. Ond taflodd Macsen hi ymaith yn ddig, a phwyntio'n daer at ganol y môr.

'Na, honna dwi isio. Honna ydi carrag fi.'

Ac er cymell a phledio, doedd dim yn tycio. Ei garreg o, a dim un arall, oedd yr unig un a wnâi'r tro o blith holl gerrig y traeth.

Dechreuodd igian crio. Trois at Tonwen, ond roedd ei golygon hi ymhell, yn chwilio glannau Môn, fel petai'n gweld yr ynys am y tro cyntaf.

'Mi ddown ni'n ôl,' cysurais y bychan. 'Pan fydd y llanw allan.'

Gostegodd y crio.

'Allan yn lle?'

Edrychais arno.

'Dan ni allan yn barod,' pwysleisiodd yntau wedyn, a'i ddagrau'n anweddu.

Roedd o wedi fy nal eto.

'Weithia mae'r môr yn mynd o'ma,' eglurais. 'Am dipyn bach.'

'I fancw?' pwyntiodd at lan yr ochr draw. 'I Sir Fôn? Fanna mae Nain fi'n byw. Wrth ymyl Brynsiencyn. Mewn tŷ anfarth, mwy na castall Caersaint. Efo giât robot sy'n agor ar ben ei hun.'

Ond doedd arnaf ddim awydd clywed am fagwraeth freintiedig Med Medra, a phrysurais yn hytrach i ddatgelu cyfrinach llanw cymhleth y Fenai i'r bychan.

'Mae'r llanw'n dŵad o fancw, ac o fancw,' meddwn, gan gyfeirio at Abermenai y naill ffordd, a Phorthaethwy y ffordd arall. 'Ac yn cael crash yn y canol. Dyna pam mae afon Menai mor beryg.'

'Crash?'

'Dau drên mawr glas yn mynd i mewn i'w gilydd. Ond ar ôl y crash, maen nhw'n bagio'n ôl.'

Lledodd llygaid y bychan.

'Heb dorri?' prin yr oedd yn fy nghredu.

Amneidiais.

'Dyna be ydi llanw'n mynd allan. Ac wedyn, ella gwelwn ni dy garrag di ar wely'r môr.'

Ystyriodd Macsen y geiriau am ysbaid. Daeth brwdfrydedd i'w lygaid a gwnaeth ystum agor â'i ddwylo.

'Mi fydd y môr wedi agor, bydd? Wedyn mi fydd y garrag yn medru bownsio'n ôl,' prociodd yr aer â'i fys sawl gwaith, nes dod i stop ar gledr ei law chwith. 'Reit i fan hyn.'

Chwiliodd fy wyneb am gadarnhad, ac wedi ei fodloni bod y garreg wreiddiol yn dal ar gael, plygodd i godi carreg arall.

'Gaddo petha mawr!' meddai llais Tonwen o'r fainc ar y llwybr uwchlaw.

Trois ati, a chywilyddio ychydig.

'Doedd gin i ddim dewis.'

'Dyna fydd Medwyn yn ei ddeud,' meddai hithau dan ei gwynt. 'A'i siomi fo wedyn.'

Doedd y gymhariaeth ddim wrth fy modd.

'Lle mae o heddiw, ta?' meddwn ychydig yn bigog, wrth symud tuag ati.

'Dim ond yn fancw,' amneidiodd Tonwen tuag adeiladau Phase 1. 'Yn swyddfa Wogan-Williams. Yn trafod Phase 2.'

'Dydi o ddim yn faer eto!'

Ni ddywedodd hi ddim byd. Ond ymhen ychydig dechreuodd fy herian:

'Ella ei fod o'n sbio arna chdi rŵan.'

Atebais innau'n ôl:

'Ac ella bod ei fam o yn sbio arna chditha! Efo sbeinglas.'

Cododd Tonwen ei bys dros ei gwên. A chan bwyntio at gefn ei mab, dywedodd: 'Mae gen foch bach glustia mawr.'

Wrth i'r ddau ohonom droi i wylio'r bachgen pum mlwydd yn ymgodymu â gwyrth (neu beidio) y cerrig bownsio, lledodd rhyw dawelwch rhyngom, a hwnnw wedi ei felysu gan y pleser slei o fod wedi rhannu jôc lle na ddylem ni.

Ac eto, rhaid bod yr herian wedi effeithio rhywfaint arni, oherwydd yn fuan wedyn dywedodd Tonwen wrth ei mab ei bod yn bryd troi am adref.

'Mae'n siŵr bod gin titha betha gwell i'w gneud,' meddai.

Ni thrafferthais wadu. Dim ond mygu'r diflastod a gododd yn don lwyd y tu mewn i mi wrth feddwl am ddychwelyd at y gwaith o glirio Arvon Villa. A chynyddodd fy siom wrth inni ddychwelyd i gyfeiriad y dref, ac wrth i mi, o rowndio'r tro, weld Pont yr Abar yn gyfan. Lle'r oedd ystrywiau Peilat Jones pan oedd eu hangen nhw?

Doedd dim golwg o'r ceidwad erbyn hyn. Eto, wrth gamu dros y bont gyda Tonwen a'i mab, synhwyrais ryw drem ar fy ngwar, a honno'n drymach o lawer na threm ddychmygol Med Medra neu ei fam. Bwriais gip euog dros f'ysgwydd, ond roedd ffenestri'r bwthyn yn ddall heddiw.

Ar ôl bod mor gyndyn i adael traeth y cerrig bownsio, roedd Macsen bellach yn rhedeg yn braf o'n blaenau. Ond daeth i stop sydyn gyferbyn â'r Caffi Cwch, a phwyntio'n syn at ddau alarch oedd a'u gyddfau hirion wedi ymgordeddu. Rhythodd ar y pedair adain yn peltio dŵr yr Abar yn galed.

'Be maen nhw'n neud, Mam?' galwodd, a phanig yn ei lais.

'Cwffio,' meddai Tonwen, gan afael yn ysgwydd ei mab a'i droi ymaith. 'Gad iddyn nhw.'

Swniai'n hamddenol. Ac eto, daliodd law ei mab yr holl ffordd at derfyn y bont, gan osod ei chorff bochiog rhwng y bychan a chwlwm ffyrnig y gyddfau.

Dilynais innau'r ddau o hyd braich, a'm camau'n trymhau, a'm calon hefyd, yn enwedig wrth i Tonwen droi ataf a diolch am fy nghwmni: yr arwydd ei bod yn bryd ffarwelio, a ninnau ar fin camu'n ôl at furiau siaradus Caersaint.

Atebais hi'n ddidaro:

'Unrhyw adag.'

Yna, mentrais ychwanegu:

'Mi fyddi di angan help dros y misoedd nesa.'

Gwenodd.

'Ti'n iawn. Yn enwedig i agor y môr.'

Gwyliais y ddau'n diflannu dan borth y dref, ei cherddediad hi'n araf ac ychydig yn lluddedig, ac yntau'n camu'n fân ac yn fwriadus.

Syllais i wagle'r porth wedi iddyn nhw fynd, a theimlo fy nghorff yn siglo'n anwadal, fel petai dim yn ei ddal yn ei le ond tyniad y Mona y naill ffordd ac – am ryw reswm – tyniad bwthyn Peilat Jones y llall.

26

DAETH CYFNOD Y Nadolig i lenwi strydoedd Caersaint fel pob tref arall, a disgleiriai hithau yn ei gogoniant tlawd. Taflai'r saint gyfarchion tymhorol at ei gilydd ar y stryd, gan ymdeimlo â'r wefr o gael byw, dros dro, mewn tref ac iddi sglein. Hongiai cadwyni o lampau lliwgar o siop i siop hyd y strydoedd. Addurnwyd ffenestri'r siopau â Sionau Corn yn dawnsio i 'Rockin' Around the Christmas Tree', ac roedd cyfarchion 'Merry Xmas' a 'Hwyl yr Ŵyl' yn ymoleuo ar bob cwr. Er gwaethaf Wogan-Williams ceisiwyd creu rhyw fath o naws hudolus i'r Maes Glas, yn enwedig gyda'r nos, wrth i'r Cyngor godi coeden sbriws yn ei ganol, a chonau rhybudd yn gylch oren o gwmpas ei bôn. Goleuwyd honno â channoedd o oleuadau arian a siglai yn y gwynt. Codwyd coeden arall wrth fanc yr Holy Saints, a sgrin LCD o flaen y castell i ddangos corau plant Caersaint yn canu carolau.

Am y tro cyntaf er pan gofiwn, teimlwn innau fod yr Ŵyl yn perthyn i mi. Pres Arfonia yn fy mhoced oedd yn gyfrifol am hynny, mae'n siŵr, a hwnnw yn ei dro wedi creu awydd prynu anrhegion. Bûm yn tindroi o flaen ffenest siop Cloch yr Uwd yn pendroni a allwn i feiddio prynu anrheg arall i Macsen, heb dynnu ei dad yn fy mhen. Ond doedd dim golwg o Tonwen na'i mab ynghanol y dathliadau tymhorol, er i mi grwydro'r strydoedd yn chwilio amdanyn nhw...

Roedd hi bellach yn ddeuddydd cyn diwrnod y Nadolig. Roedd y siopau ar agor yn hwyr i ysgogi busnes, a cheid parcio rhad ar y cei. Daeth band pres Llanbabs i'r Maes i gynyddu'r naws Nadoligaidd, gan arwain pasiant o blant o gwmpas y dref: Mair, Joseff ac Asyn go iawn, heb sôn am ddau glown, llyncwr tân a band bongos. Ond nid oedd Macsen na Tonwen i'w gweld yn y carnifal rhynllyd hwnnw, chwaith, ac yn y diwedd penderfynais adael teulu'r Plas i'w Nadolig teuluol, a bodloni yn hytrach ar brynu dwy botel sent (i Miriam a'i mam), cyn mynd ymlaen i Siop Sodra i gael tocyn anrheg i Trefor, ac i Woolworth am focs siocled i Almut, yn ogystal â phapur lapio a rholyn o dâp.

Roedd pleser annisgwyl i'w gael wrth wneud y pethau hyn, a chyda'r anrhegion yn fy llaw, cerddais yn dwymgalon at ben Stryd Llyn, gan oedi wrth fynedfa Capel Seion i wrando ar sŵn plant yn canu. Gan gofio mai fan hyn y bu ewythr Arfonia'n weinidog, meiddiais daro fy nhrwyn yn y cyntedd, a theimlo'r poethder fel peltan yn codi o'r llawr.

O'r tu hwnt i'r drws caeedig deuai sŵn lleisiau'n canu 'Haleliwia', a syllais ar y goleuni yn gloywi o'r tu mewn, ac yn cael ei gochi gan y gwydr lliw. Yn sydyn, gafaelodd rhyw felan othadwy ynof. Ffallai mai'r wisgi oedd ar fai, a finnau wedi bod yn llymeitian yn y Mona cyn dechrau siopa. Neu efallai mai sioc y gwres ar ôl oerfel y stryd oedd i gyfrif am y newid sydyn yn fy hwyl. Neu hyd yn oed awyrgylch melancolaidd y capel ei hun.

Ciliais o'r capel gan droi i lawr Lôn Bach Bwgan, a goleuadau cochion y dagfa draffig ar y ffordd osgoi uwch fy mhen yn gwneud i mi deimlo'n waeth. Felly, oedais wrth gefn y maes parcio aml-lawr i hel fy hun at ei gilydd. A phenderfynu mynd draw at Almut yng Nghaffi Besanti. Roedd cysur i'w gael ganddi hi bob tro.

Ond wrth sefyll o flaen drws y caffi a gweld ei chefn llydan yn gwyro dros y cownter, a golwg arni fel petai'n gweddïo ar ei phen ei hun, bu bron i mi ag ailfeddwl. Llais

Almut yn fy mhen a'm gyrrodd ymlaen – 'Tyrd o'na, Gwyn, paid â bod mor llwfr!' – ac yn y diwedd, cnociais yn galed ar y drws a'i dychryn hithau.

'Ti sy 'na,' meddai, gan folltio'r drws ar f'ôl, a heb sbio'n iawn arnaf crwydrodd yn ôl at y cownter.

Roedd rhywbeth mawr yn bod. Gosodais fy mhecynnau ar un o'r byrddau cyfagos, a'i dilyn at fwrdd lle'r oedd plataid o fisgedi ar ffurf sêr, a chôt o bowdwr eisin drostynt.

'Helpa dy hun,' meddai'n ddi-ffrwt. 'Lebkuchen. I'r cwsmeriaid, i fod. Ond mae pawb yn rhy brysur yn gwario'u pres ar sothach.'

'Dolig ydi hi!'

Ceisio swnio'n galonnog oedd y bwriad, ond swniai fy llais yn wag a marwaidd yn erbyn waliau melyn y caffi.

'Ffug ddraddodiadau cyfalafol,' meddai Almut.

Caeodd y felan amdanaf eto. Efallai nad heno oedd yr adeg iawn i roi bocs o Quality Streets iddi.

'Be dach chi'n yfad?' holais, i geisio troi'r stori.

'Glühwein.'

Doeddwn i ddim callach.

'Ogla da arno fo.'

'Oes,' meddalodd ei llais, ac edrychodd Almut yn iawn arnaf am y tro cyntaf. 'Cym ddiferyn.'

Estynnodd am gwpan, a gwasgodd gaead y fflasg grôm wrth ei phenelin. Llifodd hylif coch tywyll poeth o big y fflasg, a'i arogl yn sbeislyd.

'Blas adref,' meddai, gan godi ei chwpan ei hun.

Roedd yn amlwg o'r staen cochlyd ar ei gwefusau ei bod wedi bod yn yfed ers sbel.

'Dolig llawen!' meddwn innau, a sipian y gwin.

Ond doedd Almut yn amlwg ddim yn cytuno. Cuchiodd arnaf, cyn yfed ei diod ar un gwynt, a mynd ati i lenwi ei chwpan eto. Wrth i'r gwin gynhesu fy nhu mewn, teimlais innau'n fwy parod i gynnig cydymdeimlad.

'Be sy, Almut?'

Oedodd hi.

'Robina.'

'Be amdani?'

'Mae wedi 'ngadael i.'

'Wedi'ch gadael chi?'

Roedd y ddwy wedi bod efo'i gilydd ers dros ddeng mlynedd ar hugain.

Magodd Almut ei chwpan rhwng ei dwylo, a syllu i mewn i'r stêm sbeislyd.

'Un o'i myfyrwyr PhD. Iau na ti hyd yn oed.'

Trois at y fflasg i gael mwy o'r gwin, ac aeth yn dawelwch rhyngom. Ofnwn gydymdeimlo â hi. Roedd hi'n ddynes urddasol a balch. Ofnwn gega ar Robina. Roedd y ddwy efo'i gilydd ers cyhyd – ers ymhell cyn i mi gael fy ngeni. Ond yn fwy na dim ofnwn weld dynes gref fel Almut yn crio, yn enwedig a minnau newydd fod yn crio fy hun.

'Dwi'n mynd i adael Caersaint!' meddai'n ffyrnig.

Tagais ar fy niod. A dweud yn hunanol:

'Gadal? A finna ddim ond newydd ddod yn ôl!'

Ond doedd Almut ddim mewn hwyl rhoi mwythau.

'Dwi wedi gwneud fy ngorau dros y dref yma, ers deng mlynedd ar hugain... Dy dro di a dy debyg ydi hi rŵan. I ddymchwel y drefn!'

'Dymchwal? Mae'r lle'n dymchwal eniwe.'

Syllodd Almut arnaf, ac am y tro cyntaf, gwelais rywbeth tebyg i feirniadaeth yn ei llygaid.

'Mae'n bryd i chi bobl ifanc ddechrau gwneud rhywbeth,' dechreuodd.

Codais ar fy nhraed. Os oedd hi'n mynd i ddechrau pregethu...

'Dyna'n union be ddaru *chi*,' bachais yn ôl. 'Troi eich cefn ar eich tre eich hun. Mynd i fyw mewn cwmwl o ddrygs ar ochr mynydd yn Eryri…'

Yn sydyn, roedd yr ymweliad cyfeillgar, tymhorol wedi troi'n dyndra chwerw.

'Doedd 'na ddim byd i frwydro drosto yn Berlin,' meddai Almut, a syllu arnaf yn galed, fel petai am ddangos i mi sut le oedd y byd go iawn. 'Yn y gorllewin, beth bynnag. Roedd popeth wedi'i golli. Yng Nghaersaint, heddiw, mae pethau'n dal yn y fantol…'

Sefais o'i blaen, os ychydig yn simsan, tra aeth hithau yn ei blaen â'i phregeth.

'Cymeriad y lle. Iaith unigryw. Y diwylliant. Y cyfoeth…'

'Asu, dan ni'n siarad am yr un lle?'

Un ymgais olaf i dawelu'r dyfroedd. Un jôc – i drio pontio. Ond doedd Almut ddim mewn hwyl rwdlan. Torrodd ar fy nhraws:

'Mae hi'n ddyletswydd arnat ti weithredu!'

Ac mewn rhyw ystum melodramatig, trawodd ei chwpan wag yn galed ar y cownter, nes bod y llestri gweigion a'r llwyau te i gyd yn cloncian.

Ond roeddwn innau wedi cael llond bol.

'Dwi wedi blydi gweithredu! Ers dros fis. Yn gneud eich gwaith sabotage budur chi ac Alun Stalin! Sgwennu'ch blydi graffiti chi hyd y walia. Ac i be? Does 'na neb yn darllan y blydi peth!'

Dyna finnau wedi dechrau pregethu! Ai'r gwin oedd ar fai?

'A sôn am weithredu, pam na *weithredwch* chi'n nes adra gynta? Fydd eich mam chi ddim yn byw am byth. Naeth fy mam i ddim. Ond tasa hi yma heddiw, efo hi faswn i. Nid yn ista ar fy nhin fy hun mewn gwlad arall, yn colli dagra dros ryw lost cause fatha Caersaint!'

A chyda hynny, stompiais tua'r drws a chodi fy mhaceidiau, gan gynnwys y bocs Quality Streets. Mi awn â hwnnw at Lasarws a'i was, i mi gael gair o ddiolch.

'Gwyn!' galwodd Almut, a sŵn mwy cymodlon yn ei llais. 'Tyrd yn ôl.'

Trois arni.

'Dwi wedi dŵad yn ôl!' meddwn yn ddig. 'I drio gneud bywyd i fi fy hun yn y dre yma eto. Ond dydi hynny'n dal ddim yn ddigon i bobol fatha chi ac Alun Stalin. Fyddwch chi ddim yn fodlon nes byddwn ni wedi merthyru'n hunain yn llwyr i'r lle 'ma.'

Dadfolltais y drws.

'Dos!' meddai Almut. 'Dos! I ddathlu dy Nadolig traddodiadol efo'r Spicers!'

'Fydd o ddim yn draddodiadol i fi,' atebais, wrth gamu i'r nos a gadael y drws yn agored ar f'ôl.

Roedd y gwynt wedi codi, a'r cadwyni goleuadau bob lliw yn siglo'n ôl ac ymlaen uwch fy mhen. O gyfeiriad y Maes daliai'r band pres i ganu, a gwrandewais am eiliad ar y sŵn galarnadus yn cael ei finiogi gan ias y gwynt. Yna dringais Stryd y Priciau Sachthu yn ôl tua Brynhill.

Erbyn cyrraedd y bont, roeddwn yn difaru. Penderfynais ddychwelyd at Almut, unwaith y byddwn wedi dadlwytho fy mhaceidiau yn y tŷ.

Ond daeth rhith Nadoligaidd i ddrysu fy mwriadau da. Wrth gamu i mewn i Ddwyrain Brynhill sefais a rhythu wrth weld ein stryd yn cael ei llenwi gan don o oleuni llachar a chan seiniau nefolaidd, a'r rheiny'n dod yn nes ac yn nes tuag ataf o gyfeiriad stryd Elinor.

Yn raddol, wrth i mi gerdded yn nes at fy nhŷ fy hun,

cynyddodd y sŵn a'r goleuni. Sylwais fod rhai o'r cymdogion wedi agor eu drysau i fusnesa, ac roedd Miriam a Trefor eisoes yn eu gardd yn gwylio'r rhith Hollywoodaidd.

Nesâi'r goleuni byddarol o hyd, yn gannoedd o fylbiau lliw, yn llathenni o dinsel, yn bwysi o eira ffug, a'r cyfan yn drwch dros drelar fferm wedi ei droi'n sled a cheirw plastig. Tawodd y canu corawl wedi'r haleliwia olaf, ac wrth i glychau agoriadol 'Wonderful Christmas Day' ffrwydro trwy'r uchelseinyddion, craffais innau'n syn ar y panto Nadoligaidd. Ynghanol bocseidiau o anrhegion ffug, codai Siôn Corn ei law ar drigolion Brynhill. Wrth ei ymyl chwifiai corrach hirgoes ei law, a thaflu cusanau robotaidd i'r plant. Ac yn llu swnllyd hyd y palmentydd, roedd corachod llai siapus yn cloncian bwcedi.

Adwaenais Siôn Corn yn syth. Daliodd yntau fy llygad, cyn ailafael yn ei ffarwelio ffals, a'r Range Rover a'i drelar yn gyrru ymlaen at gornel Stryd Elinor. Yna tynnais fy ngwynt ataf wrth adnabod un o'r corachod. Neu yn hytrach, y gwallt golau cyrliog a lifai'n donnau mân dan yr het emrallt, y wasg fain dan y gwregys du a'r coesau hir, hir...

A minnau ar ganol syllu daeth llaw i lawr ar f'ysgwydd. O droi, neu'n hytrach o gael fy nhroi, gwelais gorrach dwy lath yn sefyll uwchlaw i mi. Daliai fwced o'i flaen, a tharanodd ei lais dros rincian y pres.

'Rhoid at Achos Da? Caersaint Leopards / Leopards Caersaint?'

Rhythais ar y farf wadin a'r trwyn a'i staen coch, cyn adnabod y drem dywyll gyfarwydd. Roedd wedi cyfnewid y cilt heno am bâr o legins coch.

'Achos Da?' meddwn, a rhyw ddial yn erbyn pawb (gan gynnwys Bryn ei hun) yn ffrwydro y tu mewn i mi. 'Cym hon!'

Llamais i'r awyr, a bwrw fy mhen tuag ymlaen, nes clywed fy nhalcen yn crensian ar asgwrn trwyn y corrach, yn yr union fan honno, dan ffwr y cap, lle'r oedd y ddwy ael yn uno.

Syrthiodd Bryn yr Ael yn ei ôl tuag at y goeden. Syrthiais innau'n ôl tua giât Arvon Villa. Yn fy mhen roedd sŵn anghymeradwyaeth cymdogion. Ac uwchlaw hynny, yn is-dôn fariton, roedd ho–ho–ho Trefor, a rhegfeydd yn codi'n llawn ewyllys da o waelod ei fol.

27

ENDYMPIAI TREFOR, MIRIAM a'i mam mewn coronau papur gerbron araith Nadolig y Frenhines yn ystafell ffrynt Tremfryn. Ar ôl bod yng nghwmni Almut tan berfeddion yn dathlu'r noswyl santaidd yn y dull Almaenig, roeddwn wedi codi'n hwyr, ac roedd hi bellach yn ganol prynhawn. O flaen y tri chysgadur, ar y bwrdd bwyd, roedd sgerbwd twrci, ychydig o lysiau oer yn talu gwrogaeth iddo, ynghyd ag amrywiol sawsiau'n magu croen. Rhwng gweddillion y pryd bwyd gorweddai napcyns budur, darnau o gracers, tri anrhegyn gwrthodedig (modrwy smal, tâp mesur anunion a chwmpawd difagned), a jôcs papur nad oedd neb, i bob golwg, wedi eu gwerthfawrogi.

Cuddiais yr anrhegion a oedd wedi eu lapio'n anghelfydd ar y funud olaf y tu ôl i bentwr o anrhegion eraill dan y goeden hunanoleuol, ond parodd siffrwd papurach i Trefor agor ei lygaid.

'Iesu Grist!' ebychodd. 'Mae Muhammed Ali 'di cyrraedd.'

Ystwyriodd Miriam, a gwenu arnaf rhwng cwsg ac effro.

'Mae o wedi dŵad wedi'r cwbwl!'

Yn olaf, dihunodd yr hen wraig. A phan welodd fi'n sefyll o'i blaen a chlais mawr ar ochr fy mhen, taflodd ei phen yn ôl yn syn, nes y llithrodd y goron bapur oddi ar ei phen.

'Ac angel yr Arglwydd a safodd gerllaw,' meddai, a chodi ei llaw at ei llygaid, fel petawn yn ei dallu.

Erbyn hyn, roedd Miriam wedi codi ac yn fy nghymell i

eistedd wrth y lle gwag a gadwodd ar fy nghyfer.

'Mi gnesa i ginio Dolig i chdi yn y microwave,' meddai, heb edliw dim. 'Dan ni 'di cadw un goes gyfan i chdi. Mi fydd fel newydd.'

Cododd lwyaid o bob llysieuyn ar y plât gwag, ynghyd ag un goes twrci a joch o grefi. Yna diflannodd i'r gegin. Yn y cyfamser roedd Trefor wedi codi at y seidbord i nôl can o Stella i mi, a cheisiais innau osgoi edrych arno, gan syllu ar y trimins Nadolig a hongiai ar y waliau o'm cwmpas: y tinsel yn hongian oddi ar y golau, y balŵns yn y corneli, a'r wên ddanheddog o gardiau Dolig a âi o un gornel yr aelwyd i'r llall, yn angylion ac asynnod, yn ddynion eira ac yn fugeiliaid, yn geirw trwyngoch a sawl robin goch, oll yn datgan ewyllys da...

'Lle gythral ti 'di bod?' ffrwydrodd, yr un pryd ag ewyn y cwrw. 'Chwilio am fwy o gorachod i'w hedbytio? Ta protestio dros hawlia twrcwns efo Alun Stalin a'i ffrind?'

Cododd yr hen wraig hithau o'i sedd a dod ataf i weld yn well.

'Pwy ydi o, Trefor?'

'Santa Clos, Alabeina.'

Ochneidiodd hi.

'Tydyn nhw'n mynd yn fengach bob blwyddyn. Fatha plismyn.'

Wrth i Trefor wneud arwydd dw-lali i'w chefn, gwyrodd Alabeina tuag ataf, a syllais innau ar ei chroen papur tresio a blew mân yn orchudd melfedaidd drosto. Roedd ei gwallt gwyn wedi ei glymu mewn rhwyd ar ei gwar, a chlipiau brown hyd ochr ei phen yn cadw'r cudynnau llac yn eu lle.

'Dach chi'n hwyr ar y diawl,' dwrdiodd fi, a'i llygaid duon − yr un llygaid â'i merch − yn fflachio. 'Neithiwr oeddach chi i fod. Chesh i ddim byd yn 'yn hosan.'

'Ei slej o aeth yn bang i'r North Pole,' meddai Trefor wrth fynd draw i'w gadair freichiau. 'Sbïwch clais gafodd o ar ei dalcan.'

Craffodd Alabeina arnaf o'r newydd.

'Sobor,' meddai a'i gwedd yn tyneru wrth iddi osod ei bys cnotiog ar y clais.

'Naci, chwil,' meddai Trefor.

Ac i roi taw ar ei fam yng nghyfraith, trodd sŵn y teledu'n uwch, nes y llanwyd yr ystafell gan lais tatws poeth y Frenhines Elisabeth yn tanlinellu pwys gwerthoedd teuluol.

'Sguthan wirion,' cwynodd yntau. 'Hi sydd efo'r teulu mwya dysfunctional yn y wlad 'ma.'

'Sbia ar ei cheg gam hi,' meddai wedyn. 'Ceg dynas sy wedi magu haid o lembos, ac yn gwbod hynny.'

'Mae hitha 'di gorfod heneiddio, fatha ni i gyd,' oedd sylw cydymdeimladol Alabeina. 'A dydi rhywun ddim yn synnu efo'r ffasiwn ŵr blin. Heb sôn am y corgis. A'i chricymala hi. Dw inna fy hun wedi dechra mynd yn stiff.'

'Dim hannar digon stiff,' mwmialodd Trefor.

Daliodd y Frenhines i draddodi ei phregeth flynyddol, tra daeth Miriam i mewn a gosod y cinio poeth o'm blaen. Estynnais iddo ar unwaith, yn falch o roi rhywbeth solet yn fy stumog ansad.

Ond roedd Alabeina'n dal i bendroni pwy yn union oeddwn i. Gwrandewais arni'n sibrwd wrth ei merch:

'Pwy ydi o? A paid â deud Santa Clos. Mae o'n ormod o bishyn, a dydw inna ddim yn hurt.'

'Hm,' oedd sylw Trefor.

'Gwyn ydi o, Mam,' meddai Miriam, a rhyw daerineb tyner yn ei llais. 'Hogyn drws nesa. Mi ddeudish i y basa fo'n dŵad.'

'Yn ei amsar ei hun,' brathodd Trefor wedyn. 'GMT. Jaman Mona Time.'

'Mae o'n beth del ar y naw,' sylwodd Alabeina. 'Deliach o lawar na chdi, Trefor.'

'Dach chi ddim yn oil painting eich hun. Dach chi 'di trio smwddio'ch gwynab erioed?'

'Trefor!'

Gwnaeth yr hen wraig sioe o anwybyddu ei mab yng nghyfraith, a mynd ati i ddweud, wrth neb yn benodol:

'Mi faswn wedi licio cael mab 'yn hun. Eric oedd isio hogan, a fo gafodd ei ffordd. Pwy ddeudist ti oedd hwn eto, Mir?'

Tynnodd Miriam anadl hir. Roedd y Frenhines ar ganol un o'i seibiau beichiog, a llanwodd Trefor y bwlch hwnnw â chyfres o regfeydd dan ei wynt. Doedd dim ots gan Alabeina. Bob hyn a hyn gosodai ei llaw ar fy ysgwydd, fel petai'n cael gwefr o gyffwrdd mewn dyn ifanc, ac roedd yn craffu arnaf mor fanwl nes gwneud i mi deimlo'n annifyr.

'Gadwch iddo fo fyta, Mam,' meddai Miriam, gan dynnu ei mam at gadair gyferbyn. 'Dwi 'di deud pwy ydi o. Gwyn drws nesa. Arvon Villa.'

'Dwi'n gwbod yn iawn pwy ydi o!' meddai'r hen wraig yn bigog.

'Wedi dŵad yma i gael tamad o ginio Dolig efo ni.'

'Yn lle David?'

'Yn lle bod ar ei ben ei hun.'

'Ddyla neb fod ar ei ben ei hun dros Dolig,' pwysleisiodd Alabeina. 'Amsar teulu 'di Dolig i fod. Licio nhw neu beidio,' ychwanegodd a bwrw cip awgrymog tuag at ei mab yng nghyfraith.

Yna trodd i'm hanwylo eto, tra hanner gwrandawai pawb ar eiriau araf, ymarferedig Elisabeth yr Ail. Cyferbynnai'r rheiny â hyrddiadau brathog yr hen wraig oedd yr un oed â hi.

'Arvon Villa?' meddai wedyn.

Ochneidiodd Miriam eto.

'Lle oeddach chi'n arfar llnau, Mam.'

'Dwi'n gwbod lle mae o!'

Trodd ataf.

'Lle mae *hi*, ta?'

Edrychais arni.

'Lle mae pwy, Mam?'

'Miss Bugbird, te. Y Queen of Sheba ei hun!'

Llonyddodd fy ngheg, a theimlais y bwyd yn fy nhagu. Sioc oedd clywed enw Arfonia yn dod mor groyw o enau'r hen wraig. Ond doedd y sioc honno'n ddim o'i chymharu â'r hyn a ddaeth wedyn.

'Yn y stabal, siŵr i chdi,' atebodd ei chwestiwn ei hun.

Ffrwydrodd Trefor.

'Stabal? Be dach chi'n feddwl ydi hi? Poni?'

Anwybyddodd Alabeina ei mab yng nghyfraith. Roedd ei ffydd yn gadarn yn ei geiriau ei hun. Ond gyrrodd y rheiny ias i lawr asgwrn fy nghefn:

'Rhoid ei babi yn y preseb mae hi. Babi'r Ysbryd Glân.'

Trodd pawb i rythu arni, a daeth boddhad i lygaid yr hen wraig. Gan wybod ei bod ar fin ein syfrdanu ymhellach, dywedodd yn groyw:

'Achos chafodd hi 'rioed secs!'

'Mam!' ebychodd Miriam, a chodi ei llaw dros ei hwyneb.

Gosodais innau fy nghyllell ar ochr y plât, tra gwnâi Trefor ei orau i wneud hwyl am ben yr hen wraig. Ond roedd yntau wedi cael braw, nid gan eiriau annisgwyl Alabeina, ond gan y naws efengyl a berthynai iddyn nhw. Roedd Alabeina ei hun yn mynd ymlaen yn braf â'i stori wyrthiol:

'Ond mi ddaru Duw fistêc. Achos hogan bach oedd y babi. Dyna pam cafodd Miss Bugbird warad arni.'

Edrychodd arnom o un i un, gan fwynhau bod yn ganolbwynt y sylw.

'Do. Mi roddodd hi'r beth bach i ffwrdd i hen ddynas hesb o Saron Bach. Achos fedrwch chi ddim cael hogan Meseia. Neu fasa'r Tad a'r Mab a'r Ysbryd Glân ddim yn gneud sens. Na fasa?'

Wrth iddi ysgwyd ei phen, daeth cudyn o'i gwallt yn rhydd. A chyda hynny, rhywsut, fe gollodd Alabeina ychydig o'i grym. Cododd Miriam ar ei thraed, a dagrau o rwystredigaeth yn ei llygaid.

'Stopiwch fwydro, Mam,' erfyniodd. 'Ar ddiwrnod Dolig, o bob diwrnod...'

'Neu mi fydd raid inni fynd â chi adra,' meddai Trefor.

Ond trodd Alabeina'n galed ar y ddau.

'Adra dach chi'n galw'r hôm 'na? Mae'n gas gin i'r lle.'

Trodd ei sylw ataf i. Ac wrth iddi siarad, trawyd fi gan y ffaith y gwyddai hon cystal â minnau peth mor gythreulig o unig oedd byw mewn cartref gofal.

'Hôm ydi hôm, fel ti'n gwbod dy hun,' meddai. 'Dydi bywyd ddim yn fêl i finna erbyn hyn. A hyd yn oed pan dwi'n dwad i fan hyn, at fy merch fy hun, does 'na neb yn credu gair dwi'n ei ddeud.'

'Achos eich bod chi'n malu cachu, dyna pam!'

Hoeliodd Trefor ei drem ar wep syber y Frenhines.

'Honna sy'n malu cachu!' pwyntiodd yr hen wraig â'i bys cam at y teledu. 'Bob blwyddyn yr un fath. Ond does 'na neb yn deud wrthi hi am gau ei cheg. Ac eto, fi sy'n deud y gwir, dim y hi.'

Trodd ataf, a thaeru'n blentynnaidd:

'Achos mi gafodd Miss Bugbird fabi. Ac mi gesh inna sac. Ar ôl i fi sychu'r gwaed a'r brych a'r cwbwl lot oddi ar ei choesa hi.'

Lledodd braw trwy'r ystafell. Cododd Miriam ei dwylo at ei llygaid. Syllais innau ar Alabeina.

'Ac mi olchish y tywelion a'r sheets i gyd,' daliodd ati. 'Yn y bath. Yn y cefn. Ac mi oedd y dŵr i gyd yn goch. Sy'n dangos 'mod i'n deud y gwir. Tydw?'

Ataf i y trodd am gadarnhad. Ac roeddwn innau ar fin ei roi iddi pan alwodd Trefor arni i roi taw ar ei rwdlan.

'Tydw i wedi rhoi taw arni!' meddai hithau'n ôl. 'Ers bron i hanner can mlynadd! Ond mae hi wedi dŵad yn amsar i fi ddeud. Wrth yr hogyn bach 'ma. Mae'n iawn iddo fo gael gwbod hanas Miss Bugbird o'r diwadd. Cyn i finna fynd i'r bedd.'

Chwarddodd yn sydyn.

'Ac i chdi gael dallt, Trefor Spicer, ro i ddim taw arni wedyn chwaith, ond dŵad yma i darfu arna chdi pan fyddi di'n cysgu yn y nos!'

O ddyfnderoedd y teledu daeth nodau agoriadol 'God Save The Queen', ac yn sydyn dechreuodd Alabeina hymian yn dawel, fel petai'r llid wedi'i fwrw a rhyw dangnefedd wedi dod yn ei le. Roedd Miriam yn syllu ar weddillion y wledd y bu'n ei pharatoi ers dyddiau, a siom yn ystumio'i gwedd, tra cododd Trefor ddwy glustog oddi ar ei gadair, a gwneud sioe o'u gwasgu dros ei glustiau.

Wrth i anthem genedlaethol Lloegr ddod i'w therfyn, ac i lais y teledu gyhoeddi y byddai James Bond yn dilyn ymhen ennyd, daeth llaw Alabeina i orffwys ar fy llawes.

'Ti'n fy nghoelio i, dwyt?'

Ond roedd Miriam a Trefor wedi clywed, a throdd y ddau i weld fy ymateb. Petrusais. Roedd llygaid tywyll Alabeina'n syllu'n ymbilgar. Doedd gennyf ddim dewis ond dweud y gwir.

Felly, yn y diwedd, amneidiais, gan gadarnhau stori'r hen wraig.

Aeth ias trwy'r ystafell am yr eildro mewn ychydig funudau, fel petai ysbryd Arfonia ei hun wedi tarfu arnom. Eisteddodd Miriam i lawr eto. Gwasgodd Trefor y botwm mud ar ei deledu. Dim ond pan ddechreuodd Alabeina edrych yn hunangyfiawn o'i chwmpas y teimlodd yntau reidrwydd i ddweud rhywbeth:

'Ti 'rioed yn trio deud wrthan ni bod *hon* yn deud y gwir?'

Edrychais arno. A chadarnhau. Eto. Rhegodd Trefor.

'Miss Bugbird? Babi? Oeddat ti'n gwbod hyn, Mir?' daeth golwg ddig arno, fel petai wedi'i gau allan o gynllwyn.

'Doedd gin i ddim syniad,' prin yr oedd llais Miriam i'w glywed.

'Ers pryd ti'n gwbod, ta, washi?' mynnodd Trefor wedyn.

'Dwi'n gwbod ers nineteen sixty one,' broliodd Alabeina.

Cyn i'r ddau ddechrau cecru eto, cysurais innau Trefor:

'Dim ond ers rhyw ddeg diwrnod... Mi o'n i isio sôn. Ond do'n i ddim cweit yn siŵr... Ond ar ôl clywad stori Alabeina,' roedd hi'n gwenu'n gariadus arnaf erbyn hyn. 'Dwi'n dallt rŵan...'

Roedd Trefor ar goll:

'Hold on, hold on... '

'Dach chi'n cofio chi a fi'n mynd i fyny'r grisia rhyw bythefnos yn ôl?'

'Toedd hi'n hen bryd i chdi fynd, washi! Doedd 'na ddim byd yna, yn y diwadd, nag oedd?' trodd at Miriam i'w hatgoffa. 'Dim ond rŵm fach yn llawn hen ddillad y Captan a'i wraig...'

Ysgydwodd Miriam ei phen i fynegi cydymdeimlad.

'… a'r gwely mawr 'na prin 'di cael ei iwsio yn y llofft ffrynt. A cythral o ddim byd yn y llofft ganol!'

'Mi oedd 'na bapur wal,' atgoffais o.

'Heb hyd yn oed ei hongian!'

'Mi agorish i fo. Un o'r rholia.'

Oedais wrth gofio. Tynnu'r llawes blastig. Agor y rholyn, fel petawn yn agor sgrôl ddirgel, gan ofni y dôi 'na ddinistr neu iachawdwriaeth i ddarllenydd y neges…

'Dos yn dy 'laen!' hwrjiodd Trefor.

Edrychais arno. Yna ar Miriam. Yn sydyn edrychai'r cyfan yn hurt, a theimlais ryw hen gywilydd – y cywilydd o beidio â bod yn rhan o batrwm cywir pethau.

'Deud!'

Roedd Trefor yn dechrau colli amynedd, ac yn tapio rheolydd y teledu yn erbyn cledr ei law. Roedd *You Only Live Twice* wedi hen ddechrau.

'Mi oedd yna lunia tedi bêrs drosto fo i gyd!'

Crychodd Trefor ei drwyn.

'Tedi bêrs?'

'Paratoi nyrseri oedd y gryduras yn mynd i'w neud, Trefor!' meddai Miriam, gan ddeall yn syth. 'Llofft fach ar gyfar y babi. Ond wedyn… mae'n rhaid ei bod wedi newid ei meddwl…'

Trodd ataf.

'A rhoid y fechan i ffwr'?'

Ond doeddwn innau, mwy na hithau, ddim yn deall. Dyna pryd y trodd y tri ohonom at Alabeina. Roedd hithau wedi bod yn od o dawel yn ystod y datguddiadau. Ond yn awr, roedd ei munud wedi dod:

'Dach chi'n gweld!' llefodd. 'Mi o'n i'n deud y gwir!'

'Ond pam gafodd hi warad ar y babi?'

Trodd Alabeina at ei merch. Edrychais innau ar war cul

yr hen wraig yn sythu, a hynny er gwaethaf y gwallt brith a'i bwysau oes. Ymestynnodd hithau i'w llawn fychander o'n blaenau:

'Y tad ddaru dro sâl efo hi. Be arall? Hen betha gwael ydi lot o ddynion.'

Cipedrychodd ar Trefor. Myngialodd yntau dan ei wynt, a throi'n ei ôl at y teledu. Ac eto, ni chyneuodd y sain, dim ond gwylio'r saethu di-sŵn ar y sgrin o'i flaen.

Hwyrach bod y dagrau yn llygaid Miriam wedi dweud ar ei mam, oherwydd pan siaradodd wedyn roedd y brol wedi mynd o'i llais, a rhyw dynerwch wedi cymryd ei le:

'Mi naeth Miss Bugbird beth gwirion yn 'madael â'r fechan,' meddai, gan ysgwyd ei phen, a'r cudyn rhydd yn siglo o ochr i ochr hyd grib ei hysgwydd. 'Mi fasa hi 'di bod yn gefn i'w mam. Reit hyd at y diwadd.'

Cododd ei golygon at ei merch ei hun. Yna trodd ataf innau, a gwelais fod llygaid tywyll Alabeina'n disgleirio'n drist:

'Ond doedd gen y gryduras ddim dewis yr adag honno,' ochneidiodd. 'Cythral o beth. I ddynas mor unig â Miss Bugbird orfod ei neud.'

28

DOEDD DIM BYD gwell na thraddodiad i ddianc oddi wrthych eich hun a'ch helyntion, yn enwedig traddodiad y saint o ffarwelio â'r hen flwyddyn trwy eistedd ar wal wen y prom yn magu peint o Brins.

Roeddwn wedi bod yn yfed yn drwm dros yr wythnosau diwethaf, ac wedi datguddiadau ysgytiol y Nadolig, mi wyddwn fod pethau y tu mewn i mi'n mynd yn flêr. Felly, un sesiwn fawr arall amdani. Yna sobri. A dechrau blwyddyn newydd yn ddyn newydd. Callio. Dod i drefn. Symud ymlaen. Ac yn fwy na dim, dechrau *gwneud* rhywbeth.

Ond cyn hynny, os oeddwn am fod yn sant go iawn, roedd angen gwylio diwrnod olaf y flwyddyn yn ei losgi ei hun yn ddim dros afon Menai, gan fyfyrio'r un pryd ar y gorffennol a'r dyfodol.

Wrth gwrs, fel holl ddefodau'r saint, nid ar eich pen eich hun yr oedd cyflawni hon, chwaith. Nid oedd myfyrdod nad oedd yn sgwrs, na thin unig ar wal nad oedd yn wahoddiad.

'Ar dy ben dy hun ti?'

Doedd dim llonydd i'w gael.

'Tan rŵan.'

Y tro hwn Alun Stalin oedd yno, a pheint yn gloywi'n gopor yn ei law. Hanner trois oddi wrtho, gan waredu'n dawel wrth wrando ar ei synau cyfarwydd yn drachtio'r cwrw: clecian ei lwnc, a'r ochenaid fer o foddhad.

'Ti'n dawedog iawn.'

'Trio 'ngora.'

Chwarddodd yn floesg, a chwilio am fwy i'w ddweud.

'Tydi o'n beth rhyfadd...'

'Yndi.'

Dracht. Llwnc. Ochenaid.

'... bod y Rhufeiniad yn addoli'r haul ddwy fil o flynyddoedd yn ôl, a'n bod ni'n dal i neud hynny heddiw.'

Cyfeiriai Alun at yr yfwyr ar y prom. Nid atebais. Roedd ei 'wersi' hanes bob amser yn fy niflasu. Ochneidiais a throi oddi wrtho.

'Cofia, Rhufeiniaid oedd cyndeidia rhai o'r rhein, faswn i'n synnu dim. Sbia di ar eu trwyna nhw.'

Wnes i ddim sbio. Daliais i syllu ar yr haul a oedd bellach yn belen o liw eirin gwlanog, a'r awyr a'r môr yn unlliw gwridog, elyrch yn gysgodion llwyd ar ddŵr yr Abar, a gwylanod fel haid o chwain duon yn y pellter.

'O'r Balkans roedd milwyr Segontiwm yn dŵad, wrth gwrs.'

Wrth gwrs.

Ac aeth Alun yn ei flaen i sôn am eironi'r ffaith, o gofio am y cysylltiad Balcanaidd, fod cynifer o hogia ifanc Caersaint wedi mynd i Bosnia i ymladd a nifer ohonynt wedi marw yno, ac yn y blaen. Caeais fy nghlustiau. Roeddwn yn gwybod y cwbl yn barod, wedi nabod rhai o'r hogia a aeth.

Syllais i'r awyr danllyd, a gweld yr haul yn suddo ar gyflymder gweladwy. Roedd yr yfwyr eraill wedi sylwi hefyd, ac roedd sgyrsiau'r prom wedi dirywio'n ebychiadau. Hynny yw, sgwrs pawb ond Alun Stalin... Bron nad oedd mudandod y gweddill yn ei galonogi.

'Eironi arall ydi'r ffaith mai Caersaint oedd caer fwya gorllewinol y Rhufeiniaid. Ac yma, yn y gorllewin, y machludodd eu hymerodraeth nhw, dros fileniwm a hannar yn ôl...'

'Iesu mawr, Alun, fedrwch chi ddim cau'ch ceg am y gorffennol weithia? Gadwch i rywun gael un funud fach o lonydd, newch chi, i enjoio'r olygfa? Un o'r ychydig betha sy gynnon ni ar ôl yn y dre 'ma.'

Ond roedd Alun wrth ei fodd o fod wedi procio ymateb o'r diwedd. Pe câi ffarwelio â'r hen flwyddyn a chroesawu'r flwyddyn newydd gyda dadl, a thrwy hynny brofi ei farn nad oedd dim byd newydd dan haul, byddai'r hanesydd yn fodlon.

'Yr haul yng ngwely'r heli a ballu, ia?' gwawdiodd. 'Aer llygredig, boi bach, dyna ydi machlud haul. A be ti'n feddwl mae o'n ei neud i seici'r saint? A nhwtha'n gorfod gweld armagedon fel hwn bob dydd o'r flwyddyn?'

Syllais ar y gorwel yn lleibio'r tân, a cheisio gyrru llais treiddiol Alun Stalin i gefn fy meddwl. Ond ar bellafoedd f'ymwybod roeddwn yn dal i'w glywed yn mwydro am 'iseldra colectif', a'r 'felan holl gyffredinol'. Rhegais o. Os na chaeai ei geg mi fyddwn yn troi'n enghraifft o'r peth o flaen ei lygaid.

Yfais fy mheint, gan adael i'r geiriau foddi yn y môr a oedd yn dân i gyd erbyn hyn. Roedd yr haul wedi suddo hyd at ei hanner yn y gors goch, yn awr hyd at ei dri chwarter, a modfeddi olaf ei gorff yn llosgi'n danbeitiach bob eiliad, hyd nes nad oedd ond gewin yn weddill, lleuad goch ar ei gwastad, ceg drist...

A diflannodd y diwrnod dros erchwyn bae Caersaint.

Sisialodd y dorf eu cymeradwyaeth. Yna aeth pawb yn ei flaen â'i yfed.

'Dyna hynna drosodd – tan fory,' meddai Alun.

Teflais innau fy nghoesau dros y wal a sefyll yn sigledig o'i flaen. Daeth siom i'w wyneb.

'Lle ti'n mynd?'

'Mae gin i ddêt. Yn y Shamleek.'

'Dêt rong, felly,' meddai yntau'n smala.

Pan welodd nad oeddwn yn chwerthin, trodd yn fwy ymosodol.

'Chwilio am y Bwylas 'na wyt ti eto? Waeth i chdi heb, boi bach.'

Anwybyddais o.

'Dydi'r economeg ddim o dy blaid di.'

Camais heibio i'w gadair olwyn. Ond daliodd Alun ati.

'Dydi hi ddim wedi dŵad yr holl ffordd o Wlad Pwyl i drio'i lwc efo dyn tlawd fatha chdi, pan mae gynni hi Med Medra o fewn cyrraedd.'

'Dim pres ydi pob dim, Alun.'

'O ia, boi bach! A cynta'n byd y dysgi di hynna, gora'n byd.'

Y drwg efo Alun Stalin oedd ei fod bob amser yn siarad i lawr efo chi, i wneud iawn am y ffaith ei fod yn gorfod edrych i fyny o'i gadair olwyn.

'Hei, cyn i chdi fynd, mae gin i rywbath i chdi,' tyrchodd yn ei boced ac estyn amlen i mi. 'Dyma hi'r erthygl y sonish i amdani. O *Drafodion Hanas Caersaint*.'

Cilwenodd wrth fy ngweld yn agor yr amlen ac yn tynnu tocyn o lungopïau ohoni, gan graffu ar y print mân ar y ddalen flaen.

'Hanas yr Indefatigable yn suddo,' meddai Alun. 'Dyna be oeddat ti isio, ynde?'

'Dechra'r chwedega oedd hi,' aeth yn ei flaen wrth i mi ddarllen. 'Finna tua'r pymthag 'ma. Dwi'n cofio mynd draw efo'r hen go' i'w gweld hi ar ei hochor ar greigia'r Platters. Andros o olygfa. Fatha tamad o ddiwadd y byd. Ei thin hi yn y dŵr a'i thrwyn hi yn yr awyr, a'r dŵr yn ffrydio i mewn trwy dwll mawr yn ei hochor hi. A'r tri mast fatha tri croesbren yn codi ar sgiw i'r awyr, a'r rheiny'n disgyn yn is ac yn is wrth i chdi sbio.'

Symudodd yn nes, a cheisio sbecian ar yr erthygl.

'Trio'i symud hi i'r doc sych yn Lerpwl oeddan nhw. Ac yn gorfod gneud hynny ar lanw uchal y gwanwyn. Ond mi aeth y starbord i mewn i drobwll...'

'Dw inna'n gallu darllan,' torrais ar ei draws yn biwis.

Na, doedd dim llonydd i'w gael, ac yn y diwedd plygais y papurau a'u cadw yn yr amlen, cyn rhoi'r amlen ym mhoced fy nghôt.

'I be ti isio'r hanas, beth bynnag?'

'Dach chi'n uffernol o barod i roid eich trwyn ym musnas personol pobol,' cwynais. 'O Gomiwnydd.'

Cychwynnais oddi yno am yr eildro, ond trodd Alun ei gadair ar ongl arall, a'm rhwystro.

'Punt a hannar gostiodd y ffotocopïo yn Siop Niws Sant. Oes 'na beint i'w gael yn ddiolch?'

Ochneidiais. Ac ildio.

'I mewn? Tag allan?'

'Mewn. I fi. Bob tro.'

Felly, gan nad oedd gennyf, mewn gwirionedd, ddim gwell i'w wneud na gwrando ar ddyn canol oed yn dweud ei fod wedi gweld y cyfan o'm blaen i, gwthiais gadair olwyn Alun Stalin tuag at y Mona, gan oedi rai llathenni o flaen y drws i adael i Peilat Jones fynd i mewn o'n blaen. Gwyliais ei gefn llydan yn troi at y bar.

'Fo oedd o, ynde?' meddwn wrth inni agosáu at y ramp.

'Fo oedd pwy?'

'Peilat Jones. Y fo oedd y peilot aeth â hi ar y creigia? Yr Indefatigable.'

Cododd Alun ei fys at ei farf yn rhybuddiol, fel petai creadur mor rhesymegol ag yntau, hyd yn oed, yn ofni i'r hen ŵr a'i glyw goruwchnaturiol ein clywed ni'n hel straeon amdano.

'Mae'r cwbwl yn yr erthygl,' sibrydodd. 'Mi oedd 'na ffrae rhyngddo fo a rhyw Gaptan Quinn. Toes 'na ryw Wyddal yn y friwas bob tro?'

Wrth inni ddringo'r ramp amneidiodd at ddrws caeedig y bar:

'Yfad i anghofio mae o, meddan nhw. Yr hen Beilat.'

'Pwy sy ddim?' meddwn innau.

A chyda hynny, troesom ein dau i gynhesrwydd lounge y Mona, a'r awydd am beint, ac am weld Almut, yn ein huno ni'n dau – am y tro.

29

Nos Galan neu beidio, yr un oedd trefn pethau ym mar y Mona. Roedd Peilat Jones bellach yn pendwmpian yn ei gornel, a'r selogion yn mynd trwy'u pethau fel y gwnaent bob dydd o'r flwyddyn. Wrth fagu wisgi bach slei cyn dychwelyd at Alun efo'r ail rownd, gwrandewais ar Haydn Palladium yn trio dysgu Pen Menyn i ganu *Auld Lang Syne*.

'Ti ddim i fod i ddallt, PM, y lembo,' gwichiodd Haydn. 'Dim ond rybish ydi'r geiria. Jyst croesa dy ddwylo ac ysgwyd llaw efo'r boi drws nesa.'

'Ond dwi heb siarad efo fo ers dwy flynadd.'

'Dim dyn drws nesa, crinc. Y boi drws nesa yn y pyb.'

'Pwy, chdi?'

'Y boi drws nesa yn y pyb ti ynddo fo.'

'Pa byb?'

'Lle bynnag ti ynddo fo. Ar y pryd.'

'Pa bryd?'

'Hannar nos, PM, ' eglurodd Heulwen. 'Pan fydd Big Ben yn canu.'

'Yn Dre?'

'Ar y TV!'

Claddodd PM ei ben yn ei feild, gan fwmial yn bwdlyd:

'Dwn i ddim pwy ydi o, eniwe.'

'Pwy ydi pwy?'

'Old King Cole.'

'Auld Lang Syne, ti'n feddwl…'

A chwalodd y sgwrs o'r newydd yn gwlwm anniben o

chwerthin ac addunedu. Archebais wisgi arall, a thrio trefnu dêt efo Rhiannon, ond cyndyn braidd oedd hi, ac yn y diwedd dychwelais i'r lounge, a dau beint o Brins yn fy llaw a phaced o greision Salt 'n' Shake dan fy nghesail.

Roedd yr aros, ynghyd â thwrw'r seiat, wedi hen suro Alun, a dyna lle'r oedd yn rhwygo matiau cwrw'n siwrwd mân dros y bwrdd.

'Hen lol ydi'r adduneda blwyddyn newydd 'ma,' meddai'n ddig. 'Pobol yn meddwl y medran nhw ddechra ar lechan lân.'

'Jyst y peth i chwyldroadwr fatha chi, faswn i'n meddwl.'

'Life Laundry, myn diân i. New Start. Obsesiwn Americanaidd afiach!'

Roedd llawer o bethau'n 'obsesiwn Americanaidd' ym marn Alun.

'Mae'n iawn i bawb deimlo bod gynno fo ail gyfla,' meddwn innau heb fwriadu anghytuno; y wisgi oedd wedi llacio fy nhafod.

'Titha'n rêl bourgeois bach, twyt?' meddai yntau'n watwarus. 'A be fydd dy *adduned* di, ta? Ffeindio gwaith, ella?'

'Pwy sy'n bod yn bourgeois rŵan?'

'Mae llafur yn beth dyrchafol.'

Yfodd yn galed o'r cwrw, fel petai am brofi hynny, ac ymroi i agor y creision. Trois innau at y drws yn y gobaith o weld Almut o'r diwedd, a throi'n fy ôl yn sydyn wrth weld Babs Inc yn cyrraedd, ac yn gollwng pentwr mawr o rifyn Calan *Llais y Saint* ar fwrdd cyfagos.

Roedd Alun yn dal i sôn am waith.

'Dan ni'n chwilio am rywun dan hyfforddiant yn yr Archifdy,' meddai, dan wthio ei fysedd melyn i waelod y bag i chwilio am y cwdyn halen. 'Pam na roi di gynnig arni? Mae gin ti ddigon yn dy ben, er nad oes gin ti ddim owns o hunanddisgyblaeth. Ac mae dy Gymraeg di'n wyrth, diolch i Arfonia Bugbird. Mae hynny'n ddigon i dy roi di o flaen y rhan fwya o bobol ifanc y dre 'ma.'

'Wel?' holodd wedyn. 'Be amdani?'

'Be?'

'Prentisiaeth. Yn yr Archifdy.'

'Dim diolch, Alun. Dwi'n dechra cael llond bol ar hanas. Hanas lleol, yn enwedig. Am resyma personol na fasach chi ddim yn eu dallt,' ychwanegais, er mwyn osgoi pregeth arall.

A rhag ei yrru i dymer ddrwg eto, eglurais:

'Gweithio i fi fy hun dwi isio'i neud. Dechra busnas. Cyfrifiaduron. Mi nesh i gwrs web design pan o'n i... i ffwr'.'

'Pa! Cyfrifiaduron o ddiawl. Gweithio i chdi dy hun, myn coblyn i. Mae'r hogyn acw sy gynnon ni'r un fath. Be am y gymdeithas dach chi'n byw ynddi? Pwy sy'n mynd i ofalu am honno tra dach chi i gyd yn tindroi yn eich bydoedd bach smal? Med Medra a Wogan-Williams a'u tebyg! Dyna pwy!'

O'r diwedd, cafodd afael ar y cwdyn glas tywyll, ac fe'i rhwygodd yn agored gan wasgaru ei gynnwys hallt dros y creision.

Triais innau ddadlau yn ôl, petai ond i basio'r amser.

'Mi fedrwch chi gael cymdeithas ar y rhyngrwyd. Creu eich cymdeithas eich hun.'

'Taw!'

'Dan ni'n medru creu cymdeithas ar ein telera ni'n hunain. Yn lle'r llanast dach chi a'ch tebyg wedi ei adael inni.'

Ymegnïodd Alun wrth synhwyro dyfodiad dadl. Pwysodd

ar gefn ei gadair, ac irodd ei dafod â'i gwrw. Difarais innau agor fy ngheg. Ond y gwir amdani oedd bod barn Alun Stalin am bopeth, bron, yn fy nghythruddo.

'Dim cymdeithas ydi hynna,' dechreuodd, gan ysgwyd y paced creision fel bod yr halen yn ymdaenu. 'Dim ond chdi dy hun wedi'i ailadrodd lot o weithia. Bwydo… freakery.'

Lledodd pleser dros ei wyneb salw wrth iddo ganfod y gair stroclyd, ac fe'i hailadroddodd gydag arddeliad.

'Ia, bwydo freakery mae'r rhyngrwyd a blogs a rhyw lol yn ei neud. Pobol yn chwara efo nhw'u hunain. Ac yn sbio ar bobol erill yn chwara efo nhw'u hunain.'

'Deudwch chi, Alun.'

Bachais y paced oddi arno, gan stwffio llond dwrn o'r creision i'm ceg i roi cwlwm ar fy nhafod. Ond unwaith eto, diolch i'r alcohol, mi lithrodd y geiriau allan yn ddireolaeth:

'Y rheswm dach chi ddim yn licio'r rhyngrwyd ydi na fedrwch chi mo'i reoli fo. Dach chi'n treulio'ch holl amsar yn sbio i lawr eich trwyna ar bobol, ac yn meddwl y medrwch eu rheoli nhw a'u rhoi nhw mewn categoria. Dach chi ddim gwell na Babs Inc a'i *Llais*.'

A dyna'r union lais a hysiodd yn fy nghlust:

'Ti'n barod iawn i ddeud dy ddeud mwya sydyn!'

Camodd Babs i'r bwlch rhwng y ddau ohonom. Roedd wedi'i gwisgo heno mewn ffrog o sequins duon, a'r ffrog wedi'i thorri'n isel dan y gwddw, gan ddatgelu tatŵ goleugylch y sant ar ymyl ei bron chwith. Yn ei llaw roedd gwydr peint, ond bod hwnnw'n llawn o jin a thonic.

'Pwy arall sy'n mynd i ddeud 'y neud i?' atebais yn ôl, gan daflu'r paced creision hanner gwag at Alun, a pharatoi i godi.

Ond rhoddodd Babs ei llaw ar fy mhen, a'i hanwes yn fy nghadw i lawr.

'Deud oeddat ti bod gen Stalin a fi rywbath yn gyffredin? Ella bod gynnon ni. Y gorffennol, er enghraifft. Ynde, Alun bach? Mi wyt ti a finna'n mynd yn ôl yn bell. I ddyddia Cownti Sgŵl Caersaint – Ysgol Mabsant i chdi – cyn i finna fynd i Rydal. Ac mi oedd adag y by-pass yn adag difyr ar y naw…'

'Cau dy geg fawr, Babs,' meddai Alun yn ddi-ras, a mynd ati i wagio siwrwd y creision i gledr ei law.

Cilwenodd Babs wrth ddod i eistedd rhyngom. Bachais innau ar fy nghyfle, a chodi ar fy nhraed.

'Be sy', Jaman? Ddim yn licio meddwl am bobol ganol oed wrthi? Mi fyddi di'n ganol oed dy hun rhyw ddiwrnod.'

'Angan pisiad.'

Trois fy nghefn ar orffennol yr archifydd a'r newyddiadurwraig a chamu tua'r tŷ bach i roi fy nhalcen cleisiog dan ffrwd o ddŵr oer, a gwneud fy ngorau i sobri.

30

ERBYN DYCHWELYD, ROEDD y dorf yn y dafarn wedi cynyddu, a'r drws yn agor bob munud. Gwthiais innau drwy'r selogion a gwneud lle i mi fy hun wrth y bar. Roeddwn am yfed wisgi neu ddau arall cyn dychwelyd at Alun a Babs, ac wedyn byddai'n rhaid i mi feddwl am ei throi hi at Miriam a Trefor, fel yr oeddwn wedi addo.

Dim ond un wisgi bach arall. Blewyn y ci, chwedl y Sais...

Ond daeth ci go iawn ar fy nhraws, sef Magnum, a ruthrodd i mewn i'r bar dan gyfarth yn uchel a gwyllt. Daeth bonllefau o groeso o du aelodau'r seiat, a chefais innau fy ngwthio gam neu ddau yn ôl tua'r tŷ bach, er mwyn clirio llannerch i'r dacargi poblogaidd.

'Grêt, mae Magnum 'di cyrraedd!' gwichiodd Heulwen.

'O'r blydi diwadd!' meddai Haydn Palladium.

'Amser mynd adra, Pen,' rhybuddiodd Pepe. 'Neu mi fydd y musus yn dy gontio di.'

'Mae hi'n fistras arna chdi a'r ci,' gwawdiodd Heulwen wedyn.

'Nacdi, tad!' gwadodd Pen Menyn, gan ysgwyd ei ben. 'Dim gwrando arni hi mae Magnum. *Licio* dŵad ataf i mae o. Ac eniwe, mae'r musus yn falch o weld 'y nghefn i.'

'Achos bod dy wymab di mor hyll.'

Aeth Heulwen ar ei chwrcwd o flaen y ci, nes bod ei sgert fer yn codi'n rhychau tyn dros ei chluniau.

'Magnum, ty'd at Anti Heulwen!'

Neidiodd Magnum i'w chôl a llyfu ei hwyneb.

Chwarddodd hithau a'i anwesu â geiriau serch, cyn i'r ddau fynd ati i berfformio un o'u triciau arferol, sef cydudo. Ond buan y diflasodd y ci ar y ddeuawd ac aeth i wichian wrth draed ei feistr.

Gwenodd PM, a chodi Magnum ar stôl uchel. Arllwysodd weddill ei feild i'r plât ffoil y bu'n ei gadw yn ei boced, ac aeth y daeargi ati i lepian.

'Sychad sant ar y cradur. A fynta wedi dŵad yr holl ffor' o Sgubs i nôl ei fistar,' meddai Heulwen, gan osod ei hewinedd hirion y tu ôl i glustiau'r ci a'i fwytho'n ffyrnig.

'Gad lonydd iddo fo yfad, Heuls.'

Ond roedd bachau Heulwen wedi gwneud darganfyddiad.

'Mae Magnum yn cario drygs!'

Ac wedi iddi hawlio sylw pawb yn y bar, tynnodd fag plastig oddi ar goler y ci, a'i ddal i fyny fel y gallai pawb weld y ddwy bilsen las yn ei waelod.

'Cariwr ydi o!'

'Fatha Schnorrbitz ers talwm,' ategodd Haydn. 'Cofio? Cario brandi i bobol mewn avalanches. Fo a Bernie Winters.'

Ond roedd Heulwen wedi mynd yn rhy bell, a'r Pen Menyn wedi ei gythruddo.

'Fi bia'r rheina,' meddai, gan fachu'r pils oddi ar Heulwen, rhwygo'r bag yn agored a thaflu'r tabledi i'w geg, gan eu golchi i lawr â chwrw Magnum.

'Amphetamines, ia, Pen? Isio mynd i refio i Roc Sant heno?'

Ysgydwodd yntau ei ben, gan yrru chwa o arogl hen farjarîn i'r aer o'i gwmpas.

'Ffisig fi.'

'Pam, be sy'n bod arn'ti?' holodd Pepe.

Edrychodd Pen Menyn ar ei ffrindiau o gwmpas y bar. Edrychodd pawb arno yntau. Lledodd tawelwch disgwylgar trwy'r seiat.

'Asu, deud be sy'n bod, PM,' meddai Pepe yn y man. 'I chdi gael blydi cydymdeimlad.'

'Dydw i ddim yn cofio, nacdw.'

'Be ti'n feddwl, ddim yn cofio?'

'Dwi'm yn cofio be ddeudodd y doctor!'

Syllodd PM i mewn i'w wydr.

'Dydi'r lembo yma ddim yn cofio be sy matar arno fo!' gwawdiodd Heulwen, gan hawlio sylw rhyw yfwyr yn y gornel.

Daliodd Pen Menyn i geisio cofio beth oedd yn bod arno.

'Rhywbath i neud efo 'nghalon i. Dwi ddim yn cofio'r gair... rhywbath fatha *calon giami*. Ond dim hynna, chwaith.'

'Fasa doctor byth yn deud *calon giami*, lembo,' rhoddodd Phil Golff ei big i mewn. 'Enw Saesnag fasa doctor wedi'i ddeud.'

'Dicky heart?' awgrymodd Haydn Palladium.

Ond na, doedd PM ddim yn meddwl mai hynny oedd y gair chwaith. Dim ond wedi sawl awgrym seithug arall gan Haydn y goleuodd wyneb y Pen wrth iddo gofio, ac meddai'n betrus:

'Vagina?'

Ffrwydrodd y chwerthin yn uwch nag erioed, ac yn sgil y miri dechreuodd Magnum gyfarth.

'*Angina* mae o'n feddwl, siŵr Dduw,' meddai Pepe'n garedicach na'r lleill.

'Ond dyna be ddeudish i!' mynnodd PM. 'Be ydi angina beth bynnag?'

'Calon giami!'

'Ond dyna be ddeudish i yn y lle cynta!' meddai Pen Menyn wedyn, a golwg wedi drysu'n llwyr arno.

Denwyd Babs Inc o'r lounge i'r bar gan y cythrwfl, a daeth atom dan gario pentwr o'r *Llais*, gan fynd ati i ddosbarthu'r papur ymhlith y selogion:

'Dowch i ddarllan eich horosgops!' galwodd, gan daflu copïau o'r papur ar bob bwrdd fel heuwr yn hau ei had. 'I weld be sy o'ch blaena chi o fory ymlaen. Cofiwch ei bod hi'n flwyddyn *naid*. Ynde, Heulwen?'

'Mae bob blwyddyn yn flwyddyn naid i fi, Babs.'

A chyn i minnau allu sleifio oddi yno, daliodd Babs fi gerfydd fy ysgwydd.

'Aquarius wyt ti, ynde, Jam? Yn ôl Mystic Mona, mae 'na wisgi mawr yn aros amdanat ti ar ein bwr' ni yn y lounge. Ac mi fyddi di'n falch o glywad bod Almut wedi cyrraedd i godi calon Alun Stalin.'

Doedd waeth mynd am un siortyn bach olaf, mae'n siŵr, yn enwedig gan fod hwnnw am ddim. A phrun bynnag, roedd fy nghôt – yr anorac a gefais yn anrheg Nadolig gan Miriam – yn dal ar fy nghadair. Ac roeddwn eisiau dymuno blwyddyn newydd well i Almut, cyn iddi fynd i Berlin i weld ei mam.

Chwarae teg i Babs, roedd cryn sglein ar rifyn arbennig y *Llais*, a'r ddalen flaen yn datgan bod 2008 yn mynd i fod yn 'flwyddyn euraid' yn hanes Caersaint. Rhestrwyd yr holl welliannau trefol oedd yn yr arfaeth: pedestrianeiddio'r Maes Glas, datblygu'r amgueddfa Rufeinig, codi'r llys barn ar safle hen Ysgol Mabsant Bach, gorffen adnewyddu festri Feed My Lambs efo pres y Loteri, codi fflatiau newydd yn lle hen westy Gwêl Fenai ac wrth gwrs, cwblhau Phase 1 a pharatoi'r ffordd – yn fwy na thebyg – at Phase 2. Neu'r carchar...

Gwenais ar Almut, gwenodd hi'n ôl, ac yn sydyn roedd pethau'n edrych yn fwy addawol. Roeddwn ar fin dweud rhywbeth sychlyd wrthi am y 'gwelliannau' hyn, pan ddaeth Babs yn ei hôl, cipio'r papur o'm llaw, a'i agor ar led:

'Yn y canol mae'r horosgops. Dyna be dan ni angan heno!'

Doedd dyfodiad Almut ddim wedi llonni fawr ar Alun.

'Hen lol ydi horosgop,' grwgnachodd. 'Dim byd ond crefydd y digrefydd.'

'Na, na, Alun bach,' meddai Babs yn ei llais mwyaf melys. 'Mae'r horosgop yma'n deud y gwir. Fi sgwennodd o, wedi'r cwbwl.'

Rhoddodd fy wisgi innau yn fy llaw a'm cymell i yfed, cyn fy nhynnu i lawr at fy sedd. Yna galwodd ar Rhiannon – a ymddangosodd ar ei hunion – i glirio'r gwydrau gwag oddi ar y bwrdd, ac aeth ati i agor tudalennau canol y papur. Tynnodd ei hewin cochddu ar draws y golofn hir ar ochr chwith y ddalen, gan ddod i stop wrth symbol dynes fronnoeth a chanddi wallt hir a ffiol yn ei llaw.

'Dyma ni,' gwenodd. 'Aquarius. Run fath â... Paul Newman ac Elvis Presley. Dau bishyn arall.'

Trodd Babs at Alun ac Almut i egluro:

'Cariwrs dŵr. Pobol sy'n licio helpu eraill. Pobol ddyngarol.'

'Elvis Presley?' holodd Almut.

Ond erbyn hynny roedd Babs wedi dechrau darllen yn uchel:

'Byddwch yn dod ar draws rhywun pryd tywyll a fydd yn newid cwrs eich bywyd.'

Yfais y wisgi, a cheisio peidio â gwrando arni. Ac eto – ar fy ngwaethaf – aeth y geiriau dan fy nghroen a rhuthrodd cyfres o bosibiliadau hurt trwy fy mhen. Rhywun pryd tywyll? Fy nhad? Fy mam? Arfonia, hyd yn oed...?

'Rhywun pryd tywyll?' atseiniodd Babs y geiriau, ac aeth hithau ati i wneud sioe o bendroni. 'Dwi'n gwbod! Chdi dy hun ydi o! Dod ar draws chdi dy hun fyddi di!'

Chwarddodd, ac ailddechrau darllen:

'Byddwch yn dod i *chwarae* rhan *flaenllaw* ym mywyd *eich cymuned…*'

Darllenai'n araf ac uchel gan bwysleisio ambell air yn ddramatig.

'Ond cofiwch gymryd *pwyll*. Bydd *rhywun*, neu *rywbeth*, o'ch *gorffennol* yn dod yn *ôl* i mewn i'ch bywyd…'

'O, taw!' cwynodd Alun, gan rwygo mat cwrw arall yn ddarnau. 'Gadwch i ni sôn am rywbath callach!'

'Aros funud,' cododd Babs y papur oddi ar y bwrdd, a chreu llen ar draws wyneb blin Alun. 'Mi lici di hyn, Almut. Mae 'na horosgop i Gaersaint ei hun yn y canol. Pisces, wrth gwrs. Chwefror 29.'

'Dydyn ni ddim angen horosgop i weld beth sydd o'n blaenau ni yn y dre 'ma,' ochneidiodd Almut.

Rhy hwyr. Roedd Babs eisoes wedi dechrau darllen:

'Annwyl Gaersaint, bydd hon yn flwyddyn o ddatblygiadau *tyngedfennol* i ti…'

'Chdi a chditha ydi hi rŵan?' meddai llais Alun yn sychlyd o'r tu ôl i'r papur.

'Does 'na neb yn deud *chi* wrth Gaersaint, siŵr,' meddai Babs. 'Ond gwrandwch. Bydd yn gyfnod o gyffro a newid…'

'Be gythral ydi'r pwynt sgwennu horosgop ar gyfer tre?' torrodd Alun ar ei thraws eto. 'Fedar Caersaint ei hun ddim darllan!'

Rhoddodd Babs y papur i lawr.

'Mi fedar ei phobol hi. Rhai ohonyn nhw, beth bynnag,' cododd y papur eto. 'Bydd *brwydr fawr* waedlyd rhwng *dau arweinydd*. Ond annwyl Gaersaint, ti dy hun biau'r dewis. Ti, a'r saint!'

'Pwy ydi'r ddau arweinydd sy gen ti mewn golwg, Barbara?' holodd Almut. 'Med ydi un, mae'n amlwg...'

'Mi gawn ni weld, cawn? Braenaru'r tir ti'n galw'r peth,' gostyngodd Babs y papur, gan edrych yn fodlon â'i chlyfrwch ei hun. 'Self-fulfilling prophecy.'

'Plannu syniadau ym mhen pobol?' holodd Almut.

Penderfynais innau roi fy mhig i mewn.

'Enjinîrio ydi hynna.'

'Enjinîrio...' gwatwarodd Alun fy llais. 'Dyna i chdi Gymraeg! Be fasa Miss Bugbird yn ei ddeud?'

'Fedra i ddim meddwl am y gair Cymraeg.'

Trawodd Babs ei bys ar y bwrdd.

'Yn union. Achos bod o ddim yn bod,' meddai. 'Achos nad ydan ni – y Cymry, a'r saint yn enwedig – erioed wedi... *enjin-irio* dim byd. Mi ddylat ti, o bawb, ddallt hynny, Alun bach, a chditha'n Farcsydd. Dydi'r saint erioed wedi cael unrhyw bŵer. Dim ond dioddef pŵer pobol eraill drostyn nhw.'

Ond doeddwn innau ddim yn ffŵl, ac roedd y wisgi wedi fy ngwneud yn ffraegar.

'Be o'n i'n drio'i ddeud oedd na fedrwch chi ddim creu newyddion, Babs. Efo geiria. Allan o ddim byd.'

'Mae'n rhaid inni gael newyddion o rywla, Jaman bach,' meddai hithau'n ffugddiniwed. 'Ti'n meddwl bod hanas nain yn cadw heroin yn ei nicyrs yn ddigon i gynnal papur newydd? Mae Caersaint ei hun angan newyddion. Os na fydd 'na rywbath gwerth chweil yn digwydd yma cyn hir...'

'... mi fyddwn wedi diflasu i farwolaeth,' gorffennodd Alun ei brawddeg.

'Rhoi hwb i betha'n eu blaen ydw i,' meddai Babs wedyn.

Ond doedd Almut ddim yn barod i dderbyn diniweidrwydd honedig Babs.

'Chwarae Duw gyda Chaersaint wyt ti, Barbara!'

'Duwies,' meddai Babs, i dynnu blewyn o drwyn y ffeminydd.

Yna, chwifiodd ei braich yn sydyn, ac archebu pedwar wisgi arall inni.

'Mae hwn yn gyfnod o newid yn y dre 'ma,' gwyrodd tuag atom fel petai'n datgelu cyfrinach. 'Mae'n bwysig bod y saint yn cael eu tynnu i mewn. Neu mi fydd y dyfodol yn cael ei dynnu o'u dwylo nhw.'

'Ond dydi o erioed wedi bod *yn* eu dwylo nhw,' meddai Almut.

'Dach chi newydd ddeud hynny eich hun,' meddwn innau.

Gwenodd Babs, a phwyso'n ôl yn ei sedd, ac yn araf a bwriadus trodd i hoelio'i llygaid peintiedig arnaf i.

'Dyna pam mae hi'n amsar i rywun sefyll yn erbyn Med Medra!'

Yna, wrth i Rhiannon ein cyrraedd a dosbarthu'r pedwar tymblar a oedd bron yn hanner llawn o wisgi, rhoddodd Babs binsiad caled i'm boch, a dweud yn felys, felys:

'A fedra i ddim meddwl am neb gwell i neud hynny na chdi, Jaman Jones.'

31

'HWN?' TAGODD ALUN. 'Fasa hyd yn oed y saint ddim mor hurt â fotio dros hwn.'

Cododd ei fys melyn i'm condemnio, ond caeodd Babs Inc ei dwrn am y bys, a thynnu llaw Alun i lawr at y wisgi.

'Mi faswn i'n neud, boi bach.'

Roedd ei llais yn llawn perswâd.

'A finnau,' ategodd Alinut.

Edrychodd y ddwy yn anghysurus ar ei gilydd, heb fod yn gwbl hapus eu bod yn gytûn. Rhythodd Alun o'r naill i'r llall.

'Ond does gynno fo ddim obadeia be ydi maer etholedig! Mae'r plebs yn y bar acw'n gwbod mwy na fo. Ac yn cymyd mwy o ddiddordab, Duw a'n helpo ni.'

Ar fin ateb drosof fy hun oeddwn i, pan dorrodd Babs ar fy nhraws.

'Mae'r hogyn yn gwbod yn iawn mai un o ddeddfa awdurdoda lleol Llafur Newydd sy tu ôl i'r peth. Twyt, washi? Ac mai'r bwriad ydi ethol maer i arwain polisïa ar addysg, gwaith, trafnidiaeth gyhoeddus, yr amgylchedd a'r economi leol, ynde, Jam?'

Gosododd flaen ei bawd ar fy ngên, a siglo fy mhen i fyny ac i lawr. Ond doedd Alun ddim yn gwenu. Cuchiodd eto, a'i fys staenedig yn mynnu codi.

'Sbïwch arno fo. Dydi o ddim yn gwrando rŵan. Dim ond sbio ar din yr hogan 'na sy newydd fynd â'r gwydra o'ma.'

Roedd agwedd sarhaus Alun yn mynd ar fy nerfau.

'Dwi isio rhoi stop ar Medwyn, gymaint â neb ohonach chi,' meddwn yn bwysig.

'Dach chi'n gweld?' torrodd Alun ar fy nhraws. 'Personol ydi'r cwbwl. Does gynno fo ddim affliw o ddiddordab mewn gwleidyddiaeth. O unrhyw fath. Dim politics. Nac economics. Nac unrhyw – ics arall.'

'Heblaw jin a tonics,' meddai Babs yn wamal, gan wincio arnaf fel petaem yn deall ein gilydd i'r dim.

'Fo na neb arall o'i genhedlaeth,' daliodd Alun ati i bregethu. 'Dan ni wedi magu ton o eunychiaid gwleidyddol.'

'Ton o be?'

'Rhywun heb fôls sy ddim cweit yn ddynas,' eglurodd Babs.

Dechreuodd Almut gwyno am ieithwedd Babs, ond yn y cyfamser roedd honno wedi troi at Alun a dweud:

'Ti 'di taro'r hoelan ar ei phen, Al.'

Gwenodd arno, fel petaen nhwthau bellach yn deall ei gilydd i'r dim. Ond roedd tro cynnil yng nghil ei gwefus.

'Ond be wyt ti heb ei sylweddoli, Alun bach, ydi mai ei naïfrwydd gwleidyddol o sydd o blaid yr hogyn.'

Taflodd Babs ei phen tuag yn ôl, gan yfed y wisgi ar ei ben. A thrwy'r tân yn ei gwddw, treiddiodd ei thruth yn huawdl, a'i phwyslais ar eiriau allweddol, bron fel petai wedi bod yn ymarfer:

'Rôl bwysica maer etholedig ydi bod yn *bersonoliaeth*. Rhywun neith ennyn diddordab y bobol leol yn eu tre nhw'u hunain. Rhywun sy'n cael ei weld yn *siarad ar ran* y bobol, ac nid *siarad drostyn nhw*. Cymeriada sy'n mynd i apelio at y bobol. Brith, hyd yn oed. Dyna be sydd ei angan. Dim rhyw robocops gwleidyddol.'

Gwyrodd yn ei blaen.

'A dyna lle fasa rhywun fel Jaman Jones yn ddelfrydol ar gyfar y swydd. Rhywun fedar neud i'w syniada apelio.'

'Ond does gynno fo ddim blincin syniada!'

'Dydi hynny erioed wedi stopio cynghorwyr Caersaint,' meddai Almut.

'Outsider dan ni ei angan,' aeth Babs yn ei blaen. 'Phleidleisith y saint byth dros sant arall. Fasan nhw ddim yn ei drystio fo...'

'Neu hi,' bachodd Almut.

'... mwy na maen nhw'n trystio'u hunain. Dim ond Med sydd ar ôl. Achos mae o wedi prynu pawb arall. Trwy brynu'r cynghorwyr i gyd y llwyddodd o i osgoi refferendwm ar gael maer yn y lle cynta. Mae partneriaid, perthnasa a'r pleidia i gyd yn ei bocad o.'

Trodd ataf.

'Ond tydi Jaman 'ma ddim yn bartnar i neb. Neb penodol, beth bynnag,' winciodd. 'Nac yn perthyn i neb,' broliodd, fel petai pob diffyg yn gryfder. 'Nac yn aelod o blaid. Dydi o ddim yn sant...'

'Nacdi, myn cythral!' meddai Alun. 'Ddim o bell ffordd.'

'Ond dydi o ddim yn ddiarth chwaith. Nag wyt, babi? Ddim i Anti Babs, beth bynnag.'

'Pa ddyn yng Nghaersaint sydd?'

Ac wedi'r saeth honno aeth Alun yn ei flaen:

'Mae'r syniad yn wallgo. Dach chi'n honni o ddifri calon mai lembo dibrofiad fel hwn ydi'r dyn i sefyll yn y bwlch?'

'Pwy sy'n dweud bod angen dyn?'

'Taw, Almut,' hysiodd Babs. 'Dan ni i gyd yn gwybod mai merchaid sy'n rheoli go iawn...'

'... A hynny mewn ymgyrch dyngedfennol fatha hon,' aeth Alun yn ei flaen. 'Lle mae dyfodol ein tre ni yn y fantol?'

Cerddodd Rhiannon heibio dan gario twr o wydrau gwag, a galwodd Babs am rownd o wisgis eto fyth. Yna trodd at Alun, a dechrau troi tu min:

'Pwy arall sy 'na ond hwn, Alun Stalin? Wheelchair socialist fatha chdi? Ta lesbian efo traed mawr a footprint bach fath ag Almut?'

A chyn i neb ddweud dim yn ôl, daliodd Babs ati:

'A ga i siarad fel rhywun sy'n dallt rhywbath am gysylltiada cyhoeddus? Mae gen *hwn*, coeliwch chi neu beidio, obaith reit dda o ennill calonnau a meddyliau'r saint.'

Aeth ati i ewinrifo fy rhinweddau:

'Mae o'n bishyn. Mae o'n ifanc. Mae o'n swyno pob dynas rhwng deuddag a chant a deuddag. Mae gynno fo sex appeal. Mae merchaid ifanc isio'i fabi fo...'

'Mae'r ieithwedd hetero-macho yma'n troi arnaf!' ebychodd Almut.

'... A merchaid canol oed isio'i fabïo fo. Ond mae o'n medru bod yn un o'r hogia hefyd. Ac yn medru deud ei ddeud cystal â neb ohonan ni pan fydd o isio.'

'Pan fydd y diawl bach yn ddigon chwil!'

'Mae ei Gymraeg o'n dda,' daliodd Babs ati (ac roedd rhaid i minnau gyfaddef fod y brolio yn dechrau fy moddhau). 'Ar y cyfan. A rhywla yn y dyfnderoedd mae gen yr hogyn frên.'

'A dim syniada.'

'Yn union!' gwenodd Babs.

'Yn union!' gwgodd Alun.

Trodd pawb ataf. Ond yn lle f'amddiffyn fy hun, dechreuais gwyno'n glwyfedig:

'Dach chi'n meindio peidio sôn amdana i...'

'Mi fasa'n blesar,' brathodd Alun.

'... fatha taswn i'n neb ond rhyw *fo* anweledig?'

'Rêl hen dduw bach, twyt?'

Ond roedd golwg fyfyriol ar Almut, ac meddai'n ddwys wrth ei chyfaill:

'Alun, mae'n werth meddwl am yr hyn mae Barbara yn ei ddweud. Cofia fod yr etholiad yn digwydd ddiwedd mis Chwefror. Mae amser yn brin.'

'Ia, Chwefror y nawfad ar hugian. Lle arall ond Caersaint fasa'n cael diwrnod nawddsant bob pedair blynadd?'

'Hwn fydd ein cyfle olaf ni!' dadleuodd Almut, a golwg wyllt yn ei llygaid, fel y digwyddai weithiau. 'Os daw dyn ifanc uchelgeisiol a phenderfynol fel Med Medra'n faer, does wybod faint o ddrwg parhaol wnaiff o dros y blynyddoedd nesaf.'

Roedd Babs wrth ei bodd. Ond meddai'n ffugwylaidd:

'Mae Almut yn iawn. Mae'n bryd inni fod yn fwy realistig, Alun. Be dwi'n ei gynnig ydi ymgyrch yn erbyn Med Medra, efo Jaman yn wynab, chdi ac Almut yn frêns...'

'A chditha, Babs?' poerodd Alun.

'A finna...' meddai Babs dan wenu'n llydan, '... yn geg! Meddyliwch chi dros y peth dros y dyddia nesa. Dydi'r enwebiada ddim i fod i mewn tan ddiwadd mis Ionawr.'

Edrychodd y ddau arni'n syn. Ceisiais innau ddweud fy nweud am yr eildro:

'A pryd dwi'n cael deud fy marn? Dach chi 'di gneud dim byd ond siarad rowndaf i ers hannar awr. Pwy ddeudodd 'mod i isio sefyll yn erbyn Med Medra?'

'Siŵr iawn, Jaman bach,' meddai Babs, gan godi ei llaw chwith a llyfnhau fy ngwallt, fel yr oedd Heulwen wedi esmwytho corun Magnum ryw hanner awr ynghynt. 'Siŵr iawn ein bod ni'n siarad rowndat ti. Chdi ydi'r canolbwynt. Chdi ydi'r echal.'

Trodd ei bys yn ei unfan i gyfleu olwyn yn troi. Yna daeth

â bys bach ei llaw arall ato, gan siglo'r ddau'n gynrhonllyd.

'Chdi a Med Medra. Dafydd a Goliath. Culhwch ac Ysbaddaden. Y crwban a'r sgwarnog…'

Dododd ei phen ar osgo a melysu'i llais.

'Mae'n amsar i rywun ddysgu gwers iddo fo, tydi? Achos dydi o'n gneud dim byd ond twyllo. Twyllo'r saint. Twyllo'i hogyn bach. Twyllo'i wraig…'

Edrychodd arnaf yn awgrymog.

'Chdi a neb arall fedar ei herio fo. A Chaersaint i gyd y tu ôl i chdi.'

Tra ceisiwn innau chwilio trwy niwl fy meddwl am rywbeth i'w ddweud yn ôl, cododd Babs ar ei thraed a mynd at y jiwcbocs, ac o fewn ychydig eiliadau llanwyd y dafarn gan lais Dafydd Iwan yn canu 'Yma o Hyd'.

Yna daeth y cwynion – yn gymysg â chydganu – o gyfeiriad y bar:

'Yma o hyd. Ti'n deutha fi.'

'*O'ma* o hyd faswn i'n licio bod, myn uffar.'

'Taw â dy udo, Haydn Palladium, ti allan o diwn.'

Cododd y rhyfelgan yn grescendo at y gytgan.

Ryn ni Yma o Hyd!

A thra oedd yfwyr y lounge yn myfyrio dros y geiriau herfeiddiol, chwalodd y gân yn ffiwg ddisgordaidd draw yn y bar wrth i Haydn Palladium a Heulwen Hŵr gamganu'r geiriau, Pepe eu cywiro, Phil Golff eu rhegi, a Magnum a PM gydgyfarth ar eu traws.

'Mae'r gwrthryfal pwysica yng Nghaersaint ers dyddia Owain Glyndŵr ar fin dechra!' cododd Babs hithau ei llais wrth i'r gân dynnu tua'i therfyn. 'Rhiannon, ty'd yn dy flaen efo'r rownd nesa! Mae'n amsar dathlu!'

'Ti'n medru sbinio fel cythral, Babs Inc,' meddai Alun yn y distawrwydd a ddilynodd.

'Ydw, tydw, Alun bach?' meddai Babs, a sbinio'i chorff ei hun cyn eistedd eto, nes bod y sequins duon yn ei ffrog yn ein dallu, bron.

'Rhowch chi'ch syniada i fi, ac mi sbinia inna nhw. Mi fyddwn ni i gyd ar ein hennill. Y saint yn fwy na neb, Almut – a dyna ydan ni isio. Ewch chi ati o ddifri, ac mi fydda i a 'mhapur a 'ngwasg ar gael i chi. Am ddim. Bob cam o'r ffordd.'

Daeth Rhiannon â'n wisgis inni, a chilio heb edrych arnaf, â phapur decpunt yn ei llaw. A chyn i mi allu codi i'w chanlyn roedd Babs wedi rhoi ei braich yn dynn o gwmpas fy ngwddw, ac yn dweud yn erfyniol ddwys wrth y ddau arall:

'Jaman ydi'r unig obaith. Yn yr amsar sy'n weddill. Efo'ch theoria chi, ei wynab o, a 'ngysylltiada fi, mi fyddwn ni'n dîm champion. Meddyliwch chi dros y peth.' Rhoddodd wth i'r pedwar gwydr i'r de, gogledd, gorllewin a dwyrain ar draws y bwrdd tuag atom.

'Ac mi ddown ni at ein gilydd ymhen rhyw wsnos neu ddwy i dratod ymhellach. Pan fydda i'n ôl. Iawn? Yn y cyfamsar, ga i gynnig llwncdestun? I'r mab darogan ar ddechrau blwyddyn newydd!'

Almut oedd y gyntaf i godi ei wisgi at ei cheg, a rhyw olwg orfoleddus feddw yn ei llygaid fel petai'n fy ngweld o'r newydd. Chwarddodd Alun, ysgwyd ei ben a gwyro at ei wydr. Yfodd Babs ei wisgi ar un gwynt.

A be wnes innau? Troi i sbio tua goleuadau'r peiriant gamblo, a cheisio cofio sut yn union yr oedd y sgwrs wedi mynd i'r fath gyfeiriad.

Ond roedd y cwrw a'r wisgi wedi cymylu fy meddwl. Oherwydd mwyaf sydyn, doedd meddwl amdanaf fy hun yn faer ddim mor chwerthinllyd â hynny. Wedi'r cwbl, roedd rhaid i *rywun* ddysgu gwers i Med Medra. A beth oedd o'i le efo gwneud y rhywun hwnnw'n neb?

Rhaid bod meddwl Alun wedi dilyn yr un trywydd. Yn y pellter gwrandewais ar ei lais yn myngial rhyngddo a fo'i hun:

'Marcsydd anabal. Lesbian Jyrman. Hannar Mwslim. A sex maniac sy'n byta dynion. Dim ond yng Nghaersaint y basa peth felly'n medru gweithio!'

32

Hitiodd yr oerfel fi'n galed, a hyd yn oed wrth
groesi'r trothwy roeddwn yn difaru gadael. Ond
roeddwn wedi bod yn y Mona'n rhy hir fel yr oedd hi, a
finnau'n hwyr yn mynd tua Thremfryn i dreulio oriau olaf
y flwyddyn.

Teimlais ryw ddiflastod wrth feddwl am wneud hynny.
Byddai Trefor yn siŵr o sôn am y gwaith oedd angen ei
wneud ar Arvon Villa, a Miriam yn mynnu pigo a phigo yn
hanes babi cudd Arfonia…

Roedd y Fenai'n dywyll erbyn hyn, ac olion y machlud
lliwgar wedi hen ddiflannu. Ymbalfalais yn fy mhoced i
sicrhau bod hanes yr Indefatigable yn saff, cyn troi o dan y
porth a dringo grisiau'r hen lys barn, gan gofleidio'r pileri fel
y gwnawn pan oeddwn yn blentyn. Uwch fy mhen, ar ben
portico'r llys, roedd duwies ddall Cyfiawnder, a'i chlorian
yn llonydd er gwaethaf gwynt yr Iwerydd a chwythai trwy'r
Gap.

Ymhellach ymlaen, y tu allan i'r swyddfa dwristiaeth, safai
Pen Menyn yn pwyso yn erbyn y wal a'i law ar ei frest.

'Dach chi'n iawn, Pen?'

'Blydi mwngral gwirion.'

Sôn am Magnum oedd o, a chiciodd yr aer lle dylai'r
daeargi fod.

'Y blydi ci 'na sy'n mynd yn rhy ffast. Mynd o 'mlaen i.
Fo sy'n gneud 'y nghalon i'n giami.'

Cynigiais ei helpu. Ond yn lle ateb, camodd yr hen ŵr
yn ei flaen, gan lusgo'i gorff heibio i dafarn y Pen Deitsh.

Gwyliais o'n ymbellhau ar draws y Maes Glas, ac yn diflannu y tu hwnt i'r goeden Nadolig, i ganlyn ei gi, yn ôl adref at ei wraig.

Croesais innau'r Maes, a goleuadau'r goeden sbriws yn niwlogi wrth i mi godi 'ngolygon tuag ati. Edrychais ar gloc Swyddfa'r Post. Roedd wedi troi naw o'r gloch. Tair awr i fynd nes cawn ddianc o Tremfryn i'm tŷ fy hun, neu efallai yn ôl i lawr i'r dref i chwilio am Rhiannon, neu bwy bynnag arall fyddai ar gael...

Roedd geiriau Babs yn y Mona'n dod yn ôl i mi wrth i mi groesi pont Brynhill, a'r syniad o herio Med Medra yn fy mhlesio fwyfwy. Tybed lle'r oedd hwnnw heno? Nid efo'i wraig a'i fab, siawns...

Cefais gadarnhad yn gynt na'r disgwyl. Newydd droi o Orllewin i Ddwyrain Brynhill yr oeddwn, a rhyw awydd mynd i weld Tonwen wedi dechrau fy mhigo, pan ddaeth Trefor tuag ataf a golwg wyllt arno.

'Lle ti 'di bod?'

Edrychais arno, cyn paratoi i amddiffyn fy hawl i fynd am beint neu ddau i'r Mona ar ddiwedd blwyddyn, a mynnu mai traddodiad...

'Cnocio ar dy ddrws *di* oedd hi,' aeth yn ei flaen, gan daflu ei fawd dros ei ysgwydd i gyfeiriad ein rhes ni. 'Mi aeth Miriam i weld be oedd y twrw, a gweld y gryduras bach a golwg be-na'i arni, a honno'n deud bod y babi wedi dechra dŵad. O flaen ei amser. A bod neb yn y tŷ efo hi ond y bychan. Meddylia! Dibynnu arna chdi, o bawb...'

Ceisiais wneud pen o'i sgwrs. Roedd arogl wisgi yn drwm arno yntau.

'Mae Mir yno, a'r paramedics ar eu ffor'!' meddai wedyn, gan bwyntio at y Plas y tu cefn iddo.

Llamodd fy nghalon. Roedd Trefor yntau'n gyffro i gyd.

'Sôn am Tonwen ydach chi?'

'Pwy arall? Mi o'n i 'di yfad gormod i fynd â hi i'r rosbitol. A doedd 'na'm gobaith cael tacsi heno...'

Gwthiais heibio iddo tua'r Plas, ond cydiodd Trefor yn llawes fy anorac a'm tynnu'n galed yn ôl.

'Dos i chwilio amdano *fo!*'

'Pwy?'

'Ei gŵr hi! Begian amdano fo mae hi. Doedd o ddim yn atab ei ffôn. Mae o yn y Shamleek i fod.'

Rhythais ar Trefor.

'Dach chi isio i fi fynd i chwilio am Med Medra?'

'Ydw, siŵr Dduw!'

Daliais i syllu arno, a'r holl sgwrs yn y Mona yn gybolfa flêr yn fy mhen.

'Ac mi a' inna at y bychan, mae o'n bownd o ddeffro,' dechreuodd Trefor droi yn ei unfan. 'Achos mi fydd 'na sgrechfeydd fel lladd mochyn yn dŵad o'r Plas cyn bo hir, garantîd.'

A chyn i mi gael cyfle i brotestio, roedd wedi troi ei gefn, ac yn camu at giât y Plas. Yna codais fy mhen a gweld golau wedi'i gynnau i fyny'r grisiau yn y tŷ gwyn. Aeth ias drosof. Ond nid am Tonwen y meddyliais yr eiliad honno, ond am Arfonia'n geni ei babi hi ddegawdau ynghynt, a mam Miriam yn fydwraig funud olaf iddi...

Ffyrnigais yn sydyn. Dim ond un dewis oedd gen i. A chyda rhyw gynnwrf rhyfedd yn fy ngyrru ar drywydd y tad absennol, trois i lawr at Orllewin Brynhill eto, a chroesi'r ail bont dros y ffordd osgoi. Erbyn cyrraedd cefnau gwesty'r Royal Shamleek roeddwn wedi dod i benderfyniad, sef y byddwn, pan dorrai'r wawr ar y flwyddyn newydd, yn cadw f'adduned, ac yn dechrau'r gwaith o herio Med Medra yng ngŵydd Caersaint a'r byd.

33

Y N YNYSOEDD GWYN mewn môr coch, araf y sychai'r
plastar ar waliau isaf Arvon Villa. Roedd Trefor wedi
llenwi'r ceudod yn y seiliau â defnydd gwrth leithder, ac
yn fuan ar ddechrau llaith y flwyddyn daeth un o'i fêts i roi
sgim ar yr hen wyneb. Ond mewn ystafell ddiffenest, bu'r
plastar newydd yn hir yn sychu, ac roedd y ddau ohonom yn
dechrau anobeithio. Roedd gofyn ymyrryd. Canfu Trefor
ateb ar ffurf gwresogydd trydan.

'Dipyn bach yn swnllyd ydi o,' meddai, wrth inni wrando
ar rygnu blinedig y ffan. 'Hen un Alabeina. Ond mi sychith
yr aer yn gynt, a chditha heb wres yn y tŷ 'ma.'

Rhwbiodd gledrau ei ddwylo i lawr blaen ei ofarôl.

'Dy joban di wedyn fydd rhoi côt o baent ar y waliau
a'r sgertins. Wedyn mi rown ni'r laminate ar y llawr. Er,
carpad faswn i'n ddewis 'yn hun. Mwy clyd yn erbyn craig
oer. Ond mae 'ngwaed i'n deneuach. A'r wraig wedi stopio
cnesu 'nhraed i.'

Fy nymuniad i, yn wreiddiol, oedd crafu'r hen estyll yn
lân, yn hytrach na gosod haen o bren smal ar ben y pren go
iawn. Ond wfftio'r syniad a wnaeth Trefor:

'Mae'r hen bren yn dylla i gyd, boi bach. Fatha trwyn
teenager,' brasgamodd hyd yr estyll a chyfeirio at drywyddau
creithiog y llawr. 'Ac yn waeth na hynny pitsh pein ydi'r
hen goedyn. Ond mae 'na batshys o goedyn newydd, gola
yn ei ganol o. Mi fasat isio staen tywyll ar y diawl i gael y
ddau i flendio.'

'Ond mi fasa hynny'n dangos hanas y llawr.'

'Hanas?' wfftiodd. 'Isio byw ar hwn wyt ti, mêt, dim ei stydio fo. Reit,' edrychodd ar y bwlch lle bu'r gegin. 'Mi gei di ddisgwl am gegin tan sêls Pasg B&Q, ac ella bydd gin ti ddynas gall erbyn hynny. Yn ennill cyflog, hyd yn oed. Yn y cyfamsar mi roith Miriam fwyd yn dy fol di, ac mi 'na inna be fedra i efo'r tŷ.'

'Diolch i chi.'

'Duw, taw, ti fatha cytgan.'

'Fedra i byth dalu'n ôl i chi am hyn i gyd.'

Edrychodd arnaf dros ei sbectol.

'Ffeindia job. Ella medri di wedyn.'

Gosododd ei law ar ganllaw newydd y grisiau. Roedd ei fysedd yn frychlyd a blewog yn erbyn y pîn noeth wrth iddo grafu ysgyren o bren.

'Eniwe, mae'n iawn,' meddalodd ei lais. 'Dwi'n falch o gael rhywbath i neud, a finna heb fawr o waith ar ddechra blwyddyn arall. Prin ydi'r jobsys DIY hyd yn oed. Mae pawb wedi gwario'n pres dros Dolig.'

Aeth i boced ei glun a thynnu darn o bapur tywod a'i rwbio'n ffyrnig hyd y pren anwastad.

'A dydi Miriam ddim yn hawdd byw efo hi ar y funud. Gwynab dydd Sul bob dydd o'r wsnos,' arafodd y papur tywod yn raddol. 'Adag yma y cafodd David ei ladd. Y chwechad. Diwrnod tynnu trimins Dolig. Ond chafon ni mo'i gladdu fo tan ganol y mis. Mi gymodd hynny i'w gael o i gyd adra.'

Sychodd ei fawd yn ei ofarôl, gan adael rhimyn llychlyd fel cynffon seren wib. Edrychai fel petai am ddal ati i siarad am David, ond daeth golwg ailfeddwl i'w wyneb.

'Mae'n gaddo tywydd sych heno, felly mi rown ni'r dodran dan y tarpolin yn yr ar', a dechra ar lawr y parlwr a'r rŵm gefn.'

Crymodd ei war wrth gerdded i fyny'r grisiau, rhag taro'i ben ar y nenfwd isel. Gwrandewais ar ei gamau'n atseinio, a chyda rhyw ryddhad, teflais gip olaf ar yr isystafell noeth, cyn diffodd y golau a dilyn Trefor at lawr canol y tŷ.

Roedd o eisoes wrthi'n shifftio'r otoman allan o'r parlwr.

'Mi o'n i'n disgwyl i chdi gael gwarad ar y cwbwl lot,' tuchanodd.

'Petha Arfonia ydyn nhw,' atebais yn ôl. 'Mae 'na hanas iddyn nhw.'

'Chdi a dy hanas.'

'Mi oedd hi'n licio hen betha.'

'Hen ei hun oedd hi, dyna pam.'

Ond doeddwn i ddim am gymryd ganddo – ddim ar ddechrau blwyddyn fel hyn.

'Do'n i ddim yn licio cael gwarad ar betha teuluol,' dadleuais, wrth fynd ati i'w helpu i gario'r otoman allan i'r ardd.

'Ond dim dy deulu di oeddan nhw. Naci?'

A chyda hynny, gosodwyd y celficyn ar yr haen bolythen yr oedd Trefor wedi ei gosod ar y gwair.

Dychwelais innau i'r tŷ, gan fynd i'r afael â'r pwffe Mecsicanaidd. Daeth llais Trefor ar fy ôl. Roedd yntau'n dechrau swnio fel cytgan ei hun.

'Ac eto, peth rhyfadd iddi neud be ddaru hi, ynde? Gadal y tŷ i chdi. A chditha heb fod yn perthyn 'run defnyn o waed iddi. Ti'n meddwl ei bod hi'n trio gneud iawn... wst ti... am gael gwarad â'i babi? Trwy helpu hogyn bach amddifad? Fatha chdi.'

Nid atebais.

'Dwi'n cofio pa mor ypsét oedd hi pan est ti. Yr unig dro i fi weld Miss Bugbird yn crio, a doedd o ddim yn beth neis...'

Cuddiais fy ngwep y tu cefn i'r pwffe, a cherdded allan i'r ardd gan ei ollwng ar ben yr otoman. Daeth chwa o wynt hydrefol i oeri'r gwrid ar fy moch, ond rhaid bod olion rhyw euogrwydd wedi dal ar fy wyneb. Gan gredu mai'r ffordd orau i'm cysuro oedd rhoi 'ffluch' i Arfonia, dywedodd Trefor:

'Eniwe, mi fydd y Cownsil yma pnawn 'ma i fynd â hen wely Miss Bugbird i'r dymp. Lle gora iddo fo. Mae'r gwely 'na fyny grisia yn champion,' meddai wedyn. 'Erioed wedi cael iws. Dwn i ddim pam nad est ti iddo fo'n gynt, yn lle cysgu yn siâp corff Miss Bugbird yn y stafall gefn yna. Fatha tasach chi cich dau wedi'ch claddu yn yr un un bedd...'

'A bod yn onast, Trefor, dydw i ddim yn teimlo'n braf yn mynd i fyny grisia. Dim ar ôl, dach chi'n gwbod, be welson ni cyn Dolig...'

'Papur wal tedi bêrs?'

Ochneidiais.

'Yr hanas y tu ôl iddo fo.'

'Doedd 'na ddim byd y tu ôl iddo fo,' meddai Trefor yn wamal. 'Dim ond fo'i hun. Wedi'i rolio oedd o!'

'Hanas y babi,' torrais ar ei draws yn ddig. 'Yn cael ei eni ar y slei. A'r gwely mawr 'na. A'r tad ddim yn dŵad.'

'Cachwr uffar,' meddai Trefor. 'Y tad, dwi'n feddwl, dim y chdi. Pwy oedd y cythral dan din, tybad?'

Pwysodd yn ôl ar wal y tŷ, yn falch o'r hoe ar ôl cario'r pwysau.

'Ond mae'n rhaid i chditha ddechra byw dy fywyd, washi,' meddai wedyn, gan grafu ei fwstásh. 'Siop Dr Barnardo ydi lle'r tedi bêrs yna, ac mi gei di fynd i Siop Sodra wedyn i brynu tun o baent, ac mi fydd y lle fel newydd! Ac mi brynith Mir a finna fatras newydd i'r hen wely, un memory foam, ac mi gei ditha ffeindio fodan i roid rhywbath i'r fatras i'w gofio. Mae caru efo hogan handi yn well at dy les di na hel diod efo hen hipis ac alcis…'

Edrychais i ffwrdd. Doeddwn i byth wedi sôn am fy mwriad i sefyll yn erbyn Med Medra. Fyddai'r Spicers ddim yn deall.

'Na, na, gwyn dy fyd di, boi bach,' meddai Trefor yn galonogol, gan feddwl mai swil oeddwn i. 'Dyna dwi'n ei ddeud. Mi faswn i'n rhoi rhywbath am fod yn dy le di. Mae'n rhaid i bob hogyn neud digon o viewings cyn rhoid ei ddeposit i lawr. Cofia,' difrifolodd. 'Mi fyddi di'n gwbod yn syth pan ddaw yr un iawn. Mi eith 'na rywbath drwyddat ti. Rhyw deimlad fatha… dŵad adra…'

'Dwi wedi dŵad adra.'

'… ar ôl bod yn Rhyl,' meddai Trefor, gan wenu wrth gofio. 'Mi briododd Mir a fi reit handi. A dim achos bod raid inni, chwaith,' broliodd. 'A dwi'n cofio'n gwely cynta ninna. Hedbord pinc efo botyma ynddo fo, a gwaelod weiran a hwnnw'n gwichian. Os ti'n dallt be sy gin i.'

Cododd ei olygon at ffenest ei lofft ei hun.

'Dan ni mewn gwlâu ar wahân rŵan. Braidd yn gyfyng i dri, toedd? Na, dim David. Anamal y doth y bychan rhyngthan ni, ddim yn y gwely, eniwe.'

Ochneidiodd yn hir.

'Na, ar ôl i David farw yr aeth hi'n gyfyng yn yr hen giando – rhyngtha hi, fi a'r Ysbryd Glân. O beth mor dena, mi fasat ti'n synnu faint o le mae'r uffar yn gymyd.'

Roedd ei drem wedi suddo'n araf wrth iddo siarad, ond ffyrnigodd yn sydyn.

'Rŵan, dwi'n goro gorfadd yn 'y ngwely yn sbio ar draws rhyw lyn cysgod anga ar 'y ngwraig, ac yn cofio pa mor gynnas a meddal oedd hi'n arfar bod. A finna'n arfar codi'i gwallt tywyll hi i fyny at yr hedbord, i gael mynd â nhrwyn yn nes at ei gwddw hi. Wst ti?'

Deffrowyd rhyw gof annelwig ynof o swatio yn erbyn corff fy mam. Gwrandewais o bell ar Trefor yn grwgnach.

'Y cwd Lasarys 'na newidiodd bob dim. Fo ddechreuodd arni hi, ar ôl inni golli David. Deud bod y Forwyn Fair yn dallt yn iawn sut oedd hi'n teimlo, yn gwbod sut beth oedd colli mab. Dyna i chdi uffar o beth i'w ddeud wrth ddynas o gig a gwaed.'

Cododd ei lais yn gri, a throis ato wedi fy synnu.

'A phan ofynnish i iddo fo fasa Duw yn dod am sgwrs efo fi, i sôn sut beth oedd i dad golli mab, doedd gin y bygar ddim atab. "Digon hawdd i'ch blydi Duw chi weld ei fab yn marw," meddwn i wrtho fo. "Achos mi aeth Iesu Grist yn strêt yn ôl ato Fo. Ond sut dach chi'n meddwl oedd Joseff yn teimlo?" Doedd gen y crinc ddim atab i hynna. Doedd y peth erioed wedi croesi meddwl Lasarys bach, a fynta heb blant ei hun. Tad, myn cythral. Mi ddyla Trade Descriptions fynd ar ôl y diawl.'

Trodd tuag at Fryn Afallon ym mhen draw'r stryd, ac ysgwyd ei ddwrn.

'Joseff oedd wedi'i fagu fo, ynde? Y baban Iesu. Wedi mynd allan i weithio efo'i ddwylo i neud yn siŵr bod bwyd yng ngheg y bychan, cig camal, neu beth bynnag oedd gynnyn nhw. Mynd i'r draffarth i basio'i grefft ymlaen iddo fo. Ond chafodd o erioed ddiolch am hynny, chwaith. Fatha tasa gin joinar ddim teimlada. A cyw gog oedd y cythral bach yn y diwadd!'

Yna tawelodd ryw ychydig, a dechrau brathu ei wefus.

'Mi gawn nhw ddeud be lician nhw pa mor grêt ydi'r Arglwydd Dduw. Ond o leia nesh i fagu'n hogyn 'yn hun, a mynd â fo i'r Oval bob dydd Sadwrn i weld ffwtbol, a weithia mor bell ag Anfield.'

Roedd ei araith annisgwyl wedi ei lethu. Cododd hances

at ei ben, a sychu ei dalcen, er bod yr hin yn oer. Ac wrth i mi ystwyrian yn chwithig, gan feddwl troi at y tŷ, ymddiheurodd Trefor:

'Sori, dwi'n pregethu, tydw?'

Amneidiais.

'Dim otsh gin ti i fi ddeud, nacdi?'

Ysgydwais fy mhen.

'Achos fedra i ddim deud wrth Mir, na fedraf? Ac â chditha, ti'n gwbod, bron fathag aelod o'r teulu…'

Edrychais arno. Roedd yn baglu ar draws ei eiriau:

'A ninna'n gwbod hanas ein gilydd…' mwmialodd wedyn.

Gwybod hanes ein gilydd?

'Mi fedra i ddallt pam dach chi'n flin,' meddwn, gan weld bod Trefor yn ysu am gysur. 'Efo Lasarys.'

'Blin? Mi faswn i'n medru mwrdro'r sglyfath. Mi aeth â Mir oddi arna i pan o'n i fwya'i hangan hi. Na, dim hi yn union,' cywirodd ei hun. 'Mae *hi* yn dal yna, yn dal i neud bwyd a golchi dillad, a gwrando arna i'n mynd drwy 'mhetha. Ond mynd â'i thu mewn hi ddaru o. Ei chalon hi. Iesu Grist sy 'di cael honno i gyd ers dwy flynadd.'

Crychodd ei drwyn. Roedd yn llyncu ei ddagrau ei hun.

'Mi ddyla hi a fi fod yn cysuro'n gilydd. Ond mae'r blydi capal Pab 'na wedi dŵad rhyngthan ni, a'r drafft oer sy'n mynd trwy'i din o.'

Trodd i guchio ar yr eglwys y tro hwn. Ond wrth droi'n ei ôl, haliodd ei lawes yn galed ar draws ei wyneb, fel petai'n sychu haen o deimlad oddi arno.

'Eniwe, washi,' sythodd. 'Deud ydw i bod isio i chdi neud yn fawr o d'amsar. Achos dy amsar di ydi hwn. Ar dy gefn ac ar dy draed. A phan ddaw'r fatras 'na, dwi isio chdi yn y llofft ffrynt acw,' cododd ei fys at y ddwy ffenest ar lawr uchaf y tŷ. 'Am y parad efo fi. Fasa 'na ddim byd yn rhoid mwy o blesar i hen ŵr yn tynnu at oed yr addewid na chlywad clec hedbord ar wal, a hwnnw'n codi sbîd efo'i bŷls o.'

Gorfododd ei hun i chwerthin.

'Dwi'n falch ein bod ni'n dallt ein gilydd... ydw, tad, ac yn medru bod yn onast. Man to man!'

Edrychodd i fyw fy llygaid, a chywilyddiais. Roedd yna bethau yr oedd angen i minnau eu dweud hefyd. Ond efo Trefor – a Miriam, i raddau llai – doedd 'na byth adeg iawn i'w dweud nhw. Ac yn awr, unwaith eto, roedd yr ysfa am brysurdeb yn rhwystr i hynny. A finnau, efallai, yn falch...

'Ty'd, washi. Awn ni i symud gweddill yr hen ddodran 'ma, cyn troi at y llawr,' meddai Trefor, a'm taro'n dadol ar fy nghefn. 'Fydd gin titha ddim esgus wedyn, ond mynd ati efo brwsh a phot paent, i ddangos i'r tŷ 'ma unwaith ac am byth pwy ydi'r bòs. Cyn i chdi gael dynas – i ddangos i chditha!'

34

ERBYN AMSER CINIO roedd mwyafrif y dodrefn – yr otoman, y pwffe, y chaise longue a'r ddwy gadair freichiau, y cwpwrdd gwydr a'r ddresel dderw, y gist Affricanaidd a'r bwrdd copor o India, ynghyd â hanner dwsin o focsys yn llawn llyfrau, llestri a thrugareddau eraill, yn bentwr onglog allan yn yr ardd. Tynnwyd y tarpolin dros y llwyth a'i begio yn ei le â phegiau pabell David. Ac wedi bwyta'r brechdanau ham a baratowyd gan Miriam, aeth y ddau ohonom ar ein gliniau ar lawr canol Arvon Villa er mwyn codi carped llychlyd y parlwr, a thynnu'r hen ryg wlân oddi ar lawr yr ystafell gefn.

'Dyma be ydi diwrnod da o waith,' meddai Trefor, a'r gwynt yn ei hwyliau eto wrth inni'n dau gydrolio gorchudd trwm llawr y parlwr.

'Pwysa pres ar y carpad 'ma,' tuchanodd. 'Ddim o Carpet Right ddoth hwn. Rêl Miss Bugbird. Snob hyd at wadna'i slipars.'

'Ond dwn i'm sut fydd yr hen ddodran yn edrach efo llawr moel,' pendronodd. 'A'r walia gwyn plaen ti 'di rhoi dy fryd arnyn nhw. Mi fydd y lle'r un fath yn union â rosbitol.'

Stryffagliodd y ddau ohonom i ysgwyddo'r carped, a chario'r rholyn anystywallt trwy'r cyntedd ac allan i'r ardd. Ond a minnau ar ganol camu dros y trothwy, bu bron i mi â cholli fy nghydbwysedd wrth i Trefor droi yn ei unfan yn sydyn, a hysian dros ei ysgwydd:

'Sbia pwy sy'n dŵad. Y coc oen. O Sir Foen. Yn gneud rhyw royal visit i'w gartra ei hun.'

Sythais a gweld y Range Rover arian yn gyrru heibio'n araf, fel petai Med Medra am fwrw cip ar gynnwys gardd Arvon Villa. Roedd y ffenestri di-draidd yn ei gwneud yn anodd gweld i mewn. Mygais yr awydd i godi dau fys – rhag ofn bod Tonwen a'i mab yn y car – a bodloni yn hytrach ar regi wrth iddo ddod i stop gerbron y Plas. Daeth sŵn clo electronig y Range Rover atom ar draws y stryd, a'i oleuadau oren yn wincio droeon wrth i Medwyn ymbellhau.

Ar ei ben ei hun yr oedd y gŵr. Fel arfer.

'Mae isio i rywun roid hwnna yn ei le,' oedd sylw Trefor wrth iddo droi tua'r tŷ, a'r carped bellach fel ceg gam dros y pentwr dodrefn yn yr ardd.

Dyma fy nghyfle.

'Mae 'na rai yn sôn am sefyll yn ei erbyn o,' mentrais i gefn Trefor. 'Yn y lecsiwn maer.'

'Yr usual suspects, mae'n siŵr. Y blydi Alun Stalin yna, ia?'

'Ia,' dechreuais. 'Ia, fo yn un...'

'Hy, does gen hwnnw ddim digon o fôls i herio neb, siŵr Dduw. Mae gen be-ti'n-galw-hi fwy. Yr hogan Jyrman sandals-a-reis 'na sy'n ffrindia efo fo. Ydi hi'n wir bod y ddynas arall 'na wedi mynd a'i gadal hi?'

'Robina?'

'Ia, Robina Goch!' chwarddodd Trefor. 'Champagne communist, os buodd 'na un erioed.'

A chyn i mi allu dweud dim mwy am yr ymgyrch arfaethedig, roedd Trefor wedi troi ataf a golwg rybuddiol ar ei wyneb:

'Paid titha â chael dy weld ormod efo hen hipis afiach felna. Mae pobol y stryd 'ma wedi sylwi'n barod, i chdi gael dallt. Yn Caffi Besanti. A'r Mona. Hogyn ifanc fatha chdi. Neith o ddim lles i chdi, a chditha'n chwilio am job.'

Llyncais fy mhoer.

'A'r peth ola ti isio'i neud ydi tynnu Med Medra yn dy ben.'

'Ia?'

'Ia.'

'Yli,' meddai wedyn yn fwy cymodlon. 'Mae'n gas gin inna'r bygar hefyd. Ond mae gynno fo bŵar mawr. A bach ydi Caersaint. A bach wyt titha hefyd, washi, yn y bôn, yr un fath â'r gweddill ohonan ni yn y dre 'ma.'

'Ond Trefor…'

'A tra dwi wrthi, ga i ddeud bod Mir a finna'n falch ofnadwy dy fod ti'n cadw'n glir o'r Plas ers y busnas babi 'na?'

Cynddeiriogais yn sydyn. Agorais fy ngheg – a siaradodd Trefor.

'Ac wst ti nad ydi madame wedi bod draw i weld Mir o gwbwl ers y noson honno?' roedd llais Trefor yn dal i rygnu. 'Ond dim otsh gen Mir, mi naeth hi ei dyletswydd fel cymdogas. Stryd gymdogol ydi Brynhill East, ddim fatha'r petha West acw. Pawb wedi gneud yn champion efo'i gilydd erioed…'

Torrais ar ei draws yn bigog:

'Heblaw am Arfonia.'

Oedodd Trefor.

'Ia, honno.'

'A Mother Agnes.'

Cododd Trefor ei ysgwyddau.

'Be ti'n ddisgwl gen ddwy hen bitsh?'

'A be amdanach chi a Lasarys?' daliais ati i herio.

'Holy war ydi hwnnw,' atebodd Trefor. 'Rhyfal santaidd.'

Yna ailystyriodd:

'Naci. Rhyfal sant!'

Winciodd arnaf, a'i fwstásh yn cuddio'i wên. Ac wrth ei wylio'n chwilota yn ei focs tŵls am y myffs i roi dros ei glustiau, mi wyddwn nad oedd gennyf galon ffraeo gydag o na'i wraig. Efallai mai nhw oedd yn iawn, wedi'r cwbl. Y peth callaf i hogyn fel fi, efo'r fath orffennol ag oedd gen i, oedd cadw'n dawel a chanolbwyntio ar roi trefn ar ei dŷ ac arno fo ei hun.

Ond wedyn, nid hogyn call oedd Jaman Jones. Ac fel y gwyddai Trefor Spicer ei hun, dim ond hyn a hyn o drefn y gallai neb ei stumogi.

Treuliodd y ddau ohonom weddill y pnawn yn rhyfeddol o gytûn yn sandio lloriau'r parlwr a'r ystafell gefn, a'n meddyliau'n gogordroi ar gyffesiadau'r bore. Roedd rhuo'r peiriannau'n gwahardd unrhyw sgwrs bellach, a'r gwarchodwyr clust, ynghyd â'r mygydau ar draws ein cegau a'n trwynau, yn ategu hynny.

Trefor, yn ei brofiad, a driniai'r trymaf o'r ddau beiriant, gan ei wthio'n ôl ac ymlaen hyd yr estyll er mwyn i'r disgiau papur grafu budreddi degawdau oddi ar wyneb y pren. Fy ngwaith i oedd gorffen yr ymylon a'r corneli gyda pheiriant llai.

Gweithiem mewn ystafelloedd ar wahân rhag mynd ar draws ein gilydd, ond tua phedwar o'r gloch, jyst cyn amser paned a'r awyr tu allan yn tywyllu, daeth bloedd uchel, reglyd gan Trefor o'r ystafell gefn.

'Blydi hel, dwi 'di cyrraedd Treasure Island!'

Ar ei liniau ar lawr yr ystafell oedd o, yn y man lle safai'r gwely gynt, a'r estyll o'i gwmpas yn wyn a glân. Diferai o chwys, ac roedd patshys tywyll ar frest ei ofarôl yn lledu o'r ceseiliau. Yn y llawr o'i flaen roedd twll lle'r oedd un estyllen ar goll. Ac yn ei law roedd amlen las golau ac arni'r geiriau 'Y Ddyled'. Teimlais fy nghalon yn rhoi tro, oherwydd bochiai arian allan o hon hefyd. Ac roedd y fflapyn heb ei gau a'r glud heb ei lyfu, yn union fel y lleill.

Cododd Trefor ei ben, a llithrodd ei sbectol at flaen ei drwyn.

'Y styllan 'ma oedd yn rhydd,' meddai, a'i chodi ataf, fel petai am ddangos prawf. 'Mi dynnish i hi. A ffeindio hwn.'

Daliodd y pecyn trwchus o arian papur rhwng ei fys a'i fawd, a chwibanu.

'Bricsan o bres. Mae 'na...' symudodd ei fawd ar hyd ymylon y papurau. 'Mae 'na bum cant. A chwanag. Yn hawdd. Mewn papura ugian. Current. Efo pen y boi hen ffash 'na.'

Pum cant? Roedd hynny'n fwy nag yr oeddwn wedi ei ganfod erioed o'r blaen. Stryffagliodd Trefor ar ei draed a'r arian yn dal yn ei grynswth yn ei ddwrn, tra disgynnodd yr amlen las golau oddi ar ei lin, a chael ei dal rhwng y distiau.

Plygais ati. Ond roedd hon yn wahanol i'r lleill, wedi'r cyfan. Yng ngheg yr amlen, o dan y fflapyn, roedd geiriau wedi eu hysgrifennu'n fân a chrynedig mewn beiro las.

'Darllan o!' hwrjiodd Trefor. 'Inni gael dallt be ydi'i gêm hi.'

Craffais ar yr ysgrifen urddasol, grynedig.

'*Ar draeth Caersaint mae cerrig gwynion. Cregyn Berffro, cregyn gleision. Ar draeth Caersaint mi rois fy nghalon. I'r llygaid glas a'r aeliau duon.*'

Edrychais ar Trefor.

'Pennill ydi o!'

'Lyfli,' meddai yntau.

Darllenais y geiriau eto. Aeth ias drosof. Meddyliais am y ffotograff o Arfonia ar draeth y Foryd.

'Sôn amdani hi mae o!' meddwn yn gynhyrfus. 'Am Arfonia! Llygaid glas ac aeliau duon.'

'A be am ei cheg gam a'i thafod hallt hi?' meddai Trefor yn angharedig.

'Pwy sgwennodd o, dach chi'n meddwl?'

Gosododd Trefor y sbectol yn ôl ar ei drwyn a bwrw cip ar yr ysgrifen.

'Hi'i hun, siŵr Dduw. Pwy arall? Ei sgwennu hi ydi o.'

Ysgydwodd ei ben.

'Asu gwyn, sgwennu penillion amdani hi ei hun. Gadal cannoedd o bunna o dan y gwely i'r llygod bach. Mi ddeudish i fod y ddynas yn od.'

Rhaid ei fod wedi sylwi ar fy chwithdod eto, oherwydd gwasgodd Trefor yr arian i gledr fy llaw:

'Doro'r pres yn y banc, washi, ac anghofia amdani hi. Trio dy dormentio di mae hi.'

Roedd rhyw deimlad annelwig – nid cywilydd yn union – wedi fy rhwystro rhag sôn am yr amlenni craill cyn hyn, ond dyma fy nghyfle.

'Dwi 'di ffeindio mwy nag un o'r rhein dros y misoedd dwytha,' meddwn heb sbio arno. 'Y gynta mewn tun te. Ac un arall mewn llyfr am hanas llonga Caersaint. Ac un arall yn y Beibil… Testament Newydd. Ac mi oedd 'na un o dan y rholia papur wal i fyny grisia…'

Edrychodd Trefor arnaf yn syn.

'Heb gymaint o bres,' brysiais i egluro. 'Ond dwi'n meddwl erbyn hyn bod Arfonia'n trio deud rhywbath wrthaf i.'

'Ti'n iawn. Trio deud ei bod hi'n nyts.'

'Mae'r amlenni 'ma fatha rhyw wobra. Neu gliwia.'

'Rhyw fath o helfa drysor ti'n feddwl?' crychodd Trefor ei drwyn.

'Wel, ia... ond bod o rywbath i'w neud efo'i bywyd hi...'

Edrychodd Trefor yn ddiddeall. Ymhen ychydig dywedodd:

'Wst ti be? Ti a Miss Bugbird yn reit debyg mewn rhai ffyrdd. Hira yn y byd dwi'n byw y drws nesa i chi, mwya od dwi'n eich gweld chi. Mae'r ddau ohonach chi'n rêl dark horses, tydach? Neu stalwyn yn dy achos di.'

Teimlais fy hun yn gwrido o'r newydd, a'r gwrid yn dyfnhau wrth i Trefor graffu. Codais fy ngolygon ato, ac roeddwn ar fin agor fy ngheg pan drodd yntau yn ei unfan a dechrau craffu o gwmpas yr ystafell. Fel petai'r helfa drysor wedi gafael ynddo yntau, aeth ati i chwilio am guddfannau pellach.

Syrthiodd ei olygon ar yr aelwyd, a honno'n edrych yn dywyll a budur ynghanol gwynder newydd y llawr a'r waliau. Camodd Trefor tuag ati, penlinio o flaen y grât, a thorchi'i lewys:

'Sgiwsia fi. Dwi am roid fy llaw i fyny'r simdda. Ti byth yn gwbod, ella ffeindiwn ni lythyr arall. Neu Santa Clos. Yn sownd, ers Dolig. I chdi gael ei hedbytio fo.'

Caeais fy nwrn am yr arian, a gwylio braich Trefor yn diflannu i fyny'r simdde. Chwilotodd yn hir yn y tywyllwch, a golwg boenus ar ei wyneb fel petai'n ffariar yn tynnu ebol. Pan dynnodd ei fraich yn ôl roedd honno'n ddu hyd at ei benelin. A'i law yn wag.

'Uffar o ddim ond huddyg,' meddai'n siomedig. 'Ond mi ddeuda i hyn. Llneua di'r sglyfath budur, a mi gei di dân di-fai trwy'r simdda. I ddod â dipyn o g'nesrwydd i'r tŷ tamp 'ma.'

Bwriodd gip rhybuddiol at frig y simdde.

'Ar ôl galw sweep o Fethlehem i roid un iddi efo'i frwsh.

Achos, ar ôl bod heb dân mor hir, ti'n bownd o gael gwylan 'di marw yn nadu'r mwg fynd trwy'r corn.'

Edrychodd o'i gwmpas, gan werthfawrogi ôl ei lafur ei hun.

'A'r peth ola fyddi di isio ar ôl peintio'r lle 'ma yn wyn fydd côt o huddyg i fudro'r cwbwl.'

35

DARGANFOD Y PRES − a'r pennill − oedd yr uchafbwynt dramatig i wythnos gynyddol syrffedus. Dygnais arni efo'r gwaith o beintio sgertins, nenfydau a waliau Arvon Villa, a chael rhyw foddhad o wneud hynny, er bod Trefor yn galw'r waliau gwyn a'r dodrefn tywyll yn 'blydi museum'.

Ac eto, wrth i'r tŷ oleuo roedd fy hwyliau innau'n tywyllu, ac erbyn dechrau'r wythnos ganlynol, yn chwil gan arogl gloss ac emulsion, roeddwn yn ysu am ddihangfa rhag y gwyngalchu.

Ond prin wedyn oedd y cysur i lawr yn y dref, a dylanwad detox a deiet ar daen, a'r tafarndai a'r caffis yn ddiymgeledd. Roedd Almut wedi derbyn fy nghyngor ac wedi mynd tua Berlin, ac roedd Babs Inc yn chwilio am haul a hogia yn Gran Canaria. Ffeindiais innau fy hun, felly, yn tindroi ar strydoedd Caersaint yn chwilio am rywbeth i'w wneud er mwyn osgoi mynd i brynu rhagor o baent yn Siop Sodra.

Oedais am sbel yng nghyffiniau'r Clwt Mawn, gan aros i edmygu ffenest Siop y Model, a hithau wedi ennill gwobr am ei harddangosfa dros y Nadolig.

Roedd yr arddangosfa'n dal yno, tan ddiwedd Ionawr, yn atgynhyrchiad o Gaersaint pan oedd y cei llechi yn ei fri. Roedd pob manylyn rhyfeddol yn ei le. Y wageni'n cludo'r llechi hyd y cledrau o chwareli Nantlle. Y llechi'n cael eu dadlwytho ar y cei. Yr hoblars yn llwytho'r llechi oddi ar y cei i mewn i'r sgwneri. Y trwswyr hwyliau a'r gwneuthurwyr rhaffau oll yn prysur sicrhau mordeithiau iach i longau Caersaint. Y llongwyr yn paratoi'r rigin…

Crwydrodd fy ngolygon at y cei a oedd dan ei sang, o swyddfeydd yr harbwr a ffowndri De Winton hyd at y swyddfa dollau ar safle'r Mona: yn forwyr, yn ferched, yn feddwon, yn faledwyr...

Roedd yno ddyn yn gwerthu pasteiod cig. Un arall yn gwerthu papurau newydd. Un arall â chasgen gwrw. Dau ddyn yn morio canu yng nghwch Dafydd Rabar. A dim golwg o'r bont rhwng Twr Eryr a Choed Elen. Ac ar y Fenai las ei hun moriai'r stemar bach drosodd o Fôn, a'i llond o wragedd ffarm yn cario wyau.

Yn sydyn, wrth syllu ar hyn i gyd, caeodd y felan amdanaf yn dynnach nag erioed. Roedd rhyw deimlad o ddiffyg ystyr wedi bod yn pwyso arnaf fwyfwy er dechrau'r flwyddyn, ac yn awr roedd o'n bygwth fy llethu.

Nid bywyd go iawn oedd peintio waliau Arvon Villa! A dweud y gwir, nid bywyd go iawn oedd byw yng Nghaersaint o gwbl! Roedd y modelau'n dangos hynny. Perthyn i'r gorffennol oedd bywyd y dre 'ma i gyd. Erbyn heddiw roedd y cei llechi yn faes parcio ymwelwyr. Y llongau yn iots. A'r wageni llechi yn fysus taith. Y gweithdai a'r warysau yn dafarndai. Y siopau yn gaffis. Yr holl weithgarwch yn hamdden...

Caersaint Arfonia oedd yn ffenest y siop; neu, o leiaf y Gaersaint yr oedd Arfonia wedi sôn amdani, wedi iddi ddysgu ei geirfa ar lin ei thad.

Ffenest siop oedd fy Nghaersaint i.

Ond siawns nad oedd yna fywyd go iawn yn rhywle! Ac fel petawn yn chwilio am rywbeth dyfnach, mwy elfennol, neu fwy ystyrlon, trois oddi wrth y siop a cherdded hyd y stryd fawr i gyfeiriad y môr, gan anelu'n syth am Borth yr Aur.

'Ti isio llun ar dy din?' meddai dyn a golwg Hell's Angels

arno o ffrâm drws y siop datŵs, ond heb wybod ai cynnig gwasanaeth ynteu crasfa oedd o, brysiais yn fy mlaen tua'r prom, a throi i gyfeiriad y Mona. Ond nid mynd i foddi 'ngofidiau yr oeddwn am ei wneud heddiw. Roedd fy angen i'n ddyfnach na hynny. Yn hytrach, roeddwn am groesi'r Abar a cherdded yr holl ffordd hyd y Foryd at hen eglwys Llanfairfaglan. Ar adegau fel hyn, dim ond gorwedd yn y fan honno, ymhell o olwg pawb ond y meirwon yn y fynwent, a wnâi'r tro.

Ond wrth groesi Pont yr Abar, a chiledrych am Peilat Jones, sylwais fod rhywun arall wedi rhoi ei fryd ar grwydro'r Foryd. Ei bryd, yn hytrach. Oherwydd pwy a welwn yn cerdded i ffwrdd oddi wrth Gaersaint ar y Llun llaith hwnnw, yn wargrwm dros y pram, a'i golwg ar y tir a lithrai dan yr olwynion, ond Tonwen Bold.

Ac fel petai holl egni coll dyddiau cyntaf y flwyddyn wedi dod i mi mewn eiliad, taniodd fy nghorff trwyddo. Yn yr un ennyd sbydwyd y felan.

Doedd dim amser i'w wastraffu! Trois i'r cyfeiriad arall, gan lamu i fyny'r grisiau heibio i ymyl bwthyn Peilat, nes cyrraedd cae swings Coed Elen. Yna rhedeg hyd ymyl y cae mini golff nes mynd ar y goriwaered eto, gan arafu wrth y grid gwartheg. Sefyll am eiliad i gael fy ngwynt ataf, yna camu i lawr at lôn y Foryd a throi fy hun yn hamddenol braf yn ôl i gyfeiriad y dref. Tri chwarter cylch mewn cwta funud.

Roedd hi'n dal i gerdded. Ond ni welodd Tonwen mohonof i nes inni wrthdaro, bron. Pan gododd ei phen a'm gweld o'i blaen, gwelais hi'n sythu ei gwar ac yn brysio i gribo'i gwallt oddi ar ei thalcen â'i bysedd. Smaliais innau synnu dod wyneb yn wyneb â hi mor annisgwyl yn yr union fan y bûm yn bownsio cerrig efo'i mab rai wythnosau ynghynt.

Llanwyd yr eiliadau cyntaf, chwithig gan sgwrs am y babi. Doedd hynny ddim ond yn naturiol. Trodd y ddau ohonom i syllu ar y fechan ynghwsg yn ei phram, a'i dyrnau bach wedi'u codi o boptu i'w phen dan y flanced wen.

'Elan,' meddai Tonwen, a chodi ei llaw at ymyl y cwrlid. 'Elan Arfonia.'

Edrychais arni'n syn wrth glywed yr enw. Gwenodd Tonwen.

'Mae o'n enw grêt.'

Roedd golwg luddedig arni, a diffyg cwsg yn gleisiau porffor las dan ei llygaid.

'Cysgu'n sownd,' meddai wedyn, fel petai am i'w sgwrs dynnu sylw oddi arni ei hun.

'Faint ydi'i hoed hi rŵan?' holais, fel petawn ddim yn cofio.

'Dros bythefnos.'

Cododd Tonwen ei phen. Roedd mymryn o wrid wedi codi i'w gruddiau llwyd.

'Diolch. Am dy help. Y noson gyrhaeddodd hi...'

Codais f'ysgwyddau, a throi'r stori i guddio fy chwithdod fy hun.

'Mynd am dro dach chi'ch dwy?'

Yna, ychwanegais cyn i Tonwen ateb:

'Ga i ddŵad efo chi?'

Aeth cysgod rhywbeth ar draws ei hwyneb. Braw, efallai? Ynteu pleser? Roedd hi'n anodd dweud. Ond camodd o'r neilltu yn y diwedd, ac ildio'r pram i mi, a heb gyfnewid gair cerddodd y ddau ohonom yn ein blaenau hyd ymyl y Foryd, a haul gwan Ionawr yn tywynnu arnom o gyfeiriad y mynyddoedd, gan gynhesu un ochr i'n hwynebau.

Yn raddol, wrth i'n cydgerdded ganfod ei guriad naturiol, teimlais fod Tonwen yn ymlacio. Symudai ei dwylo bob hyn a hyn, fel petai'n methu arfer â'u llaesu: gwthiai nhw i bocedi ei chôt, cyn eu tynnu allan eto. Yna, yn y man, a ninnau ymhell o Gaersaint, dechreuodd siarad, gan ddweud ychydig o hanes Macsen yn yr ysgol a'i ymateb doniol ddwys i'w chwaer fach newydd.

Daliais i gerdded, a'm boddhad dwfn yn gymysg â rhyw deimlad o fuddugoliaeth, a hynny'n cynhesu 'ngwaed ar fore oer. Roedd Tonwen Bold mewn gwendid, a gallwn innau ymostwng am y tro cyntaf erioed i dosturio wrthi – a rhoi cic i Med Medra yr un pryd.

'Mae'n siŵr fod 'na lot o waith efo dau o blant bach. Yn enwedig a chditha dy hun gymaint.'

Oedodd Tonwen cyn ateb, fel petai'n ceisio rheoli ei llais ei hun.

'Ti'n iawn. Dydw i ddim yn gwybod be dwi'n ei ddeud na'i neud hannar yr amsar. Mi fydda i'n syrthio i 'ngwely yn fy nillad ambell i noson, wedi blino gormod i newid i 'nghoban. A does 'na fawr o gwsg i'w gael wedyn.'

'Elan sy'n crio?' ac wedyn: 'Fydd Medwyn ddim yn codi ati?'

'Fi sy'n ei bwydo hi.'

Roedd ei hateb yn swta. Ac aeth sbel heibio cyn iddi ychwanegu'n llai caled:

'Ac mae gynno fo etholiad o'i flaen.'

Oedais. Cyn mentro eto.

'Mae o'n ddyn prysur.'

Atebodd hithau fel saeth.

'Cyn bellad ag mae unrhyw ddyn yn brysur.'

Ond unwaith eto, daeth ychwanegiad meddalach yn ei sgil:

'Mae o wedi bod mewn stad yn ddiweddar. Wedi clywad si bod rhywun am sefyll yn ei erbyn o.'

Methais gam, a sadio fy hun efo'r pram. Ond ni ddywedais ddim byd.

'Mae o'n addo gneud mwy ar ôl yr etholiad,' aeth Tonwen yn ei blaen.

'Pan fydd o'n faer?'

Tawodd hi, wedi dirnad y coegni yn fy llais. Ac yn sydyn roedd hi'n rhyfedd o flin:

'Biti drostaf i sy gin ti?'

A chyn i mi gael cyfle i ddod dros fy syndod aeth yn ei blaen, fel petai'n siarad â hi ei hun:

'Mi oedd gin i biti drostaf i fy hun, tan imi weld nad oedd gin i ddigon o egni i neud hynny. A bod yn fam debol yr un pryd.'

Roedd chwerwedd rhyfedd yn ei llais. Ond yn hytrach na'm dychryn, taniodd hynny rywbeth newydd ynof, rhyw reddf gysuro anghyfarwydd.

'Yli, ty'd i ista.'

Cydiais yn ei braich a'i thynnu at fainc gerllaw. Ymysgydwodd Tonwen i ddechrau. Ond unwaith y gollyngais ei braich, a mynd at y fainc, daeth i eistedd wrth fy ymyl.

Gadewais i Tonwen ddod ati'i hun, a chanolbwyntio ar yr olygfa o'n cwmpas. Roedd honno'n dal yn hardd, er mor llwyd oedd y dydd. Coron dywyll yr Eifl yn y pellter, a'r môr yn disgleirio'n arian o'n blaenau, ac amlinell dywyll gwyliwr adar yn sefyll ar y traeth islaw, a'i sbienddrych ar stand, a'i olygon tua Môn.

Ond doedd Tonwen ddim yn edrych, a'i llaw ar draws ei llygaid.

'Sori,' meddai ymhen ychydig. 'Dwn i ddim be sy'n bod arna i.'

Hedfanodd pioden fôr yn isel dros wyneb y dŵr, a'i phlu

du a gwyn a'i phig sgarlad yn fflach o liw ynghanol y llwydni
ariannaidd. Dilynais ei hehediad, cyn troi at Tonwen.

'Ti angan rhywun yn gefn i chdi.'

'Mi fydda i'n iawn.'

'Pam na holi di Miriam? Mi fasa hi wrth ei bodd.'

'Mi fydda i'n iawn,' miniogodd ei llais, ac fel petai am
setlo'r mater, dywedodd: 'Mi roish i voucher i Miriam. Yn
ddiolch.'

Roedd ei styfnigrwydd yn fy syfrdanu. Ond wedyn,
roeddwn wedi synhwyro erioed ei bod hi'n hogan
benderfynol. Codais ar fy nhraed, ac awgrymu ein bod yn
mynd yn ein blaenau at yr eglwys, gan fod honno yn y cae
y tu cefn inni. Efallai y byddai'n gwneud lles iddi hithau.
Cododd Tonwen ei hysgwyddau fel petai'n ddifater, a
dweud:

'Fush i erioed yno.'

Ymfalchïais innau o allu dangos y lle iddi. A chan nad
oedd lle i'r pram fynd trwy'r giât mochyn, gwnes sioe o agor
y llidiart llydan i adael Tonwen i mewn i'r cae, fel petawn
yn berchen ar y tir fy hun. ·

'Gobeithio na ddeffrith Elan,' meddai hi, wrth i wyneb
rhychiog y cae ysgytian y pram. 'Er bod hon yn goetsh all-
terrain i fod.'

'Yr un fath â Range Rover Medwyn.'

Gwenodd Tonwen, a theimlais innau ein bod, wrth droi
cefn ar y Fenai, yn dod yn nes at ein gilydd eto. Wrth inni
gyrraedd y wal goediog a amddiffynnai'r eglwys rhag gwynt
y Fenai, dechreuais innau dynnu ar yr wybodaeth yr oedd
Arfonia wedi ei rhoi i mi flynyddoedd ynghynt:

'Eglwys ar ffordd y pererinion i Enlli oedd hi,' dangosais
fy hun. 'Meddylia, mynd yr holl ffor' i ben draw Llŷn, a
digonadd o saint yn Dre!'

'Mae 'na saint a saint,' meddai Tonwen.

Ond wrth gamu trwy'r porth haearn ac i mewn i fynwent hynafol yr eglwys, diflannodd y tinc amddiffynnol o'i llais.

'Dyma un o'r llefydd brafia dwi erioed wedi bod ynddyn nhw!'

Trodd yn ei hunfan a syllu ar waliau gwyngalchog yr eglwys fechan, ac yna dros y wal garreg allan tua'r Fenai yn y pellter.

'Mi fyddwn i'n arfar denig yma,' cyffesais. 'Ers talwm. Pan oedd petha'n mynd yn anodd. Yn Preswylfa.'

Gwyliais hi'n troi wedyn heibio i'r beddau i wynebu Eryri, a'r beddau newydd yn y cefn.

'Meddylia braf fasa cael dy gladdu yn fan hyn,' meddai'n sydyn.

Tewais. Wyddwn i ddim a oedd hi'n herian ai peidio. Ond aeth ias dros fy nghorff pan ddywedodd wedyn:

'Mae meddwl am gael mynd i fedd, a chael llonydd oddi wrth bawb, yn fendigedig.'

Gwelodd fi'n rhythu, a gwenu.

'Peth digon naturiol i fam newydd, am wn i, a chditha'n gwasgu dy hun yn ddim i fodloni gofynion y babi. Mae marwolaeth ar feddwl rhywun trwy'r amser ar ôl geni.'

'Paid, Tonwen.'

Roedd yn rhaid i mi ddweud wrthi. Roedd yn bwysig iddi wybod.

'Lladd ei hun ddaru Mam.'

Doeddwn i ddim wedi bod yn fwriadol frwnt. Ond roedd Tonwen wedi dychryn.

'Fan hyn mae hi... wedi'i chladdu?' mwmialodd, ac roedd cryndod amlwg yn ei llais.

Ysgydwais fy mhen, ac amneidio tua'r Fenai yn y pellter. Dychrynais innau wrth edrych ar Tonwen eto a gweld y lliw yn llifo o'i hwyneb. Cydiais yn ei llaw, gan ei thynnu at y sedd garreg dan borth yr eglwys. Roedd hi'n ymddiheuro. Ac roeddwn innau'n ymddiheuro.

Eisteddodd y ddau ohonom ar yr hen sìl. Ac wedyn daeth distawrwydd – am funud neu ddau. Tangnefedd. Roedd hi wedi cau ei llygaid.

Agorodd nhw. Edrychais innau arni, a gwenu. Ac wedi'r dryswch, daeth eiliad o eglurder sydyn – fel trywaniad haul trwy niwl. Amser yn arafu. Nes dod i stop.

Ceisiais ddweud ei henw. Ond yr eiliad honno dywedodd hithau:

'Mae'n well i fi ei throi hi. Angan bwydo Elan.'

Oedodd cyn codi ar ei thraed. Oedais innau cyn symud o'r ffordd. Oedodd hithau wedyn cyn gadael y porth.

'Oeddat ti am ddeud rhywbath?'

Edrychais arni. A gwadu.

'Dim ond – isio dangos hon i chdi.'

Ac mewn rhyw ymdrech ffôl i'w chadw efo mi dan fondo pren yr eglwys, tynnais ei sylw at y patrwm yn y garreg a ffurfiai sìl ffenest y porth.

'Croes Geltaidd, yli. A siâp cwch. Carrag fedd rhyw hen forwr. O'r Eidal.'

Dyna oedd Arfonia wedi'i ddweud, beth bynnag.

Gwyrodd Tonwen i sbio, ac wrth iddi wneud hynny daeth arogl ei gwallt i lenwi fy ffroen. A thra gwyliwn hi'n tynnu ei bys hyd yr ysgythriad, dychmygais hi'n troi i'm hwynebu, ac wedyn byddai'r ddau ohonom yn cusanu, a byddai'r byd i gyd yn sigo….

Roedd bloedd y babi'n sioc.

Hanner eiliad wedyn, ac roedd Tonwen eisoes yn baglu trwy'r cerrig beddau yn ôl at ei merch fach.

A chyn i mi sylweddoli beth oedd wedi digwydd – neu'n

hytrach, cyn i mi sylweddoli beth oedd heb ddigwydd – roeddem yn croesi'r cae eto, yn ôl at lôn y Foryd a'n trem ddryslyd ar dwyni Niwbwrch yn y pellter, a bloeddiadau'r babi bach yn graddol droi'n ochneidiau cysglyd wrth i rychau'r tir ysgwyd y pram.

Agorais y llidiart i ryddhau'r ddwy o'r cae. Ond er ei gau eto, doedd dim teimlad o gyfanrwydd. Roedd pethau wedi eu torri ar eu hanner. Yn anghyflawn ac yn flêr. Ac roeddwn innau ar fin bod ar fy mhen fy hun eto, a'r felan yn codi ynof fel ton fawr lwyd.

'Diolch,' meddai Tonwen yn frysiog, wrth swatio'r fechan dan ei chwrlid.

'Dwi am fynd fy hun, os nad oes otsh gin ti,' meddai wedyn, yn dal heb edrych arnaf.

'Dy hun?'

'Ti'n gwbod sut mae pobol yn siarad.'

'Pobol?'

'Y clwb golff. Ffrindia Medwyn.'

Roeddwn yn cynhyrfu.

'Mi ddaru ni basio'r clwb golff ar y ffor' yma!'

Ond wn i ddim a glywodd hi. Wn i ddim a oedd hi'n gwrando, hyd yn oed. Achos erbyn i mi ganfod fy llais, roedd Tonwen wedi troi'r pram ac wedi dechrau cerdded i gyfeiriad Caersaint.

Blydi Caersaint.

Gyda gwae yn fy llenwi, gwyliais hi'n gwyro dros y pram gan syllu ar y tir a lithrai tuag ati dan yr olwynion. Roedd fel petai tyniad hwnnw yn ei gorfodi i gerdded. Doedd o ddim, wrth gwrs. Tonwen oedd yn ildio iddo fo. Am nad oedd ganddi ddewis, ond mynd yn ôl.

Trois at y traeth, a rhwystredigaeth a dryswch yn fy nghorddi. Yn y pellter roedd yr adarwr yntau wedi cael digon ac yn plygu ei stondin. Neu efallai mai'r llanw oedd yn treio.

Fel petai Tonwen Bold wedi bod yn ddim byd ond breuddwyd, trois o hen arfer at y giât mochyn, a chroesi'r cae at eglwys Llanfairfaglan ar fy mhen fy hun bach, fel yr oeddwn wedi'i fwriadu'n wreiddiol. Ond dilyn camau Tonwen yr oeddwn wrth fynd heibio i'r beddau ac at y porth pren, allan o gysgod y gwynt.

Gorweddais yno, gan syllu ar y nenfwd gwyngalchog. A gadewais i'm meddwl briwus weithio'i ffordd at y gusan na ddigwyddodd; at yr uniad dychmygol rhyngof fi a'r ferch a oedd, rhywsut, yn sylfaen i'r cwbl.

Wn i ddim am faint y bûm yn gorwedd yno, yn union fel y gwnawn yn hogyn ysgol, yn meddwl, ac yn hanner cysgu, ac weithiau'n colli ambell ddeigryn o hiraeth. Ond peth rhyfeddol oedd gadael i'r meddwl fynd ei ffordd ei hun, yn ei amser ei hun. Erbyn i mi godi eto roedd yr haul yn wridog y tu ôl i'r Eifl, a hanner y traeth dan ddŵr. A'r felan wedi ei diosg oddi amdanaf fel haen o hen groen.

Ac felly y trois tua Chaersaint: pelydrau hir y machlud yn cyffwrdd fy ngwar ac yn egnïo asgwrn fy nghefn. A minnau'n gwybod i sicrwydd bellach mai fi oedd y dyn i herio Med Medra. Mai fi, Jaman Jones, fyddai gwaredwr Caersaint.

36

ROEDD HI'N HEN bryd i Almut ddod yn ôl i glywed y newyddion da. Ond aeth y dyddiau heibio, a doedd dim sôn amdani, a neb yng Nghaffi Besanti'n gwybod dim ond gweld ei cholli. Dim ond mewn pryd y cyrhaeddodd, a'm tröedigaeth i ar fin troi'n ôl y ffordd arall, diolch i syrffed y DIY a thyniad tafarn y Mona.

Newydd fod yn Siop Sodra yn prynu mwy o baent oeddwn i, ac yn cerdded hyd y Bont Bridd fel morwyn laeth gyda thun o wyn 'Timeless' yn un llaw a rholiwr paent mewn bag plastig yn y llall. O arfer, yn hytrach nag mewn gobaith, digwyddais daflu cip trwy ffenest Caffi Besanti, a gorfoleddu wrth weld corff llydan Almut yn sefyll wrth y cownter.

Brysiais i mewn, gosod y tuniau paent ar fy mwrdd arferol, a chamu'n gynhyrfus ati.

'Cownsil sy angan whitewash, dim fama,' meddai rhywun.

Ond roeddwn yn rhy brysur yn mwynhau cynhesrwydd corff Almut i dalu sylw i smaldod y saint.

'Dach chi 'di dŵad adra!'

Gwenodd Almut, wedi ei synnu braidd gan fy nghroeso emosiynol.

'Ti wedi teneuo,' oedd yr unig beth a ddywedodd hi.

Ar ôl sgwrsio hynny a ganiateid iddi, aeth i ffwrdd, gan ddychwelyd yn y man gyda llond powlen o lobsgóws, a phentwr o fara brown solet wedi ei dorri'n dafellau.

'Bara spelt,' meddai. 'Yn boeth o Ferlin bore ddoe. Mae'n llesol iawn.'

Roedd hi'n gorffen ei shifft am bump, felly arhosais yno, a chael hanes ei thrip mewn talpiau o sgwrs, a chlywed amdani hi a'i mam yn cymodi. Roedd y daith wedi gwneud lles mawr iddi, ac Almut, yn groes i mi, mewn hwyliau calonnog a gobeithiol.

'Diolch i ti am fy annog i fynd,' meddai.

Codais fy ysgwyddau.

'Gweld hi'n biti o'n i,' meddwn, nid heb ryw dinc o hunandosturi. 'Wastio mam, ac un ar gael.'

Edrychodd Almut arnaf am sbel, cyn troi i ffwrdd i orffen ei gwaith.

Erbyn deall, roedd ganddi gynlluniau. Wrth wisgo ei chôt amryliw dros ei dillad gwaith, a'i het wlân Himalaiaidd dros y gwallt yr oedd newydd ei ail-liwio, gofynnodd i mi fynd efo hi i weld caffi newydd yn Phase 1.

Edrychais arni'n syn.

'Eisiau gweld y gelyn,' eglurodd, wrth groesi'r Clwt Mawn. 'Dwi am agor caffi fy hun, ti'n gweld.'

Datgelodd fod ei mam wedi rhoi rhodd ariannol iddi, yn ffordd o osgoi talu treth, ac yn freib iddi ddod adref yn amlach.

'Pum mil ar hugain!' sibrydodd dan wenu. 'Ewro. Er nad oes fawr o wahaniaeth erbyn hyn. Tyrd. Awn ni yno hyd y prom. I mi gael gweld y machlud eto.'

Wrth gwrs, doedd ôl yr haul yn ddim ond stribed indigo ar y gorwel wrth inni gamu trwy Borth yr Aur i'r cyfnos. Ond roedd arogl y Fenai'n ffresh a bywiol.

Trodd Almut ataf:

'Wyt ti am ddweud be sy'n bod? Ti'n edrych yn ddigalon – y sbarc wedi mynd o dy lygaid di.'

Doeddwn i ddim am dynnu'r gwynt o'i hwyliau, a hithau gymaint hapusach nag y bu cyn y Nadolig. Felly, codais y tun paent a'i ddangos iddi.

'Gormod o hyn.'

Yna cyfeiriais atom ni ein dau yn cerdded hyd y prom, a dweud yn chwareus:

'A dim digon o hyn.'

Roedd Almut wrth ei bodd, ac mi gefais innau bleser o'r weniaith, er nad gweniaith mohoni. Ond eto, wrth inni rowndio'r tro heibio i gefn y Batri a dod i olwg y doc, holodd eto:

'Beth sydd ar dy feddwl di, Gwyn?'

Doedd hi ddim am adael llonydd i mi nes i mi ddweud. Ac yn y bôn roedd yn braf i minnau gael cyffesu:

'Wedi bod yn meddwl am Mam. Fy mam fy hun.'

Amneidiodd Almut, a dweud yn ofalus:

'Ers clywed am fabi Arfonia?'

'Ia.'

Oedais wrth yr angorau a'r bwiau o flaen yr amgueddfa forwrol. Ni ddywedodd Almut ddim byd pellach, dim ond edrych arnaf.

'Mi fedrwch chi ddallt pam ddaru Arfonia gael gwarad ar y babi. Medrwch?'

Amneidiodd Almut. Ond ni ddywedodd ddim byd. Teimlais innau'r dagrau'n cronni.

'Achos ddaru hi fawr o les i Mam gadw'i babi hi, naddo?' meddwn wedyn. 'Taswn i heb gael 'y ngeni, ella y basa hi yma rŵan.'

Roedd dwy lamp werdd caban yr harbwrfeistr yn crynu yn fy nagrau. Dolennodd Almut ei braich yn fy mraich i, gan fy nhynnu ati. Roedd y lleithder yn yr aer wedi tynnu arogl saim gwlân o'i chôt, a chefais gysur anifeilaidd o arogli hwnnw.

Cerddodd y ddau ohonom ymlaen.

'Ti'n rwdlan rŵan,' meddai. 'Cymdeithas oedd ar fai am be ddigwyddodd i Arfonia. Ac i dy fam. Nid y babi ei hun yn y naill achos na'r llall.'

'Ond mi welish i Tonwen y diwrnod o'r blaen...'

Arafodd cam Almut.

'Tonwen Bold?'

'Ia,' meddwn, heb sbio arni. 'Ac mae hitha'n isal ei hysbryd hefyd. Ers i'r babi ddŵad. Roedd y peth mor amlwg...'

'*Ti* sy'n isel dy ysbryd,' meddai Almut, bron fel petai'n fy nwrdio. 'A busnes Med Medra ydi iechyd ei wraig o, nid dy fusnes di.'

Petai hi heb fod yn dywyll, a phetai gwynt mis Ionawr heb gochi fy moch beth bynnag, mi fyddwn wedi edrych i ffwrdd rhag i Almut weld y gwrid yn dyfnhau.

'Ti angen rhywbeth i'w wneud,' meddai wedyn. 'Mae'r peth yn hollol amlwg! Wyt ti wedi meddwl ymhellach am yr hyn awgrymodd Barbara? Ein bod ni i gyd yn dod at ein gilydd i herio Med? Cofia fod amser yn gwasgu.'

'Do,' meddwn. 'Naddo. Dwn i'm...'

Gwrandewais ar y sŵn esgus yn fy llais. Lle'r oedd sicrwydd mynwent Llanfairfaglan? Yr un pryd teimlais amynedd Almut yn mynd efo'r gwynt.

'Mi o'n i reit siŵr y diwrnod o'r blaen,' dechreuais wedyn. 'Ar ôl gweld Tonwen. Gwbod y baswn i'n medru... Taswn i... Ond erbyn rŵan...'

'Mae'r dyddiad cau ymhen ychydig ddyddiau,' meddai Almut, a thinc o gerydd yn ei llais. 'Wyt ti angen merched canol oed i roi hwb i ti cyn gwneud unrhyw beth?'

'Y peth ydi, mi fasa petha'n gallu mynd yn flêr. Mae Tonwen... Heb sôn am Miriam a Trefor...'

Taflodd Almut ei dwylo'n ddifrïol at y tun paent a'r rholiwr yn fy llaw.

'Mae 'na fwy i fywyd nag addoli rhyw Domestic Goddess efo'r Spicers!' meddai. 'Petai pawb yr un fath â nhw mi fyddai Caersaint yn un B&Q mawr.'

Edrychais arni'n syfrdan. Ond doedd dim amser i ddadlau gan ein bod ar fin camu i mewn at oleuadau gloyw'r 'Café-Bar Hafana', y busnes cyntaf i agor yn Phase 1. Dilynais Almut trwy'r drysau gwydr, a chael fy hun yn chwysu dan ffrwd o aer poeth.

Dallwyd fi gan sglein y lloriau, tra chwinciai lampau mân y nenfwd fel sêr rhyw fydysawd arall. Roedd yr ystolion crôm o gwmpas y bar hwythau'n adlewyrchu'r sglein. Lliwiau mwy priddlyd y Caribî oedd ar y waliau, a lluniau o Ynys Ciwba: ceir llydain ar strydoedd tlawd Hafana; trwmpedwr mewn fest a'i wallt affro arianlwyd; hen boster *Havana-Rum*; ac yn olaf ffotograff mawr o Che Guevara mewn beret, a 'Cuba Libre' yn slogan chwyldroadol ar wal y tu cefn iddo.

'Mi allai hwn fod yn unrhyw le yn y byd,' mwmialodd Almut. 'Sydney, Goa, Rio... Unrhyw le heblaw Havana ei hun.'

Gwenais. A'r gelyn mor amlwg, closiodd y ddau ohonom at ein gilydd eto.

'Fi sy'n talu heno,' meddai hi, wrth roi ei phwysau ar y bar, a'i dillad lliwgar, blewog yn taro'n od ynghanol ffrogiau gloyw a chrysau llyfn y cwsmeriaid eraill.

Doedd yno ddim cwrw Prins-o-Wêls, wrth gwrs, dim ond lagers cyfandirol mewn poteli, a Budweiser a Guinness ar dap. Felly, prynodd Almut botclaid o win Chardonnay o Awstralia am ddwy bunt ar bymtheg, ac aethom i eistedd ar soffa ledr heb fod ymhell o'r tai bach. Ar y wal gyferbyn roedd pum cloc ac enwau pum lle, a'r rheiny'n dangos faint o'r gloch oedd hi yn Llundain, Efrog Newydd, Hong Kong, Hafana – a Chaersaint.

Tyngodd Almut mewn Almaeneg wrth wylio'r gweinydd ifanc yn plannu ein potelaid o win mewn pwcedaid o rew. Ciliodd yntau wedyn yn chwim at y bar, rhag ofn i'r camera cylch cyfyng ei weld yn sgwrsio.

Roedd blas y gwin yn anghyfarwydd ar fy nhafod, ac yn f'atgoffa o'r olew resin y bu Trefor a minnau'n ei rwbio i estyll lloriau Arvon Villa rhyw wythnos neu ddwy ynghynt. Roedd Almut yn yfed yn galed, heb bleser ar ei hwyneb, fel petai'n ei gorfodi ei hun i lyncu ffisig.

'Felly dyma'r dyfodol i Gaersaint,' meddai wrth ail-lenwi ei gwydr. 'Dulyn arall!'

Gwnaeth arwydd arnaf innau i yfed. Roedd cythraul y botel wedi cael gafael arni, fel y digwyddai pan gâi ei chythruddo.

'Mi fedrwch chi neud yn well na hyn, Almut,' meddwn, i'w thawelu.

'Mi fedri di neud yn well na Med,' meddai hithau.

Yfodd ei gwin.

'Nid y fo ydi dy elyn di,' aeth yn ei blaen wedi gorffen ei hail wydraid.

Arhosais i glywed beth oedd ganddi i'w ddweud.

'Hunandosturi,' meddai. 'Clwy marwol Caersaint!'

Cofiais am Tonwen yn sôn am rywbeth tebyg. Doedd ond ychydig ddyddiau ers hynny. Ac eto, teimlwn fy mod yn chwilota dyfnderoedd fy nghof i gofio beth yn union yr oedd hi wedi ei ddweud, a lle yn union ar y daith honno at eglwys Llanfairfaglan yr oedd hi ar y pryd...

'Ti'n gwrando?' galwodd Almut ar draws y bwrdd. 'Hunandosturi. Dyna sy'n dy ddal di'n ôl. Ac euogrwydd.'

Gwnaeth arwydd arnaf i lenwi fy ngwydr.

'Os maddeui di ychydig o seicoleg am funud, rwyt ti a fi'n debyg iawn i'n gilydd,' aeth yn ei blaen. 'Mae'r ddau ohonom ar ddechrau cyfnod newydd yn ein bywydau. Fi, wedi i 'mherthynas â Robina ddod i ben. A thithau, ar ôl gneud beth bynnag fuest ti'n ei neud am saith mlynedd...'

Edrychodd i fyw fy llygaid. Roedd wedi fy holi sawl gwaith am hynny. Roeddwn innau wedi addo dweud... rhyw ddiwrnod.

Heddiw, efallai?

Ond heddiw roedd Almut yn rhy ddiamynedd i ddisgwyl.

'Euogrwydd,' meddai wedyn, gan yrru ias i lawr asgwrn fy nghefn. 'Mae'r ddau ohonom wedi bod yn byw mewn euogrwydd. Oherwydd y gorffennol. Fy mam i. Dy fam dithau. Ac Arfonia. Ond mae'n bryd inni'n dau symud ymlaen.'

Pwyntiodd ei bys modrwyog tuag ataf.

'Dy unig ddyled i dy fam, ac i Arfonia, ydi byw dy fywyd dy hun, a gwneud y gorau ohono.'

Roedd rhywbeth braf mewn clywed Almut yn mynd trwy ei phethau eto. Roedd hi bob amser mor gynhesol. Yn sydyn, ffurfiodd llun yn fy meddwl o Tonwen yn troi ei chefn arnaf, ac yn brysio adref heibio i'r clwb golff, trwy byrth Caersaint ac i fyny at y Plas. A finnau ar ôl yn oer ar lan y dŵr.

'Chi sy'n iawn, Almut,' meddwn, a drachtio o'i gwin. 'Mae'n amsar i fi symud ymlaen. Dyna pam ddoish i'n ôl, wedi'r cwbwl.'

Cydiodd Almut yn y bwcedaid rhew a chodi ar ei thraed yn wên o glustdlws i glustdlws.

'Potelaid arall?'

Daeth yn ei hôl ymhen rhai munudau.

'Coch y tro yma!' gwenodd. '*Sangre del Toro*! A chredi di byth pwy sydd ym mhen pella'r bar, mewn cornel fach o'r golwg!'

Gwyrodd ataf a sibrwd;

'Dy Bwyles di o'r Shamleek.'

'Olena?'

Gwridais, a mwmial:

'Dim Pwyles….'

'Yng nghwmni pwy ti'n feddwl?'

Yn sydyn, roeddwn yn glustiau i gyd.

'Med?'

Ysgydwodd hi ei phen.

'Bryn. Neu "Brannigan" yn hytrach. Dy ffrind!'

Ond doeddwn i ddim yn synnu cymaint ag yr oedd Almut wedi ei ddisgwyl, ac wrth i gochni 'gwaed y tarw' o Sbaen ddechrau cyfnerthu fy ngwaed, mi es ati i sôn wrth Almut am yr hyn a ddigwyddodd nos Galan, pan es i chwilio am Med Medra yn y Shamleek.

'Chesh i ddim amsar i ddeud wrthach chi cyn i chi fynd. Wrth ddrws y gwesty mi welish i Bryn.'

'A chael dy guro eto?'

'Na. Dim o gwbwl! Roedd o wedi newid ei gân. Pan ddeudish i fod babi Tonwen ar ei ffor', mi ddechreuodd regi Med, a'i alw fo'n fochyn budur, ac yn sglyfath, a phob math o betha.'

Chwarddodd Almut.

'Wedyn mi aeth â fi at barti preifat y VIPs yng nghefn y Shamleek. A fanno oedd Med Medra. Efo hi. Olena. A photal siampên fawr ar ei hannar rhyngthyn nhw. Wel, dim rhyngthyn nhw. Doedd 'na fawr ddim byd yn dod rhyngthyn nhw…'

'A beth oedd ymateb Med i dy neges?'

'Mi sbiodd arnaf am eiliad neu ddwy, cyn codi ar ei draed fel tasa fo'n hollol sobor a cherddad allan heb ddeud gair.'

'Ac mi helpaist tithau dy Bwyles... Olena?... i orffen y siampên,' oedodd. 'Wel? Ydw i'n iawn?'

Llyncais fy mhoer.

'Pwy ddeudodd?'

Chwiliais dros ei hysgwydd rhag ofn bod Olena ei hun yn llechu yn rhywle, ac wedi bod yn agor ei cheg... binc... siapus...

Ond roedd Almut yn fy atgoffa ei bod wedi byw gyda seicolegydd am dros ddeng mlynedd ar hugain:

'Ac mae'n reit hawdd darllen dy wyneb weithiau, er dy fod yn enigma llwyr ar adegau eraill! Felly, doedd Olena ddim yn hapus bod Med wedi rhedag adra at ei wraig?'

Ysgydwais fy mhen.

'Ac mi gysuraist tithau hi?'

Amneidiais.

'Mi oedd hi'n deud petha mawr yn ei diod. Deud y basa hi'n gallu datgelu llawar mwy am fusnesa Med. Ac y byddai hi a "Brannigan" yn gneud hynny cyn hir.'

Codais fy mhen eto, gan edrych at ben pellaf y café-bar, rhag ofn y gwelwn y ddau'n dod. Trodd Almut hithau i edrych dros ei hysgwydd. A phan drodd yn ôl roedd rhyw ddireidi herfeiddiol yn ei llygaid.

'Mae pethau'n poethi!' gwenodd, gan arllwys mwy o'r gwin coch tywyll i'n gwydrau.

Cododd ei gwydr tuag ataf. Yfais innau'r cyfan ar un gwynt, cyn codi ar fy nhraed, a'i throi hi am y tŷ bach.

Arhosais yno am sbel, yn bennaf gan ei bod mor anodd gwybod sut oedd cael dŵr o'r tapiau awtomatig. Erbyn i mi ddychwelyd at y bwrdd i barhau â'r sgwrs, doedd dim golwg o Almut, ac roedd y botel win yn wag. Ac nid yn unig hynny. Roedd fy nhun paent Timeless wedi diflannu hefyd, yn ogystal â'r rholiwr.

Chwiliais Hafana amdani, yn ofer, gan aros hyd yn oed wrth ddrysau toiled y merched, nes i rai o'r merched ddechrau gwenu arnaf. Felly, gadewais dwymyn Caffi Hafana am noson oer y doc. Ac oeri a wnaeth hi: wrth rowndio'r gornel, rhewais yn llwyr.

Yno, a'i het Himalaiaidd ar sgiw ar ei phen, fel beret Che Guevara, safai Almut a'r rholer paent yn wlyb yn ei llaw a diferion gwynion yn disgyn ohono hyd gerrig set difrycheulyd y llawr. Roedd ei golygon ar y wal gyferbyn, talcen newydd sbon Phase 1.

Trois innau'n araf ac yn llawn arswyd i sbio. Ac yno, mewn llythrennau bras a ddisgleiriai bron yn ariannaidd yn llifoleuadau grymus Wogan-Williams, roedd y geiriau gwynion: CAERSAINT LIBRE!

'Mae'r ysgrifen ar y mur!' gwaeddodd Almut, a chwerthin yn rhyfygus a chodi ei dwrn ar y camera cylch cyfyng gerllaw. 'Mae'r ymgyrch yn erbyn hunandosturi – a Med Medra – wedi dechrau'n swyddogol!'

Trodd i'm hwynebu. Ac yn yr eiliad honno, daeth popeth at ei gilydd yn fy mhen – holl rwystredigaeth a chaethiwed y gorffennol, trasiedi Arfonia, hunanladdiad fy mam, fy hel o'r ysgol, etifeddu'r tŷ, gorofal y Spicers, Tonwen Bold a'i gŵr digywilydd – nes y ffrwydrodd y cyfan y tu mewn i mi, a minnau'n teimlo fy hun yn cael fy nhaflu gan y grym mewnol hwnnw, allan ohonof fy hun, ac yn cael fy lawnsio i'r awyr ar ryw newydd wedd, ac yn cael fy nal a'm cynnal wedyn ym mreichiau nerthol Almut, a honno'n fy nghodi uwch ei phen – yn fuddugol, yn fawr, yn Feseia...

Roeddwn yn breuddwydio eto. Ac roedd Almut yn galw arnaf i ddeffro, ac i'w miglo hi oddi yno cyn dyfodiad yr heddlu, gan nad oedd fiw i ddarpar faer gael ei ddal yn sgwennu graffiti. Timeless neu beidio.

37

CHWYTHU AR EI hewinedd rouge-noir gwlyb yr oedd Babs Inc pan gyrhaeddodd Alun, Almut a minnau ei swyddfa am naw o'r gloch yn brydlon. Roedd golygyddes y *Llais* yn ei hôl ers deuddydd, ac wedi galw cyfarfod brys i drafod yr ymgyrch arfaethedig. Ond golwg ddigon hamddenol oedd arni yn awr, a chusan yr haul ar ei gwep, a'i bysedd peintiedig ar led fel ffân o'i blaen.

'Munud dach chi'n dechra efo'r lliwia tywyll, mae'r gwinadd yn staenio,' meddai, heb ein cyfarch. 'Does 'na ddim dewis wedyn. Dim ond rhoi mwy a mwy i guddiad y staen.'

Lledodd y bwlch rhwng bys a bawd a sbecian trwyddo.

'Swnio fatha rhyw Lady Macbeth, tydw?'

Ac ar ôl cwyno am y tywydd, a chanmol hinsawdd boeth y Canaries, gwnaeth arwydd arnom i gistedd gyferbyn â hi.

'Dwi'n ama mai dyna be sy'n bod ar dy winadd di, Alun Stalin,' amneidiodd tua'r staeniau melyn ar fysedd hwnnw. 'Ers i chdi fod yn gweithio fel transvestite ers talwm.'

Chwarddodd yn blentynnaidd.

'Dyna be fasa stori!'

'Ddim gwirionach na dy straeon arferol di,' meddai Alun yn sych.

Gosododd ei dwylo ar y ddesg, a lledu ei bysedd eto. Trodd Alun i graffu ar luniau'r hen Gaersaint a hongiai hyd waliau'r swyddfa, ynghyd â dalennau blaen rhai o newyddiaduron enwog y gorffennol, tra ceisiai Almut osgoi edrych ar y calendr *Playgirl* a hongiai rhwng degau o bost-its neon uwchlaw cadair Babs. Eisteddais innau yn fy lle yn ceisio anghofio fy hangofyr.

O'r diwedd, cododd Babs o'i chadair ledr a mynd at ddrws y swyddfa i droi'r arwydd 'Dim Mynediad' tuag allan. Yna, gan ein hatgoffa ei bod yn ddynes brysur, diolchodd i bawb am ddod mor brydlon, cyn troi ei thin lydan arnom, gwyro at ddrôr ei desg, ac estyn pamffled gloyw ac amryliw ohono.

'Maniffesto Med Medra!' datganodd.

Craffodd Alun, Almut a minnau ar yr wyneb cyfarwydd ar flaen y pamffled. Yn bennawd syml uwch ei ben yr oedd ei enw: Medwyn Môn Parry. Ac wrth ymyl hynny, logo ei ymgyrch: Tŵr Eryr Castell Caersaint ac arno faner amryliw a'r geiriau 'Clwb Med' yn hofran. Dan ei wep, tri gair: Uchelgais, Profiad, Llwyddiant. A thic wrth y gair 'MAER' mewn bocs yn y gornel.

'Sut goblyn gest ti afael ar hwn, Babs?' holodd Alun.

Estynnodd hithau ei bys i gyfeirio at brint mân a eglurai mai Gwasg Llais y Saint, Stryd Twll yn y Wal, Caersaint a argraffodd y daflen.

'Ar ein hochr ni wyt ti i fod!' cwynodd Almut.

Ond roedd Babs yn ddiedifar.

'Fi ydi'r unig un fedar brintio petha yng Nghaersaint,' meddai'n gwta. 'A fiw i Med gael ei weld yn cefnogi cwmni o'r tu allan. Mae hon yn daflen mor bwysig. Ac mi dalodd o'n hael am hyn. A'r elw – tasa fo 'mond yn gwbod – yn mynd at ein hymgyrch ni. Dallt?'

Edrychodd y tri ohonom arni gan ryw hanner deall.

'Dan ni hefyd yn cael gweld y maniffesto, tydan,' aeth Babs yn ei blaen, gan wincio'n gynllwyngar. 'Sneak preview. Darllenwch o!'

Yn drindod ufudd, hanner gwyrodd y tri ohonom i

ddarllen 'llythyr' Med, ond bachodd Alun ar y cyfle i glywed ei lais ei hun, gan ddarllen y geiriau'n uchel ac mewn llais gwatwarus:

'*Pan oeddwn i'n blentyn ar lannau Môn, arferwn syllu draw at Gaersaint a'i gweld yn disgleirio'n euraidd, yn drysor ar yr ochr draw.*'

'Barddonol iawn,' meddai Almut yn goeglyd.

'Malu cachu sentimental!'

Aeth Alun yn ei flaen:

'*Trist yw gweld bod sglein Caersaint wedi pylu dros y blynyddoedd diwethaf... Tyfu i fyny wnaeth y lembo hurt!... diolch i arweiniad gwan Plaid Cymru a diffyg gweledigaeth Llafur a'r Ceidwadwyr. Fy mreuddwyd i yw dod â'r hen sglein yn ôl i Gaersaint.*'

Yna daeth ei hanes yn 'syrthio mewn cariad' gyda merch o Gaersaint pan oedd hi yn y coleg yn Llundain, ac yntau yno'n gwneud MBA, a sut yr oeddent bellach wedi magu dau o blant o'r enw Macsen ac Elan ym Mrynhill, 'hen galon Caersaint'. Roedd llun wedi'i fewnosod yn y rhan hon o'i 'lythyr' yn dangos Med yng nghwmni Tonwen a'r plant. Dan y llun roedd capsiwn: 'Medwyn, y gŵr a'r tad'.

Yna, aeth Medwyn yn ei flaen, trwy lais main Alun Stalin, i restru ei flaenoriaethau, fel cynghorydd ac fel maer, gan roi pwyslais arbennig ar hybu twristiaeth a sicrhau economi gref, gan godi ffigurau ymwelwyr i'r hyn oeddent yn y blynyddoedd wedi Arwisgiad Tywysog Cymru 1969.

'Gwrandwch ar hyn,' gwawdiodd Alun. '*Mae datblygu hen safle MAP yn ganolbwynt i dwristiaeth a hamdden yn y dref, a bydd yn gwneud Caersaint yn enghraifft o economi Deigr – Teigr Santaidd, wrth gwrs! Mae Phase 1 wedi ei gwblhau eisoes a hyderaf y bydd Phase 2 yn mynd â'r prosiect o nerth i nerth gan sicrhau gwaith i gannoedd os nad miloedd o bobl leol. Felly, ar Chwefror*

29 eleni, rhowch groes yn y bocs. A dewis 'Med Medra' yn faer
etholedig y dref a drysorwn i gyd.'

Mewnosodwyd llun arall ar waelod y llythyr, sef Med
yn ysgwyd llaw â Liam Wogan-Williams, gyda'r capsiwn
dan hwnnw'n dweud: 'Rheolwr-gyfarwyddwr Wogan-
Williams yn ymuno â Chlwb Med!'

'Brown paper envelopes,' meddai Almut, a'i hacen
Almaenaidd yn llawer cryfach wrth iddi siarad Saesneg.

Syllais innau ar wep y ddau ddyn busnes yn eu siwtiau
tywyll, a theimlo atgasedd yn cronni. Ond doedd gan Babs
ddim amser i hel teimladau.

'Ychydig iawn o amsar sydd gynnon ni i feddwl am
gonsept, paratoi lluniau a geiriau, argraffu'r maniffesto, a
threfnu lansiad,' meddai'n groyw.

Tawodd am ennyd er mwyn i'r her ein taro ni'n tri. Yna
cododd ei llaw, fel petai'n gofyn i'n mudandod dawelu:

'Dim panics. Mi drefna i'r llunia. Mi brintia i'r geiria. Ac
mi drefna i'r lansiad.'

Oedodd eto, cyn dweud yn llawn ymddiriedaeth:

'Be dwi angan gynnoch chi'ch dau – tri, sori Jam! – ydi
syniada.'

Estynnodd am ei beiro goch, ac aeth ati i holi ein barn
am wendidau maniffesto Med. Almut oedd y cyntaf i siarad,
ac fe ddaeth ei barn, fel arfer, yn ddi-flewyn-ar-dafod:

'Celwydd. Rhagrith. Twyll.'

'Holl ystrydebau gwag rhyddfrydiaeth gyfalafol dechrau'r
unfed ganrif ar hugain,' oedd cyfraniad Alun.

'Be yn union ti'n feddwl, Al?' meddai Babs, gan fynd ati
i sgrialu arwyddion cyfrin llaw-fer yn y llyfr a'r sbring cryf
yn asgwrn cefn iddo.

'Yr hyder,' rhifodd Almut ei gwrthwynebiadau ar ei
bysedd modrwyog. 'Y brolio. Y twyll. Y machismo. Ac yn

fwy na dim, y *busnes*.'

'Ydi, mae o'n llawn ystrydeba a jargon o fyd busnas,' ategodd Alun, gan fynd i hwyl. 'Yn llawn manager speak. Nid dyna iaith Caersaint.'

Chwifiodd ei fysedd uwchlaw'r maniffesto, a gwynder gloyw'r papur yn pwysleisio'u melynder.

'A be gythraul ydi'r otsh gen y saint os ydi o wedi galw ei fab yn Macsen. Does gen y sant cyffredin ddim obadeia pwy ydi Macsen Wledig. Nag Elan Luyddog chwaith.'

'Mi oedd Pen Menyn yn meddwl mai'r gair Cymraeg am fatsian oedd Macsen,' cofiais yn sydyn.

Ond fi oedd yr unig un i chwerthin. Nid dyma'r adeg, i bob golwg, i gofio am smaldod bar y Mona.

'Neith un o foch Môn byth ddallt y saint go iawn,' aeth Alun yn ei flaen. 'Ella mai culfor sy'n ein gwahanu ni, ond cul neu beidio, mae o yna, yn fôr fel pob môr arall, ac mae o'n golygu rhywbath.'

Doedd Almut ddim yn cytuno â'r plwyfoldeb hwn, ond roedd Babs wedi rhoi'r gorau i wrando.

'Ga i ddweud wrthach chi be dwi'n feddwl?' meddai ar draws y ddau arall. 'Nid *be* mae o'n ei ddeud, ond *faint* mae o'n ei ddeud sydd o'i le. Mae 'na ormod o eiria.'

Edrychodd pawb arni, ac wedi saib, daeth yr anghytuno.

'Gormod o eiria? Blincin maniffesto ydi o i fod!'

'Geiriau ydi'n harfau ni, Barbara!'

Ond cododd Babs ei llaw.

'Gwrandwch chi ar un sy'n gwybod,' pwysodd ei phen ar gefn ei chadair, nes bod ei gwallt yn ymdoddi i sglein y lledr du. 'Fi, wedi'r cwbwl, sy'n sicrhau bod tair mil o saint yn prynu'r *Llais* bob wythnos. A theirgwaith hynny'n ei ddarllen o.'

Syllais ar y mân flew tywyll yn ei ffroenau.

'Coeliwch chi fi, mae 'na ormod o eiria,' ffliciodd y maniffesto ar hyd y ddesg. 'Ddarllenith neb hynna i gyd. Y saint, yn enwedig. Mae o'n siarad ar draws pawb.'

'Ond Barbara, dyna holl bwrpas maniffesto,' dadleuodd Almut wedyn. 'Cynnig arweiniad.'

'A does 'na ddim gair Besanti ar ei gyfyl o,' aeth Babs yn ei blaen.

'Fasa 'na neb yn cymyd maniffesto Besanti o ddifri, siŵr Dduw!'

'Felly, mae'n rhaid cael gwarad ar y broblam iaith, Alun.'

Codais innau fy llaw, fel petawn mewn cwis, gan gynnig ffordd i ddatrys yr hyn a welai Babs yn broblem:

'Mwy o lunia?'

Gwobrwyodd Babs fi â gwên.

'Ia, deg allan o ddeg, Jam. Ond yn fwy na hynny, be sydd ei angan ydi mwy o le gwag.'

'Lle gwag?' meddai Alun a'i lygaid yn lledu.

'Lle gwag y medar pobol ei lenwi efo'u syniada'u hunain.'

'Syniada? Does gen y saint ddim blincin syniada. Dyna ydi'r holl boint. Y blincin Maer sydd i fod i gynnig syniada!'

Ond roedd Babs wedi gwyro ymlaen ac estyn ei braich tuag ataf i.

'Rhaid inni ddangos bod hwn,' prociodd fi ag un ewin gloyw, 'yn mynd i gynnig rhywbath hollol wahanol i Med.'

'Trwy ddeud dim byd?'

'Rhaid inni dorri trwy ddifaterwch pobol,' daliodd Babs ei thir, a rhaid cyfaddef bod tinc hamddenol, pendant ei llais yn hawlio'n sylw i gyd. 'Achos fel dwi wedi deud wrth y tri ohonach chi yn eich tro, difaterwch, nid pleidleisia, sy'n mynd i neud Med Medra'n faer.'

Ond doedd Alun yn dal ddim yn barod i gael ei ddarbwyllo, ac yn ei brotest hyrddiodd ei gadair olwyn tuag yn ôl, nes bod y cwpwrdd ffeilio y tu cefn iddo'n clindarddach.

'Syniada chwyldroadol ydi'r ffordd i neud hynny!' gwylltiodd. 'Nid sbês! Syniada chwyldroadol i ddeffro hyd yn oed Peilat Jones!'

Ond trodd Babs arno:

'Yli, Alun Stalin, dydi pobol Caersaint ddim isio dy lol di,' caledodd ci llais. 'Dydyn nhw ddim isio dy Gaersaint gydweithredol, gymunedol, gydradd di. Dydyn nhw ddim yn dallt y geiria, heb sôn am eu cynnwys.'

Taflodd Babs faniffesto Med Medra i'r llawr, fel petai'n ei ddiystyru'n llwyr.

'Cael ymgyrch *hollol wahanol* i dy bolitics arferol di sydd isio. Rhywbath *radical*.'

'Sef?' meddai Almut, a'i threm ddeallus yn dyn ar Babs.

'Y dyn gwyn,' meddai Babs, a buddugoliaeth eisoes yn ei llygaid. 'A'r ddalan wen! Gwrandwch − mae gin i gynllun!'

38

PLYGODD BABS AT ddrôr ei desg am yr eildro, a'r tro hwn estynnodd daflen bapur, a honno'n ddu a gwyn sgleiniog.

'Dwi wedi bod mor hy â pharatoi drafft,' meddai, a ffugio rhyw swildod. 'Er mwyn i chi gael deud eich barn.'

Ar flaen y daflen roedd llun dyn ifanc, pryd tywyll mewn siwt wen. Uwchben y llun roedd fy enw i, 'Jaman Gwyn', ac oddi tano, un gair: 'Caersaint.'

Y tu mewn i'r daflen roedd yr ychydig eiriau canlynol:

'Isio cael deud eich deud ar ddyfodol Caersaint? Wedi cael llond bol ar bobol o'r tu allan yn deud be ydi be?

Y saint bia deud!

Y saint bia'r dyfodol!

Y saint bia Caersaint!

Deudwch chi eich deud! Rhowch y dyfodol yn ôl i'r saint!'

A dyna'r cyfan. Gyferbyn â'r geiriau hyn roedd bocs mawr gwag, a chyfarwyddyd dwyieithog cwta: 'Rhowch eich Barn / Tell us What You Think'. O dan y bocs wedyn roedd cais i ddychwelyd y daflen at Flwch Post 001, Caersaint. Roedd cefn y daflen yn gyfan gwbl wag, ar wahân i enw a chyfeiriad Gwasg y Llais hyd y gwaelod.

Rhythodd Almut a finnau arno. Ond roedd Alun Stalin yn ffrwydro.

'Maniffesto ti'n galw hwnna? Does yna ddim un syniad o gwbwl ar ei gyfyl o!'

Amneidiodd Babs, fel petai'n derbyn ei farn. Yna, yn gwbl ddigyffro, trodd ataf i:

'Jam?'

Ystyriais. Neu, o leiaf, yn y cyflwr roeddwn ynddo mor fuan y bore, mi wnes ymdrech i ystyried.

'Mae o'n cyfleu be ydw i, mae'n siŵr.'

'Ydi,' brathodd Alun. 'Rhywun heb bolisïa!'

'Cyfleu be ydi o, a gneud hynny'n rhinwadd,' ategodd Babs fy ngeiriau i. 'A chynyddu democratiaeth yr un pryd.'

Daliai Almut i syllu ar y daflen.

'Rhaid i mi ddweud,' meddai'n araf, 'bod y syniad yn apelio ataf fel ffeminydd.'

Wfftiodd Alun dan ei wynt, ond daliodd Almut i ddweud ei dweud:

'Dydi maniffesto Medwyn ddim ond yn lluosogi geiriau gwag gwrywaidd. Mwy, mwy, mwy. Dyna ydi popeth. Mae'r gofod yma yn fwy benywaidd. Mae'n cynnig lle. Gwagle sy'n fwy democrataidd.'

'Lost in space!' poerodd Alun, gan ychwanegu'n blentynnaidd: 'Ac ers pa bryd mae merchaid yn siarad llai?'

'Ti'n ddim ond hen chauvinist adweithiol yn y bôn, Alun Stalin,' meddai Babs, gan wincio ar Almut, a chan estyn ei braich ar draws y ddesg i greu hollt rhwng Alun a'r gweddill ohonom.

Doedd yntau ddim yn hapus iddo gael ei esgymuno:

'Ein galw ni'n think-tank, ac wedyn gwrthod, nid yn unig ein syniada ni, ond y syniad o gael syniada!'

'Ond cam cynta ydi hwn, Alun bach,' erfyniodd Babs, a thynnu ei braich wedyn yn ôl. 'Matar gwahanol fydd hi adag hystings ac ati. Erbyn hynny mi fydd y saint wedi llenwi'r bocsys yna, a rhoi syniada i ni.'

Gwnaeth Alun ryw sŵn rhyfedd yn ei drwyn wrth fyfyrio dros yr hyn yr oedd Babs newydd ei ddweud. Yna aeth ati i ymosod ar y drafft o faniffesto mewn ffordd newydd:

'A myn coblyn i, fedri di ddim galw rhywun sydd isio bod yn faer yn "Jaman",' cwynodd. '*Anlwcus*! Enw hollol anffodus i Faer unrhyw dre.'

Ond roedd Babs yn barod am yr her honno hefyd.

'Gwranda, Al, mi roith y saint lysenw arno fo beth bynnag. Dach chi'n cofio'r stori honno am y dyn ddaeth i Gaersaint a brolio ei fod o'n ormod o hen bry i gael llysenw, a *Hen Bry* fuodd o byth wedyn?'

Gwenodd eto.

'Rhaid inni *reoli* llysenw'r hogyn, reit o'r dechra…'

Trawodd ei bys ar y ddesg, nes bod y paent cochddu yn disgleirio fel defnyn o waed ffresh dan olau'r lamp.

'Ac mae "Jaman Gwyn" yn berffaith. "Jaman" i ddangos ei fod o'n normal, mor ffaeledig â'r gweddill ohonan ni. A "Gwyn" achos mai dyna fydd arwyddair ein cynllun ni.'

'Pa gynllun?'

'Y dyn gwyn. A'r ddalan wen.'

'Ond blincin dyn du ydi o!'

'Dwi ddim yn sôn am liw ei groen o,' dechreuodd Babs golli ei hamynedd. 'Gwyn yn yr ystyr… pur, newydd, agorad…'

'Heb ei lygru,' awgrymodd Almut, gan ddenu wfft arall gan Alun.

Roedd gan Babs esiampl go iawn o'r egwyddor ar waith:

'Dach chi ddim yn cofio'r Martin Bell hwnnw yn ei siwt wen yn sefyll fel ymgeisydd anti-sleaze?'

'Hy, rhywun arall heb bolisïa! Hac o'r BBC oedd o!'

'Jaman Gwyn fydd yn tynnu'n groes i sleaze Medwyn,' estynnodd Babs ei braich tuag ataf innau, fel petai'n fy nghroesawu ar lwyfan ei desg.

Ond pan drodd pawb i edrych arnaf, bu'n rhaid i minnau brotestio:

'Babs, dydw i, ddim mwy na chitha, yn whiter than white....'

'Does gin ti ddim byd i'w guddio. Nag oes, washi?' meddai hithau'n wenus. 'Ta oes 'na rywbath y dylan ni wybod amdana chdi? Cyn dechra. Allan â fo. Ty'd. Dan ni i gyd yn ddigon bydol, hyd yn oed Alun...'

Taflodd gip chwareus ar y Marcsydd, tra ceisiwn innau reoli'r chwys oedd yn torri'n ffynhonnau dros fy nghorff. Wyddwn i ddim a oedd Babs yn ensynio pethau a wyddai'n barod, ynteu'n fy mhryfocio yn y gobaith o ddysgu mwy.

Yn y diwedd, bodlonais ar fwmial:

'Does 'na neb yn sant...'

Ac wedi saib chwithig, ysgydwodd Babs ei phen yn gysurlon.

'Nag oes, siŵr. Yn enwedig yng Nghaersaint!'

Gwenodd arnom fesul un.

'Ond *delwedd* ydi'r cwbwl, yndc. Rhywbath *gweledol*, ac ar yr un pryd, *anweledig*, fydd y gwyn. Yndc? Subliminal, chwedl y Sais. Gweithio yn yr isymwybod. Titha, Almut, yn bownd o fod wedi darllan dy Freud, a Robina'n ddarlithydd seicoleg?'

Tynnodd Almut ei gwynt, gan baratoi i gywiro dehongliad amrwd Babs o waith y seicdreiddiwr, ond roedd yr olygyddes eisoes ar drywydd newydd, ac wedi plygu'n drafferthus i bigo maniffesto Med Medra oddi ar lawr y swyddfa.

'Sbïwch chi ar yr holl liwia sydd ar y daflen yma. Trio plesio pawb. Trio bod yn gynhwysol. Yr un fath efo fflag bob lliw "Clwb Med". Ond rhith ydi pob enfys.'

'A thrysor wrth ei bôn,' meddai Alun yn glyfar.

'Yr hyn 'nawn ni,' aeth Babs yn ei blaen, fel petai drafft y maniffesto bellach wedi cael ei dderbyn, 'ydi cadw maniffesto

Jaman yn fonocrom, ond efo twtsh o arian santaidd o gwmpas ei enw fo, ac enw Caersaint.'

'Isio arbad pres printio wyt ti!'

'Yli, Alun,' trodd Babs arno'n galed. 'Os oes 'na rywun yn dallt pŵer du a gwyn, Babs Inc ydi honno.'

Taflodd gip yn bwysig ar sgrin ei Blackberry.

'Amsar ydi'n gelyn mwya ni, ffrindia,' cyhoeddodd. 'Ga i ofyn i chi rŵan, fel executive, ydach chi o blaid drafft yma, ta ddim? Pawb sydd o blaid i godi eu dwylo.'

Syllais ar ddaflen Babs. Roedd y llun hunanhyderus ar y tu blaen yn boddio fy malchder. Trois at y canol, a sbio ar y blwch gwyn, gwag. Roedd hynny, heb i mi wybod yn iawn pam, yn apelio hefyd, yn enwedig wrth ei gymharu â maniffesto Med Medra a oedd yn llawn hunanganmoliaeth, a honno'n lapio'i hun o gwmpas y lluniau ffals ohono a'i deulu. Roedd y llefydd gwag yn fy maniffesto i'n llawer iawn mwy gonest.

A hynny, yn y pen draw, sef y tynnu'n groes i ddulliau Med, a barodd i mi godi fy llaw a ffurfio mwyafrif o blaid y drafft, ar y cyd â llaw fawr, fodrwyog Almut.

Lledodd gwên Babs. Gwyrodd at ddrôr ei desg am y trydydd tro, fel petai'n ymochel rhag y pwdu sur yn llygaid Alun Stalin.

'Dyna setlo'r matar. Mae'n amsar inni ddathlu dechra swyddogol ymgyrch Jaman Gwyn!'

Taflodd ddau gan jin–a–thonic fel casgenni o bowdwr gwn ar draws ei desg.

'Dim i chdi, Jaman bach,' gwenodd. 'Ti'n TT o rŵan tan adag yr etholiad.'

'Stopio yfad yn gyfan gwbwl?' cwynais. 'Dad oedd y Mwslim, dim y fi!'

'Ac mi faswn i'n cadw hynny'n ddistaw hefyd,' siarsiodd

Babs. 'Efo gymaint o hogia Caersaint yn Irac a Helmand. Greek Cypriot oedd dy dad os bydd rhywun yn gofyn. Neu rywbath arall digon egsotig. Yn y cyfamsar,' swigiodd Babs o'i thun hi ei hun, 'mi rown ni makeover i chdi. Tynnu llunia. Printio'r maniffesto a gyrru datganiadau i'r wasg i ddeud lle bydd y lawnsiad.'

'A lle fydd o?' meddai Alun yn sorllyd, gan wneud ei orau i beidio ag estyn am y can diod.

'Location, location, location!' meddai Babs. 'A'r lleoliad pwysica yng Nghaersaint ydi…'

Oedodd, fel petai am roi'r argraff bod gennym ddweud yn y mater.

'Y Mona?'

'Caffi Besanti?'

'Yr archifdy?'

Ysgydwodd Babs ei phen bob tro.

'Y castall!' meddai'n hapus. 'Lle arall?'

Esboniodd ei chynllun:

'Mi fydd Jaman yn sefyll ar ben Twr Eryr a lawnsio'i faniffesto o ben y twr, fel cawod o eira gwyn ar ben y saint islaw.'

'Yn grocs i fflag Med Medra!' roedd Almut hithau wedi dechrau magu brwdfrydedd. 'Hen beth ffalig yn torsythu'n llonydd uwchlaw'r dref.'

'Yn union,' meddai Babs. 'Mi fydd maniffesto Jaman Gwyn yn dod i lawr at y bobol. Fel manna o'r nefoedd…'

'… yn syth i fwd yr Abar,' mwmialodd Alun.

'A dyna i chi be fydd photo opportunity gwerth chweil,' broliodd Babs. 'Mi bryna i ddrincs i'r selogion a gofyn iddyn nhw ddwad at waelod y twr i ddal y maniffestos, ac i gael eu gweld yn eu darllan nhw.'

'Darllan?' bachodd Alun, cyn ateb ei gwestiwn ei hun yn

goeglyd: 'Mi fedran nhw fanijio'r bocsys gwag, am wn i.'

Ond doedd Babs bellach, a hithau wedi ennill cefnogaeth y mwyafrif, ddim yn gwrando ar gwynion Alun.

'Mi anfona i'r llunia at y wasg genedlaethol, y BBC, S4C, ITV a *Sky News.*'

'Rêl un o'r blincin paparazzi, dwyt?'

Gosododd Alun ei ewin melyn dan fodrwy'r can diod ac yfed i foddi'i ofidiau. Roedd Almut, i'r gwrthwyneb, wedi llonni trwyddi.

'O ystyried y cyfyngiadau amser ac arian sydd arnom, credaf mai dyma'r dull gorau o fynd ati i ddechrau'r ymgyrch, Alun. A dwi'n cynnig ein bod yn diolch i Barbara am ei gwreiddioldeb.'

Lled-amneidiais; ond roedd fy mhen i'n rhy niwlog i feddwl yn glir.

'Alun?'

Ac yntau bellach wedi yfed sawl swig o'i jin, carthodd Alun Stalin ei wddw a dweud yn hunanbwysig:

'Dyn syniada ydw i, Almut. Syniada ac egwyddorion. Ond dwi'n ddigon hen – a chanol oed – i weld bod angan bod yn bragmatig weithia...'

Tynnodd Babs ei hewinedd trwy ei gwallt.

'Ac os ydi'r gimics yma yn mynd i ennill llwyfan inni fedru trafod syniada ac egwyddorion o ddifri, a rhoi ffrwyn ar y diawl diegwyddor Med Medra, dwi'n fodlon rhoi fy nghefnogaeth i'r fentar.'

Yna anelodd ei drem ddilornus arnaf i.

'Ac os wyt ti, boi bach, yn fodlon gneud ffŵl ohonat dy hun dros y dre 'ma, pwy ydw i i dy nadu di?'

Syllais arno, a'i gasáu rhyw ychydig.

'Dwi'n barod i neud be sy angan,' meddwn, yn ddyn i gyd.

Bodlonwyd pawb gan hynny. Wedi'r cwbl, roedd democratiaeth wedi ennill y dydd. Cododd Almut ac Alun a Babs eu caniau, ac ar ôl i Babs gynnig y llwncdestun, aeth pawb ond y fi ati i yfed i lwyddiant y maniffesto a oedd yn llawn dop o lefydd gwag.

39

P AN GILIODD Y glaw fore Llun y dechreuodd y
trawsnewid. Aeth Babs â fi i siop Ap Brython i gael fy
mesur o begwn i begwn corfforol, wrth i Ap Brython ei
hun sboncio o'm cwmpas a'i dâp mesur fel sbring yn ei law.
Gan edmygu fy ngwasg fain, dilladodd fi yn y diwedd mewn
siwt o liw y byddai criw'r Mona wedi'i alw'n 'gachu deryn',
ond a alwai Ap Brython yn 'parchment'. Wedi pwnio twll
ychwanegol yn y belt lledr i sicrhau y byddai'r trowsus
yn aros i fyny, rhoddodd grys cotwm gwyn ac iddo goler
ymerawdwr amdanaf, a siaced y siwt dros hwnnw.

'Dan ni ddim isio bod yn rhy *Miami Vice*, nac oes?'
cellweiriodd, gan benlinio o'm blaen i ffitio pâr o brogues
drud am fy nhraed.

'Does 'na ddim vice ar gyfyl yr hogyn,' meddai Babs yn
ôl.

Ymhen awr a rhagor, wedi i Ap Brython eistedd wrth
ei beiriant gwnïo yn altro ambell ddart a hem, cefais fy
ffitio am yr eildro a chafodd perchennog y siop ei fodloni'n
llwyr wrth i mi sefyll o'i flaen yn y siwt, a'r crys, a'r sanau
argyle, a'r esgidiau. Yna aeth â ni at y cownter mahogani,
lle paciodd fy hen ddillad mewn bagiau plastig euraid ac
arnynt arfbais y Tywysog Siarl, a'r geiriau, 'By Appointment
to...' Taflodd hanner dwsin o dronsys Jockey i mewn yn y
fargen. Os bargen hefyd. Oherwydd pan estynnodd Babs ei
cherdyn credyd, gwelais fod y cyfan yn costio rhai cannoedd
o bunnau. Chwifiodd Babs ei braich yn ddifater.

'Mae'n rhaid i chdi edrach y part,' eglurodd. 'A'i deimlo

fo. Mi wisgodd Robert De Niro drôns sidan dan ei siwt bob dydd wrth ffilmio *Casino*.'

Llithrodd Ap Brython o gefn y cownter, gan agor y drws.

'Mi fydd Mr Môn-Parry i mewn cyn bo hir, mae'n siŵr,' ymhyfrydodd. 'I gael ei fesur. Navy ydi'i liw o, a fynta'n blond. Chditha wedyn mor dywyll – chdi ddylai fod yn 'Med' a fynta'n 'Gwyn'!'

'Ond lle fasa'r hwyl yn hynny?' meddai Babs, a chwarddodd yr Ap yn uchel.

'Biti ofnadwy fydd gorfod dewis rhyngach chi'ch dau,' ochneidiodd, 'Youth versus experience. Dipyn o'r ddau fasa'n neis.'

Canodd cloch y drws ddwywaith wrth i'r drws gau ar ein holau. Ar y palmant y tu allan, daliodd Babs fi o hyd braich, a rhoi ei phen ar ogwydd gan chwibanu'n edmygus:

'Mae'r dillad yna'n tynnu lliw dy groen di allan yn ddel,' meddai, a chwant yn ei llygaid. 'Un peth y medri di ddiolch i dy dad amdano fo. Ty'd i roi trefn ar y mwng 'na.'

Tynnodd fi at siop Off Dy Ben lle cefais drin fy ngwallt, fy eillio, ffeilio f'ewinedd a hyd yn oed dacluso fy aeliau.

'Mae aelia'n gallu *gneud* gwynab,' meddai Sylvia a weithiai yn y siop, cyn rhoi plwc sydyn i wreiddyn un o'r blew strae du. 'Teimlo fatha dyn newydd?'

'Mi ydw i,' meddai Babs, a chwarddodd y ddwy.

Teimlo fel punt heb ei bodio a'i budro yr oeddwn i pan ddaethom allan o'r diwedd. A chan fod Caersaint hithau'n disgleirio yn yr haul wedi'r glaw, barnodd Babs ei bod yn bryd mynd ati i dynnu lluniau. Arweiniodd fi at ei swyddfa i nôl ei chamera Canon, gan roi cyfle i ferched y staff edrych yn werthfawrogol arnaf, ac i'r dynion grychu trwyn.

Treuliwyd gweddill y bore'n crwydro rhwng gwahanol

leoliadau yng Nghaersaint, a Babs, wrth dynnu'r lluniau, yn sôn am gynlluniau Med Medra ar gyfer y lleoliadau hynny, gan bwyso a mesur gwerth cau'r Maes Glas i drafnidiaeth ac adeiladau grisiau llydain o'r Maes i'r Cei Llechi. Tynnodd lun ohonof yn sgwrsio â dwy hen wraig ar y Maes Glas, ac ar Stryd Llyn yn rhoi arian i werthwr y *Big Issue*.

Buan y llwyddais i ddod yn rhan o'r siwt wen, neu'n hytrach i guddio oddi tani, gan fwynhau'r sylw a'r sen fel ei gilydd. 'The man from Del Monte' oedd y cyfarchiad mwyaf cyffredin. Dysgais innau ddweud 'he say yes!' yn ôl, a Babs yn fy nghefnogi â winc, a'm llongyfarch yr un pryd ar naturioldeb fy ymddygiad o flaen y lens a welai bopeth heb farnu dim.

Wedi troi cefn ar y Maes Glas cipiodd Babs fi at y castell, a thynnwyd fy llun droeon ar risiau'r porth mawr, a cherflun Edward y Cyntaf ddi-drwyn yn edrych i lawr arnaf. Tynnwyd llun arall wrth bileri'r hen lys barn, fel petawn yn eu dal i fyny. Ac yna, fel yr oeddwn innau'n dechrau blino, haliodd fi dan y porth i dynnu'r llun 'eiconig'.

Doedd fawr neb o gwmpas, nes yr aeth Babs i mewn i'r dafarn i nôl y gynulleidfa. Daeth allan a'r selogion i'w chanlyn, pob un â'i ddiod, ac, er syndod, fodca mawr i'w roi yn fy mhotel Britvic 55. Dan gyfarwyddyd Babs, eisteddodd y selogion o'm cwmpas ar y wal, a dechrau cwyno bod eu tinau'n troi'n sgwâr.

'Ga i gynnig llwncdestun…?' meddai, a rhoi ei breichiau ar led fel arweinydd cerddorfa.

'Asu, mae hon yn licio sylw,' sibrydodd Pepe. 'Agorwch y ffrij iddi gael bowio i'r gola.'

'… llwncdestun i Jaman Gwyn!' galwodd Babs.

'Be ydi llwncdestun?' holodd Pen Menyn. 'Dolur gwddw?'

'Tost,' eglurodd Phil Golff.

'Gas gin i dost.'

Ond dan orchymyn y ffotograffyddes cododd pawb eu poteli a'u gwydrau i gefnogi Jaman Gwyn. Ac wrth i glic ffug y camera brocio 'hwrê' fawr gan Haydn a Heulwen, ac i'r fodca wneud ei waith, dechreuais innau, am y tro cyntaf ers dechrau'r ymgyrch, deimlo fy mod ar y ffordd i ddod yn gyflawn hiro-din.

4 0

A<small>R ÔL SAETHU</small>'R golygfeydd torfol, a phrynu ail rownd
i'r selogion, aeth Babs a finnau yn ein blaenau hyd y
prom i orffen tynnu'r lluniau. Wrth fynd o dan Borth yr
Aur arafodd Babs ei cham. Fel slap anwesog ar din buwch,
trawodd ei llaw ar gerrig yr hen gaer.

'Ers talwm, y rhai wedi'u geni y tu mewn i wal y dre
oedd y saint. A neb arall. Ond llond dwrn o saint fasa'n
weddill, o gadw at yr hen ddiffiniad. Mi fuodd y saint yn
ddigon o gwmpas eu petha i sicrhau eu parhad eu hunain,
yli. Wrth i'r dre ledu mi ledodd y diffiniad. Ti'n gwrando?'

Amneidiais, a rhyw flinder yn dechrau gafael ynof.

'Erbyn hyn, mi wyt ti'n medru bod yn sant os ti'n dod o
dai teras Hen Walia, a thai cyngor Sgubor Las a Glyn Incla, a
semis Hafod a Ffordd Bethlehem. Heb sôn am villas a mansys
North a South Road, a newbuilds Wogan-Williams.'

Chwifiodd Babs ei llaw o ochr i ochr, fel petai holl dai
Caersaint o fewn hyd braich iddi.

'Ac mae hyd yn oed plant y pentrefi – o Saron Bach i
Ddinas Dinlla – yn gneud eu gora i siarad trwy'u trwyna, i
drio bod yn saint. Twyt ti'n enghraifft o hynny dy hun?'

Chwarddodd, a'm halio at un o'r meinciau gwyrddion
dan gysgod y muriau i dynnu lluniau pellach.

'Rhyw ffordd o feddwl ydi bod yn sant erbyn hyn, yli,'
daliodd ati i siarad wrth i'w bys saethu drosodd a throsodd.
'Neu ffordd o siarad, ella. Rhyw agwadd at fywyd. Ac mae
gen y saint ryw reddf anhygoel pan mae'n dod yn fatar o
weld pwy sy'n sant a phwy sy ddim. Dydi hynny ddim

ond yn naturiol, mae'n siŵr, a nhwthau 'di byw dan gastall erioed.'

Gostyngodd y camera a gadael iddo hongian ar y strap o gwmpas ei gwddw.

'Ond mi fedran nhw dy hogleuo di o bell, ac mi glywan nhw ogla Saron Bach arna chditha. Dyna'r camgymeriad mae Medwyn wedi ei neud. Mae o'n trio bod yn sant ei hun, trio siarad Besanti drama. Mi welith y saint reit trwy smalio felna. Y peth pwysig i'w gofio ydi na ddylat ti byth *drio* bod yn sant. Ti'n dallt?'

Amneidiais eto. Ond – yn sgil y fodca, efallai – roedd yr hwyl yr oeddwn wedi'i deimlo wrth ymyl y Mona yn araf droi'n ddiflastod. Yn enwedig pan acth Babs ati i'm tynnu heibio i gornel yr Eglwys Garsiwn cyn fy sbinio yn f'unfan i wynebu Doc Victoria.

'Fan hyn fydd pwnc llosg yr ymgyrch,' meddai, gan estyn ei braich ar draws y doc. 'Felly, mae'n bwysig i chdi gael dy weld yn talu sylw.'

Edrychais a'm calon yn suddo dros fastiau pigog yr iots, nes i'm trem ddod i wrthdrawiad ag wyneb powld Phase 1. Tynnodd Babs fy llun o'r ochr, gan fy arwain wedyn at angor yr Indefatigable lle'r oeddwn i roi fy llaw yn nolen isaf y gadwyn – honno oedd wedi'i thorri yn ei hanner. Aeth rhyw ias sydyn drosof wrth i chwa o wynt main dreiddio trwy ddeunydd ysgafn fy siwt, ac wrth i rywbeth ddolennu yn fy nghof.

Trois at Babs, a holi:

'Be yn union dach chi'n ei wbod am Peilat Jones?'

Ond doedd gan Babs ddim diddordeb yn hwnnw heddiw.

'Dwi'n cadw hanas y sglyfath yna tan y silly season,' meddai'n swta. 'A phaid tithau â gadael i dy feddwl grwydro at betha eraill. Ymgyrch y maer a'r maniffesto sy'n bwysig inni heddiw. A dydw inna ddim wedi wastio 'mhres ar rywun sydd ddim yn cymyd y job o ddifri.'

Gyda'i sylwgarwch arferol, roedd Babs wedi dirnad fy mod wedi diflasu. Roedd hi'n fy nabod yn dda – ers deng mlynedd a mwy – ac yn gwybod mor oriog y gallwn fod.

Felly, pan ymryddheais oddi wrth yr angor, gan frasgamu heibio i'r Archifdy a thros y bont goch a groesai slipwe'r iard gychod, gadawodd i mi fynd, fel ci bach ar dennyn hirfaith. Mi es innau i bwyso dros y ffens a redai hyd ymyl y doc, gan syllu i'r dŵr tywyll ac ar gysgodion y pysgod yn gogordroi yn y gwaelodion.

Yn y man daeth cloncian sodlau Babs hyd wyneb alwminiwm y bont. Daeth ataf heb siarad, a'r ffens yn sigo wrth iddi roi ei phwysau arni. Gwrandewais ar wich ei hysgyfaint wrth iddi frwydro i gael ei gwynt.

Aeth sawl munud heibio cyn iddi ailafael yn ei thruth. Roedd yn rhaid i minnau ei hedmygu wrth iddi ennyn fy niddordeb yn yr ymgyrch drwy fynd ati o gyfeiriad newydd.

'Mi esh am sbec i un o'r fflatia penthouse acw'r diwrnod o'r blaen,' meddai, a chodi ei chamera tuag at Phase 1. 'Reit neis os oes gin ti saith tri pump i'w sbario.'

'Saith tri pump?'

'Mil,' eglurodd.

'O.'

'Tri llawr, fath ag Arvon Villa! Ond bod pob dim yn sgleinio, dodrafn crôm a lampa LED o dy gwmpas i gyd. Tair stafall molchi – dwy en-suite. Mi aeth y ddynas â fi i'r master bedroom, ac agor drws y balconi, ac mi oedd 'na gymaint o wynt yn dod trwy Abermenai, mi daflodd y drws oddi ar ei facha, bron.'

Chwarddodd.

'A refreshing Atlantic breeze,' meddai'r hulpan. Neith sglein y lle ddim para'n hir rhwng hwnnw a'r heli, boi bach. Ac mae'r saint i gyd yn gwbod hynny, hyd yn oed tasa gynnyn nhw gannoedd o filoedd i'w sbario.'

Syllais innau ar y fflatiau, gan wrando ar Babs yn fy mhwmpio â gwybodaeth.

'Maen nhw'n trio deud mai pobol leol sy wedi prynu hannar y fflatia hyd yn hyn. Ond newid ystyr "lleol" maen nhw, yli. Pobol sy wedi bod i ffwrdd ers blynyddoedd ac isio lle i ymddeol. Neu bobol sydd wedi ymddeol i Gaersaint yn barod, ar ôl gwerthu tai mawr yn Lloegar. Ac os ceith Med Medra ei ethol yn faer, a Phase 2 yn cael caniatâd cynllunio, mi fydd yna ddwbwl hyn o fflatia crand.'

Cipedrychodd Babs arnaf i weld a oedd ei thacteg yn gweithio. Ac yr oedd – i raddau. A dweud y gwir, roedd crybwyll enw Med Medra'n ddigon.

'Ac mi gafodd Wogan-Williams y tir am y nesa peth i ddim gen gyngor Caersaint,' trodd a throdd ei photes. 'Ar ôl gaddo llnau'r llygradd. Grantia'r Cynulliad dalodd am hynny. Pedwar pwynt tri pum miliwn o bunna, a bod yn fanwl gywir.'

Mentrodd osod ei llaw ar fy mraich.

'Ond mae gin i rywbath i'w ddangos i chdi.'

Cododd ei bys a phwyntio at wal y doc dan swmp Phase 1.

'Ti'n gweld y crac?'

Craffais. Cyfeiriodd hithau at hollt amlwg yn y wal tua hanner ffordd ar hyd y doc. Roedd darn o'r wal wedi dadfeilio.

'Mae'r tir wedi dechra rhoi,' gwenodd yn slei. 'Y môr yn hawlio'r tir yn ôl.'

Syllais ar y crac eto, ond tynnwyd fy sylw gan symudiad

yng nghornel fy llygad. Trois fy mhen, ac arswydo. Yn camu trwy ddrysau swyddfa Wogan-Williams, a'i aeliau cochion wedi crychu a gwg ar ei wyneb, roedd Trefor Spicer, ac yntau'n anelu'n syth amdanom.

Roedd yn rhy hwyr i mi ddianc.

Er ei fod yn syllu'n syth tuag ataf, bu Trefor yn hir cyn fy adnabod, fel petai wedi mynd yn fyr ei olwg. Pan wnaeth, roedd yn ddigon agos i mi allu darllen yr ymatebion yn croesi ei wyneb: syndod dechreuol yn graddol droi'n ddryswch, ac yna'n ddirmyg, ac yna'n wên ddig.

'Be ydi hyn, panto?'

Wyddwn i ddim sut i ateb.

'White mischief?'

Roedd cywilydd yn fy mygu. Daeth Babs i'r adwy.

'Trefor! Sut wyt ti, boi? Oeddat ti'n gwbod…?'

Torrodd Trefor ar ei thraws:

'Gwbod dy fod ti'n trio difetha'i fywyd o, Babs?'

Synnais wrth weld casineb yn ei lygaid.

'Do, mi glywish i si, er nad oedd yr hogyn yn ddigon o ddyn i ddeud wrth Mir a fi yn ein gwyneba.'

Teimlais fy hun yn mynd yn llai ac yn llai.

Ond doedd Babs ddim yn cymryd dim. Amneidiodd i gyfeiriad swyddfeydd Wogan-Williams, a holi'n goeglyd:

'Oedd 'na joban i chdi heddiw, Tref? Nag oedd, yn ôl yr olwg be-'na-i sydd arna chdi.'

Cododd y gwrid i wyneb Trefor.

'Dwi 'di cael cynnig gwaith ar Phase 2. Bora 'ma. Gen dybl-dybliw ei hun.'

'Phase 2?'

Chwarddodd Babs yn ddirmygus.

'Paid â dal dy wynt. Tasat ti'n gwbod be dwi'n ei wbod…'

Teimlais fy nghalon yn rhoi tro wrth weld Trefor yn ymgodymu â'i siom ei hun.

'Ti'n dallt mai dim ond pypet hon wyt ti?' bwriodd ei lid, fel arfer, arnaf i. 'Pinocio bach. A dy drwyn di'n tyfu bob tro ti'n trio siarad trwyddo fo.'

Agorais fy ngheg, ond – fel petawn yn byped go iawn, a'r taflwr llais wedi miglo – ddaeth 'na ddim gair allan ohoni. Manteisiodd Trefor ar y cyfle i gyhuddo:

'Ti'n dallt nad oes uffar o otsh gen Babs Inc am neb ond hi ei hun. A'i phapur. Ei hobi mwya hi ydi difetha bywyda pobol sy'n trio meindio'u busnas eu hunain.'

Roedd Babs wedi codi cledrau ei dwylo o'i blaen yn ffugddiniwed, i ddangos nad oedd yn dal llinynnau unrhyw byped.

'Dach chi'n deud nad oes gin i feddwl fy hun?'

Ffeindiais fy llais yn sydyn, a synnodd Trefor at fy her annisgwyl. Roeddwn yn synnu fy hun...

'Fo ei hun sy wedi dewis gneud hyn,' rhoddodd Babs ei phig i mewn.

'Fo'i hun?' cododd Trefor ei lais. 'Does gen yr hogyn ddim obadeia pwy ydi fo'i hun. Yn enwedig pan mae o wedi'i wisgo i fyny fatha clown. Er mwyn i chditha gael dy syrcas...'

'Dros Gaersaint dwi'n gneud hyn, Trefor Spicer. Y dre rwyt ti a dy debyg mor ffond ohoni.'

'Dros dy bapur, ti'n feddwl!'

'Chei di ddim bwlio hwn, fel y gnest ti efo dy fab dy hun, Spicer. Yli, dos adra at dy wraig, hen ddyn, iddi hi gael dy gysuro di, a chditha'n past-it...'

Llosgodd y clwyf yn llygaid Trefor. Agorais innau fy ngheg i achub ei gam. Ond roedd Babs wedi cydio ynof gerfydd fy mhenelin.

Wrth gael fy llusgo trwy ddrysau gwydr yr Oriel edrychais dros fy ysgwydd a gweld Trefor yn syllu ar ein holau, yn llonydd ac yn llipa, heblaw bod ei fwstásh yn codi ac yn gostwng fel petai ganddo ei fywyd ei hun, a'i fys yn pwyntio ataf, yn procio'r gwagle oedd yn lledu ac yn lledu rhyngom. A thir y doc y tu cefn iddo'n sigo'n araf, araf.

Haliodd Babs fi'n galetach i gaffi'r ganolfan gelfyddydau, gan wybod na ddeuai Trefor byth i'r fath le.

'I be oeddach chi'n deud hynna wrtho fo?'

'Hy, mae croen hwnna'n ddigon tew,' oedd ateb Babs.

Yna ychwanegodd, fel petai wedi rhoi lles Trefor uwchlaw popeth:

'Saint cyffredin fel fo fydd yn diodda os daw Med Medra'n faer.'

Gyrrodd fi i eistedd wrth un o'r byrddau. Roeddwn innau'n rhy wan i wrthsefyll. A chynyddodd y gwendid wrth i mi droi fy ngolygon at y doc tra aeth Babs i brynu coffi, a minnau'n gweld cefn Trefor yn ymbellhau. Roedd rhywbeth yn ei osgo'n gwneud i bont yr iard gychod edrych fel pont yr ocheneidiau.

Lles Trefor a'i debyg oedd ar flaen tafod Babs pan ddaeth yn ei hôl hefyd, a dau goffi ewynnog yn ei dwylo, a sgeintiad trwchus o siocled ar ben pob un.

'Mae angan i ddynion fatha fo ddeffro. Byw mewn rhyw freuddwyd ffŵl y daw 'na waith, o witsiad yn ddigon hir. Blydi deinosors.'

Ochneidiodd, fel petai'r peth yn loes iddi.

'Ond dydyn nhw ddim yn dallt eu gwendid eu hunain.'

'Mae o'n dallt mwy na dach chi'n feddwl.'

Rhwygodd Babs ben sachaid o siwgwr demarara a gollwng y cynnwys i'r coffi.

'Ti'n goro bod yn galad i fod yn ffeind efo dynion fatha fo,' meddai wedyn.

Gwyliais hi'n troi a throi ei llwy.

'Dyna pam mae hi mor bwysig bod hogia ifanc peniog fatha chdi yn wynebu'ch dyletswydd dros eich tre, Jaman bach. Achos fedar pobol fel Trefor ddim gneud hynny.'

'Na fedran?'

Cododd ei phen – a phledio:

'Mae mor bwysig i chdi ddal dy dir. Dros y saint! Mi fasa Miss Bugbird yn falch iawn ohonat ti.'

'Roedd yn gas gynni hi'r saint.'

'Heddwch i'w llwch hi,' gwenodd Babs. 'Y hi a'i hoes. A'i chymhlethdoda i gyd. Ond gneud sens o fywyd heddiw sy'n bwysig inni. Ynde?'

Syllodd arnaf trwy len ddu ei masgara.

'A titha, fel finna, yn gwbod bod 'na lawar mwy na bod yn faer yn y fantol yn hyn. Toes, Jaman Jones?'

'Oes?'

Cododd dri ewin fel rhes o bicelli gwaedlyd o flaen fy wyneb.

'Ffeindio dy hun. Ffeindio dy ffor'. Ffeindio gwraig. Hyd yn oed os ydi hi'n wraig i rywun arall.'

Trois i ffwrdd.

'Yli, paid ti â dechra cael traed oer,' siarsiodd mor famol ag y medrai. 'Ti'n hogyn mawr rŵan. Mae gin ti ddyletswydda. At bobol eraill. Pobol ti'n ffond iawn ohonyn nhw. Almut. Ac Alun. Criw y Mona. Ac ia, Miriam a Trefor Spicer hefyd. Y saint i gyd! Ond yn fwy na neb mae gin ti ddyletswydd atat ti dy hun – i sylweddoli dy botensial.'

Cododd ei chwpan lawn rhyngom.

'Achos titha, fel finna, Jam, yn gwbod bod mwy i fywyd nag yfad, a shagio, a siarad gwag, er mor bleserus ydi hynny. A bod angan i chdi neud be fedri di i dalu dy ddylad – i dy fam, yn un. A Miss Bugbird.'

Gadawodd i'w geiriau angori eu hunain yn fy nghydwybod.

'Rŵan, yf dy goffi!' gorchmynnodd. 'Inni gael mynd ymlaen efo'r ymgyrch! Achos fydda inna ddim yn hapus o fod wedi gwario'r holl gannoedd, a chael dim byd yn ôl.'

Gwenodd eto. Gwên fuddugoliaethus, fygythiol. Yna, a'r siwgwr brown wedi hen doddi yng nghorff ei chappuccino, yfodd Babs Inc yn galed ohono. Mentrodd droi ei golygon oddi wrthyf, a gwyliais innau olwg o foddhad yn codi i'w llygaid wrth i'r melyster cynnes lenwi ei cheg.

41

ERBYN Y PNAWN Sadwrn canlynol roedd y lluniau yng nghof y camera wedi ymgnawdoli, y maniffesto a'r posteri wedi eu hargraffu, a'r lawnsiad wedi bod. Ac er nad oedd fawr mwy na selogion y Mona wedi dod i'r achlysur hwnnw, roedd y lluniau a dynnwyd gan Babs yn dweud stori wahanol, a hithau wedi defnyddio'r declmoleg ddiweddaraf i chwarae â'r gwir.

Licio Babs neu beidio, roedd hi'n ddynes effeithiol, yn enwedig wrth gynllunio a gweithredu. Aeth ati ar ei hunion i anfon y lluniau a'r stori i bapurau a rhaglenni teledu lleol, cenedlaethol a rhyngwladol.

Ond un peth oedd gyrru lluniau a geiriau trwy'r tonnau. Peth arall oedd dangos i etholwyr Caersaint pwy oedd Jaman Gwyn, ac i beth, os rhywbeth, yr oedd o'n dda. A'm hymgyrch bellach yn swyddogol, daeth yn bryd i mi wynebu'r saint ar eu strydoedd eu hunain.

A'm calon yn fy ngwddw dechreuais gamu o ddrws i ddrws yng nghwmni Babs ar y pnawn Sul drannoeth y lawnsiad, gan gerdded i gyfeiriad stad dai cyngor Sgubor Las trwy'r twnnel dan y ffordd osgoi. Daeth y prawf cyntaf yn syth wedi dod allan o'r twnnel, o flaen festri Feed My Lambs, lle safai dwy ferch ifanc mewn sodlau uchel a'u gwalltiau wedi eu sythu ar draws un llygad. Roedd y naill yn cario handbag ac arno luniau *High School Musical*, tra gwthiai'r llall bram a babi.

Prociodd Babs fi, a chamais innau yn fy mlaen i estyn taflen etholiadol iddynt.

Craffodd y ddwy ar y llun.

'Chi 'di hwn?' meddai un.

Gwenais, a cheisio rhoi sbin ysgafn ar y mater.

'Ia, tro dwytha i fi sbio.'

Chwarddodd y ferch.

'Cwilydd!'

Roedd y fam ifanc wedi bod yn craffu ar y domen bapur yn fy mreichiau.

'Jehova witnesses dach chi?' holodd.

'Cymraeg ydyn nhw, jolpan,' meddai ei ffrind, a chwarddodd y ddwy.

Dyfalbarhais. Wedi'r cyfan, doeddwn i ddim fel arfer yn cael trafferth dwyn perswâd ar genod ifanc.

'Maer Caersaint fydd yn gneud penderfyniada pwysica'r cownsil.'

'Geith hon dŷ gin ti, ta? Mae gynni hi fabi.'

Gwenais fy ngwên gynhesaf ar y fam ifanc.

'Cei, tad. Os nei di fotio drostaf i adag lecsiwn.'

'Dan ni'm yn cael fotio,' atebodd hithau'n swta.

Es innau ati i'w hargyhoeddi, fel yr oedd Babs wedi fy nysgu, bod gan bawb bleidlais ac mai dyletswydd oedd ei defnyddio...

'Gwitsia nes dan ni'n eighteen, ia sant?' meddai merch yr handbag ar fy nhraws.

Doedd 'na fawr mwy i'w ddweud ar ôl hynny, ac ymhen rhyw funud trois fy nghefn ar y genod, gan deimlo'u difaterwch yn cael ei daflu fel rhofiad o gachu ar gefn fy siwt wen.

'Ei di am halves efo hon ar ei babi nesa?' galwodd y ferch wedyn i'm cefn.

'Cau dy geg, cwilydd,' meddai'r llall, ac atseiniodd eu chwerthin i lawr y ramp at y twnnel.

Roedd Babs yn falch o'r bedydd tân, ac wrth inni gyrraedd tai cyntaf Sgubor Las dechreuodd fy ngwthio trwy giatiau'r tai, hyd y llwybrau hir at y drysau, gan dynnu fy llun bob cam: wrth i mi gnocio, wrth i'r drysau'n agor, wrth i mi gael ysgwyd fy llaw neu wrth i'r drws gau'n glep. Clic y camera, ac yna'r proc ymlaen at y tŷ nesaf.

Ac felly y treuliais ddwyawr gyntaf y pnawn yn mynd o ddrws i ddrws, yn cael croeso gan ambell un, a'm hymlid gan eraill. Sgrwnsiai rhai'r taflenni o flaen fy wyneb. Âi eraill i lynu'r poster yn eu ffenest cyn i mi adael yr ardd. Cymerai rhai'r papurau oddi arnaf, heb sbio arnynt. Rhoddai eraill nhw'n ôl yn fy llaw. Holai rhai fi'n llawn cywreinrwydd. Gwenai eraill yn deg, ac wfftio wrth gau'r drws.

Ond yn y diwedd, o'r holl ymatebion amrywiol, difaterwch oedd yn deyrn. Ac roedd hynny'n wir, nid yn unig yn Sgubor Las, ond ymhlith trigolion Lôn Llanberis hefyd, heb sôn am Glyn Incla, a Ffordd Bethlehem, a'r Clogwyn, a phob man arall y buom ynddo'r diwrnod hwnnw, a phawb yn rhy brysur yn cyflawni eu dyletswyddau sabothol i bryderu am bolitics y dref...

'Poeni am Gaersaint?' meddai dyn a oedd wrthi'n rhoi polish ar fonet ei gar. 'Ydi Caersaint yn poeni amdanaf i?'

'Dim ni a nhw ydi hi,' ceisiais ddal pen rheswm â dyn arall, a hwnnw'n peintio giât yng Nglan Menai.

'Ni a pwy, ta?' meddai yntau.

'Fi'n poeni am be sy'n digwydd yn y Doc?' meddai gwraig ganol oed a oedd ar gychwyn o'i thŷ i chwarae Bingo. 'I be, a fanna miles i ffwr'?'

Holais rywun a âi â'i ddaeargi am dro, ac a gariai faw'r ci mewn bag plastig yn ei law.

'Ydach chi ddim isio unrhyw ddeud ar betha?'

'Deud? A chael bai am y llanast sy'n digwydd? Dim diolch.'

Yn Ael y Garth, a Babs a finnau'n nesáu at ddiwedd ein taith, dadlwythai cwpwl ifanc neges Tesco o gist eu car.

'Be am jobsys?'

Gwyddwn fod yr anobaith yn dechrau dangos yn fy llais.

'Be amdanyn nhw?' meddai'r hogan, a throi ei chefn.

Oedodd ei chymar – o weld golwg ddigalon arnaf, mae'n siŵr – a holi:

'Faint o bobol sy'n gweithio yn Cownsil?'

Ystyriais, a chynnig amcangyfrif.

'Naci,' cywirodd fi. 'Eu hannar nhw!'

A chwarddodd yn ddistaw, gan obeithio y gwnawn innau yr un fath.

Ond wnes i ddim. Ar Ffordd Bethlehem, a lampau'r stryd yn ymoleuo wrth i'r pnawn dynnu tua'r terfyn, a'r castall smal yn pylu yn y pellter, a'm calon yn drom a'm traed yn drymach, mi syrthiodd yr anobaith amdanaf go iawn. Yn enwedig pan orfododd Babs fi i siarad ag ewythr i Llifon Gwyrfai a oedd yn byw yn Stryd Victoria, a hwnnw – ar ôl ffidlan â'r teclyn chwibanog yn ei glust a gwrando ar fy nhruth – yn edrych i fyw fy llygaid a dweud:

'Maer y cyngor? Yr unig *gyngor* i chdi, 'machgan i, ydi gair o gyngor gen hen sant. Dos o'ma i neud rhywbath mwy buddiol.'

Rhoddais un cynnig olaf ar ddarbwyllo rhywun bod gwerth yn hyn:

'Fedrwn ni ddim gadal i bobol o'r tu allan ddifetha'r dre 'ma!'

'Difetha'r dre? Tydi hi wedi'i difetha ers blynyddoedd, boi bach! Ers codi'r by-pass. Does 'na neb ohonan ni'n perthyn i Gaersaint rŵan, hyd yn oed y rhai sy'n byw yn ei chanol hi.'

Fy nghysuro, am wn i, oedd bwriad yr hen foi a oedd yn ddyn llawer cleniach na'i nai (a'i nith). Ond roedd digalondid wedi dechrau gafael ynof, a chynnwrf y lawnsiad y diwrnod cynt, ynghyd â'r dathliad slei yn y Mona a aeth ymlaen y tu hwnt i amser cau, wedi troi'n flinder corfforol a meddyliol.

Ac ymylon y brogues yn rhwygo trwy fy sanau gan dyllu cnawd fy nhraed, dilynais Babs dros y ponciau arafu i gyfeiriad y Brynhill Vaults, gan wneud fy ngorau i anwybyddu'r poster enfawr o wyneb Med Medra yn ffenest siop Llifon Gwyrfai.

'Snich bach.'

Ni wnacth Babs ddim byd ond chwerthin.

Roedd y Vaults yn llawn yfwyr a oedd yn bedyddio eu nos Sadwrn cyn mynd i lawr i'r dre, a dechreuodd y rheiny wneud sylwadau crafog am fy siwt wen pan gerddais i mewn. Gan ddiolch nad oedd Trefor yno, o leiaf, trois glust fyddar i'r sarhad, a mynd i eistedd yng nghornel bellaf y dafarn, heb boeni am y budreddi. Roedd y diwrnod ei hun wedi sarnu'r siwt.

Suddodd t'ysbryd yn is pan ddychwelodd Babs â jin-a-thonic mawr iddi'i hun, a diod pop i minnau.

'Dwi angan mwy na Pepsi ar ôl heddiw.'

'Twt, dan ni 'di cael helfa dda,' meddai hi, a thapio'r camera. 'Mae co' hwn yn llawn trysora.'

Llyncais yr hylif sur, fflat ar un gwynt.

'Waeth i fi roi'r gora iddi rŵan,' dechreuais gwyno wedyn, ond torrodd Babs ar fy nhraws yn finiog:

'Yli, mae'n rhy hwyr i droi'n ôl rŵan. Ti 'di lawnsio dy faniffesto. Ac ar ôl y ffasiwn strach o gael y Cyngor i dderbyn dy enwebiad di, a chditha heb basbort...'

'Cynnig enwebiad o'n i, dim bwcio holides!'

'... a heb dalu dy filia...'

'Do'n i heb ddod rownd i agor cyfri banc!'

'A finna wedi gorfod gneud galwad ffôn neu ddwy boenus iawn, dwyt ti ddim yn troi rownd rŵan a bygro'r cwbwl. OK?'

Âi tôn ei llais â fi'n ôl i ddyddiau Ysgol Mabsant. Y cerydd. A'r cywilydd.

'Jyst deud ydw i fod pawb mor ddifatar,' meddwn yn bwdlyd.

'Difatar oedda chditha, nes i *fi* gael gafael arna chdi.'

Aeth i boced ei chôt a thaflu paced o greision ataf fel petai'n bwydo mwnci mewn caetsh.

'Yr her i chdi rŵan fydd *dal* pobol Caersaint. Tanio'u dychymyg nhw. Gwerthu'r lecsiwn iddyn nhw. Cam cynta oedd heddiw. Bawd dy droed yn y dŵr i weld pa mor oer oedd o.'

'Oer?' llanwyd fy ffroen gan chwa o arogl cawsiog. 'Mi oedd o'n rhewi.'

'Dadmar o, ta,' meddai Babs. 'A watsia golli briwsion *Wotsits* ar dy siwt. Dan ni'n dal heb neud topia Brynhill.'

Cynhyrfais.

'Ein stryd ni? Fedrwch chi ddim disgwl i fi biso yn fy nyth fy hun.'

'Mae o'n nyth i Med hefyd.'

'A Trefor! A Miriam! A'r cymdogion erill…'

Cyfunodd y blas Pepsi â'r caws yn fy ngwddw, gan godi cyfog sydyn. Codais ar fy nhraed.

'Dwi'n mynd adra i newid.'

'Pam, ti 'di cachu plancia?' meddai Babs yn amrwd.

'Dim sôn am newid dillad o'n i.'

'Newidi di byth, boi bach,' galwodd ar f'ôl.

Anwybyddais y darpar bleidleiswyr wrth y bar, er y gwyddwn eu bod yn chwerthin i fyny llewys torchedig eu crysau.

Ond fel bob amser yng Nghaersaint, doedd dianc ddim yn hawdd. Newydd frysio rownd cornel Stryd Thomas yr oeddwn pan fwriais yn erbyn Ambrosiws. Yng ngwyll y stryd, mi gymerodd ychydig eiliadau inni'n dau adnabod ein gilydd, fi yn fy ngwyn ac yntau'n ei ddu. Rhythodd arnaf, ac yna dweud:

'Mr Jones!'

Cyfarchais o'n frysiog. Ond cyn i mi fedru symud ymlaen roedd wedi codi ei ddwylo'n uchel uwch ei ben, fel petawn wedi ei fygwth, a datgan:

'Yr wyf yn gyfan gwbl anwleidyddol.'

Edrychais ar yr arswyd yn ei wyneb, a dweud cyn brysio ymlaen:

'Dim chdi ydi'r unig un.'

O ddrws y dafarn gallwn glywed llais Babs yn ffarwelio ag yfwyr smala'r Vaults. Ac wrth i mi gyrraedd pen Stryd Thomas clywais hi'n oedi i gyfarch yr offeiriad, a'i Saesneg ysgol breifat yn codi'n gam o gornel y stryd.

Newydd ddringo heibio i gornel eglwys Sant John Jones yr oeddwn i pan ddigwyddodd yr ail wrthdrawiad – o bell. Safai Tonwen Bold wrth giât y Plas a bocs mawr ailgylchu yn ei dwylo. Roedd yn rhythu arnaf.

Eiliad neu ddwy, ac adferodd ei hun, gan blygu i roi'r bocs wrth bostyn y giât, sythu eto, a throi ei chefn. Ond hyd yn oed yng nghyfnos y stryd roeddwn wedi dal y dirmyg yn ei llygaid.

'Tonwen!'

Safodd yn ei hunfan. Oedi. A throi.

'Gwyn.'

Saib arall.

'Ta ddylwn i ddeud "Jaman Gwyn"?'

Cerddais yn nes. Doeddwn i ddim am i hon droi yn ddrama stryd, a'r cymdogion yn gynulleidfa. Ac eto, ni chamais ati'n llwyr. Roedd yr olwg yn ei llygaid yn nadu hynny.

'Mi ddylwn i fod wedi deud wrthat ti.'

'Deud be?'

Yn y pellter clywn gloncian sodlau Babs ar balmant Stryd Thomas, ac yn fy mrys, dywedais yn flêr:

'Os dwi'n dewis sefyll yn erbyn dy ŵr, ei broblam o ydi hynny.'

'Ia?' meddai hi'n oeraidd, a dechrau troi ei chefn eto.

'Mae o'n dy iwsio di!'

Oedodd eto. Yna daliodd ei chorff ar ongl, mewn rhyw osgo dros dro.

'Be ydi'r cydymdeimlad mawr yma? Tactics?'

Agorais fy ngheg. Roeddwn eisiau galw arni, dweud wrthi fy mod yn ffrind iddi, yn fwy na ffrind, fy mod yn ei charu, fy mod wedi ei charu erioed, ei bod yn gwybod hynny, a'i bod hithau, siawns… Siawns?

Ond cefnu arni wnes i, tua'r un pryd ag y cefnodd hithau arnaf i, a hynny yn sŵn sodlau Babs Inc yn pwnio, pwnio'r palmant. Dihengais, nid i fyny rhan flaen ein stryd i wynebu pawb, ond yn hytrach hyd y cefnau, heibio i ochr isaf yr eglwys. O leiaf chlywn i mo ddrws y Plas yn cau.

Rhedais heibio i gefnau tai ein stryd ni, llidiardau Gwynfryn, Delfryn, Goleufryn, a theimlo lledr caled fy esgidiau'n tyrchu i'r cnawd dan figwrn fy ffêr. Ymlaen dan regi, heibio i Tegfryn a Thremfryn, cyn bwrw fy hun ar lidiart cefn diarwydd Arvon Villa. A'i gael, wrth gwrs, wedi'i folltio.

Rhegi. Roedd Babs yn dal i ddilyn o bell.

Lle nesa? Y ddihangfa amlwg oedd y lôn gul a âi rhwng Isfryn ac Arvon Villa gan ddod allan y tu blaen i'r tŷ. Ond wedyn roedd perygl y byddwn yn gorfod wynebu fy nghymdogion yn Nwyrain Brynhill...

Doedd dim amdani ond rhoi fy mhwysau ar lidiart y Spicers. Ochneidiais mewn rhyddhad o'i deimlo'n rhoi oddi tanaf.

Llithrais trwyddo a chamu wysg fy ochr i iard gefn Tremfryn. Un naid dros y wal, a byddwn adref. Ond pan godais fy mhen dychrynais. Oherwydd yno, o'm blaen, roedd fy nghymydog da, a'i wep yn dynn dan olau'r lamp ladron.

42

'WEL, WEL, SBÏWCH pwy sy 'ma! Angal yr Arglwydd, myn cythral. A safodd gerllaw. Heb ddŵad i'r tŷ.'

Daeth rhyw hanner chwarddiad, hanner wfft o enau Trefor.

'Newyddion da o lawenydd mawr sy gin ti? Ta dim ond isio ein fôt ni? Mir! Sbia pwy sy wedi dŵad!'

Rhoddodd Miriam ei phen trwy'r drws. Gwelais ei chorff yn fferru. Yna, fel petai rywbeth o'r tu mewn iddi yn ei gorfodi atom, camodd allan dan sychu ei dwylo yn ei ffedog. Yn llewyrch y lamp roedd rhywbeth tebyg i arswyd yn ei gwedd.

Ceisiais wenu, ond glynodd fy ngwefus yn fy nannedd.

'Isio rhoid hon i chi.'

Estynnais daflen wen yn hurt i Trefor, ond yr union foment honno diffoddodd golau'r lamp gyda chlec. Cipiodd Trefor y daflen o'm llaw a'i chwifio uwch ei ben i weithio'r sensor. Ffrydiodd y golau o'r newydd, a'm dal innau fel ffoadur yn ei gylch o lewyrch. Heb edrych ar y daflen, rhoddodd Trefor hi yn llaw ei wraig.

'Rhywbath i chdi gael cofio sut mae o'n edrach, Mir.'

Gostyngodd hithau ei phen i weld fy llun. Teimlais y gwrid yn llosgi, a hen gywilydd yr hogyn drwg yn codi'n wasgfa yn fy mrest. Daliai Trefor i syllu arnaf, a'i drwyn yn crychu bob hyn a hyn.

'Giât gefn Arvon Villa oedd wedi cloi...'

'Traffarth efo chdi a giatia rownd y ril, toes? Dod i mewn trwyddyn nhw, eniwe. Mynd allan ohonyn nhw ddim yn broblam, nacdi?'

Trodd cil ei fwstásh tuag i lawr. Camais yn f'ôl eto, nes bod fy nghefn o fewn modfeddi i'r llidiart.

'Mynd a'n gadal ni mor fuan?'

Chwifiodd ei fraich eto i gynnau'r golau, gan edrych am funud fel petai'n gwneud sioe fawr o ffarwelio â mi.

'Gad i'r hogyn, bendith tad, Trefor,' sibrydodd Miriam.

Teimlais fy nghalon yn rhoi tro. Ond y tu mewn i mi roedd yr euogrwydd cyfarwydd yn brwydro yn erbyn teimlad newydd. Rhyw ddicter ofnadwy. Pan siaradais yn y diwedd dychrynais o glywed cynddaredd yn crynu yn fy llais.

'Mae'n ddrwg gin i nad ydw i wedi bod draw wsnos yma. Dwi 'di bod yn brysur efo'r ymgyrch...'

'Glywist ti hynna, Mir? Mae dyn mwya diog Caersaint wedi bod yn brysur. Efo'i *ymgyrch*,' rhoddodd Trefor bwyslais coeglyd ar y gair. 'I fod yn lord mayor of Caersaint.'

'Mae gin i hawl neud be dwi isio efo 'mywyd!'

Torrais ar ei draws. A chyn i mi sylweddoli roeddwn yn ychwanegu:

'Dim eich bywyd chi ydi o. Na bywyd eich mab chi.'

Syfrdanwyd ni'n tri gan y geiriau olaf. Yn yr un eiliad daeth clec arall wrth i'r golau ddiffodd. Safodd Trefor a minnau yn wynebu ein gilydd yn y tywyllwch, a chlywais o'n sibrwd:

'Y bastad bach.'

'Trefor!'

Cyneuwyd y golau eto. Roedd Trefor wedi troi i wynebu ei wraig.

'Mae'n rhaid i rywun ddeud wrtho fo. Chwara plant, uffar. Gwisgo i fyny. Actio'r ffŵl,' trodd ataf a mynd yn ei flaen: 'Tynnu Godfather Caersaint yn dy ben. Creu rhyfal cartra yn dy stryd dy hun.'

'Mae'n well gynnoch chi i'ch rhyfal ddigwydd mewn llefydd erill, tydi?' atebais innau'n ôl. 'Affganistan, ia? Neu ella yn ddistaw bach yn eich cartra eich hun?'

Gwelais Miriam yn cau ei llygaid.

'Stryd dawal ydi hon i fod,' ysgyrnygodd Trefor. 'Pawb yn gneud yn iawn efo'i gilydd ac yn meindio'u busnas eu hunain. Pa bynnag lol sy'n mynd ymlaen lawr dre, dan ni'n codi uwchlaw'r cwbwl.'

Dechreuodd bwyntio ataf yn ei wylltineb, a'i lais yn cryfhau.

'Wedyn dyma chditha'n dŵad, yn llanc i gyd. A chyn i chdi orffan rhoi trefn ar dy dŷ dy hun…'

Trodd at ei wraig:

'Wst ti nad ydi o'n dal ddim yn cysgu i fyny'r grisia? A bod o'n dal heb fynd i'r afael â'r bathrwm? A bod o'n dal heb stof, ac yn cael ei fwyd i gyd gen honna yn Caffi Besanti? Ar ôl yr holl waith nesh i drosto fo. Oelio, clirio, tyllu, plastro, sandio, stripio, cario…'

Trodd ataf i:

'A dyma chdi'n dŵad yn rêl hiro-din bach, ac yn troi'r stryd yn war zone. Be ti'n trio'i neud, rhwygo'n cymdogaeth ni? Gneud Brynhill East yn East Beirut?'

'Does gin i ddim help bod Medwyn yn byw…'

Doedd o ddim eisiau gwrando.

'Paid ti â dod i gwyno wrthan ni pan gei di dy guro. Gen Med. A Bryn yr Ael. Eto.'

Chwynais i erioed fawr ddim wrtho fo.

'Ylwch, Trefor, mae 'na rai ohonan ni'n poeni am be sy'n digwydd tu allan i'n tai ni,' codais innau fy llais. 'A dydw i ddim yn sôn am llnau landars. A hwfro dail marw oddi ar y pafin.'

Gwelais y boen yn llygaid Miriam, a'm rhegi fy hun. Camais tuag ati. Ond ataliwyd fy ngham gan lais Trefor yn atseinio trwy'r iard.

'Be ti'n feddwl fasa Miss Bugbird yn ei ddeud? O leia mi oedd gynni hi ddigon o sens i gadw'i llanast o fewn pedair wal Arvon Villa. Hi a'i blydi babi. A llanast oedd o hefyd. Ti'n perthyn reit agos iddi yn y diwadd, ddeudwn i.'

'Dorwch gora iddi,' erfyniodd Miriam. 'Ty'd i'r tŷ, Trefor. Ti isio gyrru Gwyn o'ma hefyd?'

'Ylwch, Miriam,' ymbiliais innau. 'Mae'n bwysig i fi neud hyn…'

'Pwysig?' poerodd Trefor. 'Be? Lysho? A hwrio? A cwffio?'

Bu bron i mi â chodi fy mraich a'i daro ar draws ei geg. Ond yr eiliad honno diffoddodd y lamp eto, ac yr un pryd hyrddiwyd llidiart Tremfryn ar agor y tu cefn i mi, gan fy nharo'n galed yn fy nghefn.

Pan oleuodd y golau eto, roedd Babs Inc yno o'n blaenau.

'Lysho, hwrio a chwffio?' meddai. 'Swnio'n grêt! Lle dan ni'n dechra?'

Gollyngodd Miriam fraich ei gŵr, a chamu o'r cysgodion.

'Be mae'r ddynas yna yn ei neud yn fan hyn?'

Roedd ei hwyneb bach yn welw las yng ngolau'r lamp. Daeth tro Trefor i ddal braich ei wraig.

'Hi sy tu ôl i'r cwbwl, Mir. Hi sy'n iwsio'r hogyn.'

Ymryddhaodd Miriam o afael ei gŵr.

'Ti'n mynd i dynnu Gwyn trwy'r baw rŵan, Barbara?'

'Gneud 'y ngwaith, Miriam bach.'

'Fel gnest ti efo David ni?'

'Gneud 'y ngwaith.'

Roedd llais Miriam yn floesg.

'Fedran ni ddim hyd yn oed fynd draw i fynwant Llanbeblig rŵan, heb ama ai David sy 'na, ta darna o hogyn rhywun arall.'

'Gneud 'y ngwaith o'n i,' meddai Babs am y trydydd tro. 'Deud y gwir wrth bobol Caersaint am y petha sy'n digwydd i'w hogia nhw yn yr Armi…'

'Ein hogyn *ni*,' torrodd Miriam ar ei thraws. 'Yr unig un oedd gynnon ni!'

Cododd ei llaw at ei hwyneb a sgleiniodd ei modrwy briodas fain yng ngolau'r lamp.

'Nes i Jaman gyrraedd, ia?' meddai Babs yn greulon.

Rhythodd Miriam arni am eiliad, yna trodd ei chefn a mynd i'r tŷ. Brysiais innau i'w chanlyn, ond cododd Trefor ei ddwrn:

'Diolcha, mêt, ein bod ni'n rhy ffeind i fynd at y papura go iawn…'

Taflodd gip dirmygus tuag at Babs.

'… i ddeud be ydi'r lliwia go iawn sy dan dy whitewash di. Rŵan sgiwsiwch fi. Mae gin rai ohonan ni *deuluoedd* i edrach ar eu hola.'

'Dach chi'n dal hynny yn 'yn erbyn i rŵan?' gwaeddais i'w gefn. 'Bod gin i ddim teulu?'

Ni throdd ataf.

'Mi oedd 'na deulu ar gael i chdi ar stepan dy ddrws di, washi, tasa chdi wedi bod isio.'

Ac fel y camodd i'r tŷ i ganlyn ei wraig, cleciodd y lamp ladron a diffoddodd y golau. Trois yn fy nghynnwrf tuag at Babs. Ac yn llewyrch golau cegin y Spicers gwelais hi'n mygu gwên.

'Babi?' meddai, a chynnwrf gwawdlyd yn ei llais. 'Miss Bugbird? Wel, wel! Dyna be *ydi* stori!'

43

NI CHODAIS O'M gwely fore trannoeth. Roedd fy meddwl yn gleisiau i gyd wedi brwydrau'r diwrnod cynt. Atseiniai geiriau Trefor yn fy mhen, a geiriau Babs wrth dynnu'n groes iddo, a threiddiai eu ffraeo i'm breuddwydion wrth i mi lifo i mewn ac allan o gwsg anniddig ar y chaise longue yr oeddwn wedi ei llusgo i'r ystafell gefn. A doedd fawr o gysur i'w gael o ddeffro, a mam Arfonia'n syllu arnaf o'i ffrâm drom uwchlaw'r aelwyd oer. Roedd rhywbeth amdani yn fy anniddigo.

Ac eto, pwy oedd yr hen Mrs Bugbird i mi? Pwy oedd Arfonia? Pwy oedd Trefor a Miriam, o ran hynny? Dieithriaid. Pobl nad oedden nhw'n perthyn i mi. Fi fy hun oeddwn i. A fi'n unig oedd piau 'mywyd. Doedd gen i ddim i'w ofni.

Rhywdro yn y bore dihunais o freuddwyd ryfedd, ac a honno'n dal yn fy mhen ymbalfalais trwy'r pentwr llyfrau a phapurau ar y llawr gerllaw, nes cael hyd i'r hen albwm lluniau a'i glawr melfaréd. Chwiliais yn hwnnw am lun Arfonia ar draeth y Foryd, a chraffu arno eto. Yna, codais fy ngolygon at y llun uwchlaw'r lle tân. Roedd tebygrwydd y fam a'r ferch yn amlwg: y bwlch cul rhwng gwefus a thrwyn, asgwrn amlwg y gruddiau, y llygaid golau, bwâu cryfion yr aeliau du…

Roedd rhywun yn cnocio eto. Daliais fy ngwynt. Yr un hen gnocio, yn ddidrugaredd yn fy mhen…

Ond na, wrth ddrws y ffrynt yr oedd y cnocio hwn yn digwydd. Dadlapiais fy hun o'r garthen, camu o'r ystafell gefn, a phrofi sioc teils oer y cyntedd dan wadnau fy nhraed.

Miriam oedd yno, ei hwyneb yn llwyd a thyn, y llewyrch wedi mynd o'i llygaid a'r cnawd o'u cwmpas wedi chwyddo gan bryder dros nos. Roedd yn estyn amlen i mi. I osgoi edrych i'w llygaid cydiais yn honno.

'Postman wedi dŵad â hwn. Methu ei ffitio fo trwy'r twll.'

Ddywedodd hi ddim byd arall, dim ond dal i dindroi ar garreg y drws. Doedd gen innau ddim dewis ond ei gwahodd i mewn.

'Panad, ia?' meddai wrth gamu heibio. 'Ti erioed wedi cysgu yn yr hen siwt chwyslyd 'na? Dos i newid.'

Peth prin oedd cael mwy na sothach dienw trwy'r post, ac ar ôl gwisgo crys a jeans agorais yr amlen. Llungopïau o luniau du a gwyn oedden nhw, a'r rheiny wedi eu postio o swyddfa *Llais y Saint*. Ond ôl llafur Alun Stalin oedd yma, gan fod stamp Archifdy Caersaint ar bob llun, a'i ysgrifen traed brain mewn beiro goch ar eu cefnau.

Bodiais trwyddynt wrth wrando ar y tecell yn berwi yn y parlwr, a sŵn y llestri te'n tincial dan law Miriam. Llun rhesi ar resi o dai annedd rhwng Feed My Lambs a Brynhill. Llun adeilad nobl hen Ysgol y Bechgyn, yr hen gapel Seilo a Chapel y Tlodion dan Gypsy Hill. Llun Pafiliwn Fictorianaidd Caersaint. Llun y cyrtiau tennis. Llun y gerddi bowlio.

Roedd y llun olaf yn wahanol, ac wedi ei chwyddo i faint A4. Llun chwalfa ddychrynllyd oedd yma, fel petai blitz rhyw elyn wedi gwastatáu rhan o Gaersaint rhwng Gypsy Hill a Phenllyn. Yn lle'r holl adeiladau hanesyddol doedd dim byd ond anialwch concrid: jaciau codi baw, teirw dur, caterpillars a chraeniau yn llenwi'r cefndir, tra llenwid blaen y llun gan bentyrrau cerrig a phren, darnau

290

o beipiau dŵr, a slabiau concrid a sment. A hwnt ac yma, yn fwy digalon byth, gwelid olion tai wedi eu dymchwel a strydoedd ar eu hanner. Capel (Seion), ac yna dim. Tafarn (y Brynhill Vaults), ac yna dim. Siop (Gwyrfai), ac yna dim. Pen strydoedd (Dinorwig a Mountain), ac yna dim. Dim ond pridd a rwbel, ac olion y cloddwyr. A phont y ffordd osgoi'n dechrau ymwthio o frig Penrallt, fel stwmpyn braich ar gorff wedi'i ddarnio.

Mi wyddwn yn iawn beth oedd gêm Babs: ymgais oedd hon i'm cynhyrfu eto, i'm cadw'n driw i ymgyrch y maer.

Ac mi lwyddodd. Erbyn i Miriam ddod i mewn dan gario dau gwpan blodeuog brau, roeddwn yn ddig unwaith eto.

'Waeth inni ddefnyddio'r llestri 'ma,' meddai wrth estyn un cwpan i mi. 'Cracio nawn nhw yn y cwpwr gwydr.'

Tawodd yn sydyn.

'Ti'n dal i gysgu ar y gadar 'na? A ninna wedi prynu matras newydd i chdi!'

Edrychais i'w llygaid, a dwcud mor bendant ag y gallwn:

'Dydw i ddim isio inni ffraeo eto, Miriam.'

Ac wedyn, yn gadarnach:

'Mi gysga i i fyny grisia pan dwi'n barod.'

Ocdodd hithau, gan fod yr un mor ofalus:

'Mi adewa i dipyn o aer i mewn.'

Cerddodd at y ffenest a sefyll o flaen llun Mrs Bugbird ar ei ffordd yn ôl.

'Difyr ydi'r hen lunia 'ma, ynde?' meddai, ac fel y gwnâi bob tro, aeth i guddio'i thristwch y tu ôl i sgwrs am bobl eraill. 'Dwi mor falch dy fod ti wedi eu cadw nhw. Mi o'n i'n sbio ar y Comodôr yn y parlwr hefyd. Y taid oedd o, ynde?'

'Do'n i ddim yn licio cael gwarad arnyn nhw. Er i Trefor drio'i ora...'

Gadewais i hynny hongian rhyngom am ysbaid.

'Maen nhw'n gwmni,' meddwn wedyn. 'O ryw fath.'

Canolbwyntiodd Miriam ar Mrs Bugbird, a defnyddio'i llais aderyn bach i chwalu'r tyndra.

'Sbia clws ydi hi,' pitïodd. 'A'r broitsh cameo ar y golar. Ond digon hawdd gweld yr hiraeth yn ei llygada hi. Hen fywyd unig oedd bywyd gwragadd llongwrs. Mi fuodd hon farw'n ifanc, yndo?'

Amneidiais, a dechrau meddalu.

'Tuag wyth oed oedd Arfonia pan gollodd ei mam. Un o'r petha rhyfadd oedd gynnon ni'n dau gyffredin.'

Cadwodd Miriam at y cyffredinol.

'Mi oedd yr hen gapteiniaid yn mynd am ddwy flynadd dair ar y tro ar yr hen longa,' paldaruodd. 'Dwi'n cofio Mam, a Nain ran hynny, yn sôn. Eu gwragadd i gyd yn diodda efo nerves. Torri'i chalon ddaru hon, mae'n siŵr. Ei gŵr hi ar y môr, a hitha'n trio magu hogan bach ar ei phen ei hun, a honno'n beth bach indipendant hefyd.'

Tawodd am funud, er parch. Yna dychwelodd ac eistedd ar y pwffe wrth ymyl y chaise longue, a dechrau sgwrsio eto – er mwyn osgoi siarad – gan daflu cip ar y llungopïau yn fy llaw.

'Nineteen seventy eight,' meddai gan amneidio at y llun uchaf yn y pecyn. 'Ymhell cyn i chdi gael dy eni.'

Roeddwn i'n dal yn bigog.

'Oedd gynnoch chi ddim awydd trio'u stopio nhw?'

'Roedd y penderfyniad wedi'i neud.'

Tawodd Miriam am funud.

Syllodd arnaf. Yna cododd y te at ei gwefus, a dweud dros ymyl frau'r cwpan:

'Roedd angan rhywbath, 'ngwash i. Roedd hi 'di dechra mynd yn anodd mynd trwy'r dre – bysus yn cropian i fyny

Stryd Llyn, a mwg yn tagu pawb. Plant bach mewn peryg o gael eu hitio…'

Ond doeddwn i ddim mewn hwyl cymodi.

'Fandals! Ac maen nhw'n dal wrthi heddiw. A dach chi i gyd yn dal i adael iddyn nhw.'

Daliodd Miriam i sipian ei the.

'Wyddwn i ddim bod gin ti ddiddordab mewn politics.'

Pan welodd nad oeddwn am ateb, dywedodd wedyn:

'Hen gêm fudur ydi hi.'

'Mae bywyd yn beth budur.'

'Un bywyd sy gin ti,' meddai hi.

'A dwi'n trio gneud rhywbath efo fo,' edrychais arni. 'O werth.'

Daeth rhyw bendantrwydd sydyn i galedu'i llais.

'Does arnat ti ddim byd i Gaersaint. Chest ti fawr o chwara teg yma pan oeddat ti'n hogyn. Yn enwedig gen yr hen gnawas Barbara Inc 'na. Ac mae'n gas gin i weld honno'n difetha dy fywyd ti am yr eildro.'

Ymbalfalodd ym mhoced ei chôt:

'Welist ti'r *Western Mail* heddiw? Llifon Gwyrfai handiodd hwn i Trefor gynna. Mae'r stori 'di cyrraedd papura Llundan hefyd.'

Agorodd dudalennau canol y papur, a heb edrych arnaf dywedodd:

'Hanas dy lawnsiad di dydd Sadwrn.'

Rhaid cyfaddef i mi synnu braidd wrth weld llun ohonof yn sefyll ar ben Twr yr Eryr yn noethlymun, heblaw am ddeilen ffigys rhwng fy nghoesau a choron o ddail am fy mhen. Yn disgyn i lawr o ben y twr roedd cannoedd o faniffestos gwynion yn glanio ar dorf enfawr islaw. Ac uwchben y llun roedd y pennawd, 'THE EMPEROR'S NEW CLOTHES?' Oddi tano deuai'r stori:

'Young Jaman Gwyn (26) wants to be mayor of small North Wales town, Caersaint. Wearing NOTHING but the crown of Roman Emperor Maxen, he launched his manifesto from the top of historic Caersaint Castle on Saturday. Jaman, meaning 'unlucky' in local dialect, said his manifesto contained BLANK SPACES "to be filled in by the electorate." Medwyn Parry, entrepreneur and Chairman of Caersaint Town Council, and current favourite for the mayorship, called Jaman's new approach to politics "idiotic" and "absurd"...'

Codais fy mhen. Roedd dagrau yn llygaid Miriam.

'Ond doeddwn i ddim yn noeth go iawn!' ceisiais chwerthin. 'Babs sy 'di bod yn chwarae o gwmpas efo'r llunia. Mi ddeudodd hi y basa 'na amball i dric...'

Edrychais eto ar y lluniau, a dechreuodd fy nghalon guro'n gyflymach. Doeddwn i ddim wedi disgwyl i Babs fynd mor bell. Ond wedyn, os mai hynny oedd ei angen...

'Dipyn o hwyl diniwad...'

'Sut fedri di fod mor wirion? Gadael iddi neud ffŵl ohonat ti. O flaen pawb yn y dre 'ma.'

'Tynnu sylw at yr ymgyrch mae hi.'

Sŵn esgus.

'Naci Gwyn! Tynnu sylw ati'i hun a'i phapur mae hi'n ei neud. Ac mae'n gas gin i feddwl be fydd yn hwnnw heddiw!'

Cododd ei phen.

'Be fasa Miss Bugbird yn ei ddeud?'

Wrth glywed enw Arfonia yn cael ei daflu ataf eto, cynddeiriogais.

'Mae honno wedi marw! A phwy oedd hi i basio barn arnaf i – ar ôl be ddaru hi?'

Tawodd Miriam. Tewais i. Gorweddai'r albwm lluniau wrth fy nhraed. Ond Miriam a siaradodd gyntaf:

'Pwy oedd hi?' meddai'n dawel. 'Deud ti wrthaf i, 'ngwash i.'

Agorais fy ngheg. Yna caeais hi eto.

Wedi sbel, torrodd fy llais trwy'r tawelwch:

'Mi oeddach chitha wedi ama, hefyd?'

Ond ni chafodd Miriam gyfle i ateb, gan fod rhywun yn cnocio'n galed ar ddrws y tŷ. A chyn i minnau allu codi i'w ateb, daeth Tonwen Bold i sefyll yn nrws yr ystafell gefn, yn welw lwyd, a chopi'r bore hwnnw o *Lais y Saint* yn chwifio fel baner wen, fudur yn ei llaw.

44

'TI 'DI GWELD hyn?'

Daliodd y papur i mi gael gweld y llun ohonof ar y ddalen flaen. Yn noeth. Bron.

Suddodd fy nghalon. Doedd hithau, felly, ddim wedi gwerthfawrogi gimic gwleidyddol Babs.

'A hyn?'

Byseddodd y papur, gan ollwng dalennau i'r llawr nes cyrraedd y ddalen ganol.

'CÂR DY GYMYDOG?!' meddai'r pennawd, ac oddi tano roedd llun dyn a dynes yn gwthio pram ar draws cae.

Tonwen a finnau.

Yn cerdded at eglwys Llanfairfaglan.

Roedd pennawd llai o dan y llun yn holi:

'CARIAD JAMAN GWYN?'

A'r ateb:

'NEB OND GWRAIG MEDWYN!'

Brysiodd fy ngolygon dros yr erthygl a fanylai ar union amser a lleoliad y ffotograff, gan amlinellu'r hyn a ddigwyddodd o'i flaen ac wedi iddo gael ci dynnu.

Sychodd y poer yn fy ngheg.

'Be sy?' sibrydodd Miriam.

'Fedra i ddim dallt...'

Edrychais ar Tonwen.

'Sut ddigwyddodd...'

'Y llun? Ta'r holl beth?' roedd dagrau yn ei llygaid. 'Dim bod fawr o otsh bellach. Darllan be mae'r bitsh yn ei ddeud! Darllan o. Bod 'na blentyn mis oed yn syllu ar ei mam yn dechra affêr mewn mynwant.'

Roedd yn dweud y gwir. Roedd y geiriau'n frwnt, yn llawer mwy felly am Tonwen nag amdanaf i. Hi oedd y fam anghyfrifol. Hi oedd y wraig anffyddlon. Hi oedd ar fai. A Jaman Gwyn yn ddim ond llanc – yn fflyrtio, yn ffansïo'i lwc, yn ffegio, ac yn sgorio pwynt yn erbyn Medwyn Môn Parry.

Beth gythraul oedd gêm Babs Inc?

'Y peth gwaetha ydi ei bod hi'n 'y ngalw fi'n fam wael!'

Cyn i mi allu dweud dim, trodd Tonwen ar Miriam.

'Dyna be fydd pobol fatha chi yn ei ddeud. Cyfarfod brys yn yr eglws heno, ia? I ddamio'r Jezebel sy'n byw dros ffor'?'

Teimlais Miriam yn gwingo. Camais innau at Tonwen i'w thawelu:

'Be ydi'r otsh be mae neb yn ei ddeud?'

'Digon hawdd i chdi,' camodd yn ôl. 'A dy bachelor life, yn rowlio adra yn oria mân y bora ar ôl bod yn hel diod a hel merchaid…'

'Sôn amdanaf i wyt ti? Ta dy ŵr?'

Synnais at fy ateb ciaidd. Gwelwodd Tonwen.

'Mae gen rai ohonan ni deulu i feddwl amdano fo, meddai.'

'I aberthu dy hun iddo fo!'

'Be os cymrith o'r plant? Mae o wedi mynd â nhw rŵan. At ei fam. A finna'n dal i fwydo Elan i fod. Does gin i neb arall!'

Cododd ei llaw at ei llygaid. Yn fy awydd i'w chysuro baglais tuag ati a dweud yn drwsgl:

'Mae gin ti fi, Tonwen…'

Gostyngodd hithau ei llaw.

'Chdi?'

Daeth gwrid i'w bochau. Ac meddai'n greulon:
'Ti'n neb. Neb!'

Roedd seiliau'r tŷ wedi hen lonyddu ar ôl clec drws y ffrynt pan ddaeth Miriam i eistedd ataf ar y chaise longue.

'Cosbi ei hun mae hi,' sibrydodd Miriam. 'Am briodi'r dyn rong.'

Tynnodd fi ati'n dynn, ac anwesu fy ngwallt.

Yn y man, wrth i mi lonyddu, aeth yn ei blaen:

'Doro di'r gora i'r hen fusnas maer 'ma, ac mi fydd y cwbwl wedi'i anghofio cyn pen dim. Ac mi gawn ninnau fynd yn ôl at sut oedd petha cyn Dolig. Ti'n cofio?'

Symudais oddi wrthi'n syfrdan.

'Dach chi 'di camddallt, Miriam! Does gin i ddim dewis rŵan. Mae'n rhaid i fi gwffio'n ôl. Neu fedra'i byth fyw yn y dre 'ma eto.'

45

'SBÏWCH PWY SY wedi cerddad i mewn!' ebychodd Haydn Palladium. 'Yr Holy Romeo Emperor, cyw maer Caersaint!'

A hithau'n bnawn Llun, roedd seiat gyntaf yr wythnos wedi hen ddechrau, a ffenestri'r Mona wedi stemio. Ataliwyd sgwrs yr yfwyr wrth i bawb droi ataf. Llyncais innau fy mhoer, ysgwyd y glaw oddi ar wain blastig y siwt wen a hongiai gerfydd ei hangyr yn fy llaw, a throi i'w hwynebu. Roeddwn yn barod am eu gwawd. Ac fe ddaeth.

'Efo'i ddillad amdano!' meddai Heulwen Hŵr, ar ôl canfod ei thafod a thynnu honno hyd ei gweflau pinc. 'Mwya'r piti.'

'Lle mae holy Juliet, tybad?' meddai Pepe. 'Wedi mynd yn ôl at Med?'

'Ty'd yma washi, i fi gael cofio sut ti'n edrach efo dy ddillad ar,' amneidiodd Heulwen arnaf wedyn.

'Dyna be mae hi'n ddeud wrth y dynion i gyd,' meddai Phil Golff.

'*Ti'n* edrach yn well efo dillad amdanat, beth bynnag,' brathodd hithau'n ôl. 'Yn enwedig efo dy fôl ar goll.'

'Chdi a dy geg fawr lyncodd hi, Heuls, yn ôl be glywish i,' meddai Haydn.

Ond roedd Heulwen bellach yn cydio yn fy ngarddwrn ac yn fy nhynnu at eu cilgant blêr. Ildiais iddi, a mynd i sefyll o'u blaenau fel dyn wedi'i wysio, a'r gwlybaniaeth yn diferyd oddi ar odreon fy nghôt gan ffurfio pyllau ar lawr budur y bar.

'Yn y bog ti i fod i biso, cyw maer,' meddai Phil wedyn.

'A cofia dynnu dy jaen cyn dŵad allan!' bachodd Haydn Palladium.

Chwarddodd pawb, a chyfarthodd Magnum, gan neidio oddi ar ei stôl a dod i ffroeni'r pwll o ddŵr wrth fy nhraed.

'Bwrw eira oedd hi y tro dwytha sbish i allan trwy'r ffenast,' ysgydwodd Pepe ei wyneb mawr golau a siglo ei fysedd o flaen ei wyneb. 'Ond dim eira oedd o, wedi'r cwbwl, ond maniffestos Jaman Gwyn yn disgyn i lawr o ben y castall!'

Chwarddodd pawb eto. Gwyrais innau i anwesu Magnum, a cheisio ymdawelu.

'Mae gin i jôc,' meddai Pepe wedyn. 'Be dach chi'n galw maer noethlymun ar ben Tŵr Eryr?'

'Gwirion?'

'Dic Twitington?'

Ysgydwodd ei ben.

'Galwch o be bynnag liciwch chi, neith o ddim clywad.'

'Y?' meddai Haydn.

Tawodd y lleill. Doedd dim i'w glywed ond chwerthin diddeall Pen Menyn.

'Politisian!' eglurodd Pepe. 'Byth yn gwrando…'

'Jôc gòc, Pepe,' cwynodd Phil Golff, a rhoi ei sigarét blastig yn siomedig yn ei geg. 'A doedd y crinc bach ddim yn noeth eniwe, nag oedd?'

'Nag oedd?' edrychai Heulwen yn siomedig, ac edrychodd trwy'r ffenest tua'r castell, fel petai'n trio cofio.

'Tric camera oedd o!' meddai Phil yn fodlon.

'Petha go iawn oedd y maniffestos,' meddai Pepe. 'Mi gesh i gopi fy hun. Lle handi i sgwennu negas siopa arno fo.'

'Mi oeddat ti fatha blydi Rapunzel ar ben Twr Eryr,' cofiodd Haydn. 'A honno efo cythral o broblam dandryff!'

'Pwy?' holodd Pen Menyn.

'Head and Shoulders ti angan,' oedd cyngor Heulwen. 'A chditha, PM!'

'Dim ond White Spirit fasa'n llnau gwallt Pen Menyn.'

'Mi gafon ni fwy na 'head and shoulders' gen Jaman Gwyn dydd Sadwrn!' daliodd Haydn ati. 'Mi oedd dy dafod di'n hongian, Heuls.'

'Dim hynny oedd yr unig beth oedd yn hongian!'

Trodd Magnum ei gefn arnaf a rhoi sbonc i ben ei stôl wrth y bar, gan droi sylw pawb at eu gwydrau hanner gwag.

'Y peth lleia fedri di neud ydi prynu rownd inni,' pwyntiodd Phil Golff ataf. 'Ar ôl inni neud cymaint dros Jaman Gwyn.'

'Mi gei di dalu efo blank cheque! Dallt?' bachodd Haydn yn smala, cyn dechrau canu 'blankety blank' a chymell y lleill i ymuno ac i Magnum gyfarth.

A dyna'n union yr oeddwn am ei wneud. Prynu diodydd i bawb. I ddangos nad oedd ots gennyf am y lluniau. Bod pethau dan reolaeth. Bod y 'ffŵl' Jaman Gwyn mewn gwirionedd yn feistr ar y sefyllfa – ac arno'i hun. Nad oedd yr ymgyrch drosodd, ond yn hytrach ar fin dwysáu...

Ac ar ôl rhoi hynny ar ddeall i'r seiat, roeddwn am droi fy sylw at Babs, lle bynnag oedd honno.

Ond y seiat yn gyntaf. Bachais hangyr y siwt ar hoelen a'i gadael i hongian dros y jiwcbocs. Sbonciodd Magnum o ben ei stôl, a mynd i gyfarth at odreon di-draed y trowsus gwyn, ac wrth i hwyl cytgan 'y bylchau gwag' bylu, anelodd yr yfwyr eu sylw at y siwt.

'Sôn am white spirit!'

'Ysbryd y Mona! Seeing is believeing!'

Lledodd Haydn Palladium ei freichiau a'u fflapio.

'Allan ydi lle bwgan brain. Efo'r cudyll cachu'n cei!'

'Dwi'n licio fo'n fanna,' meddai Pepe. 'Fatha memento.'

'Minto?' meddai Pen Menyn, a chrychu ei drwyn.

'I gofio am Jaman Gwyn!' aeth Pepe yn ei flaen. 'Ac mi gawn ni lenwi'r siwt efo hen gopis o *Lais y Saint* ar y fifth of November, a llosgi'r boi bach fatha Guy Fawkes.'

Bachodd y lleill yn y syniad.

'I gofio am y plot yn erbyn Med y Maer!'

'Mi fydd hwnnw wrth ei fodd! Efo'i gorn siarad dros yr Abar!'

Gosododd Haydn ei law wrth ei geg a dechrau canu, 'Beth am gynna tân, cynna tân mewn tin…?'

Chwarddodd pawb. Ond roedd fy mhen yn troi, wrth i mi gamu'n wrol at y bar a chwifio papur ugain punt yn fy llaw er mwyn prynu eu sylw. Roedd eu herian yn agos at yr asgwrn, a wyddwn i ddim faint mwy y gallwn ei ddioddef.

'Hei, paid ag edrach mor ddigalon, washi, jôc oedd hi!' trawodd Pepe fi'n galed ar fy nghefn. 'Ty'd, mi brynwn ni beint i chdi yn lle. Ti'n un ohonan ni rŵan, ar ôl i Babs neud y ffasiwn ffŵl ohona chdi.'

'Dyna be mae'n ei neud efo pawb,' porthodd Heulwen.

'Heblaw fi,' pwysleisiodd Phil Golff.

'Mae hi 'di gneud hynny am y tro ola,' meddwn innau, ond doedd neb yn gwrando.

'Duw, be ydi'r otsh os ydi hi?' meddai Haydn. 'Rhywbath inni neud, tydi. Enterteinio, dwi'n feddwl. Mi fasa bywyd yn gyrthral o beth diflas heb dipyn o sioe.'

Dechreuodd hymian: 'Fame! I'm gonna live for ever…'

'Mae Babs yn dibynnu arnan ni i gadw'i phapur hi i fynd,' meddai Pepe'n falch.

'A tasa fo ddim yn chdi, mi fasa'n rhywun arall,' meddai Heulwen wedyn. 'Felna mae Babs. Ynde, PM? Jolpan dew uffar.'

'Bitsh afiach,' meddai'r Pen yntau, cyn holi: 'Pwy?'

Ond fel ateb i'w gwestiwn, neu fel petai'r holl sôn amdani wedi ei hudo i fod, agorodd drws y bar, ac o ganol y dilyw y tu allan, mewn macintosh PVC loyw a bŵts du at ei phengliniau, a'i hwyneb yn loyw gan ddafnau glaw, fe gamodd Babs Inc.

'Asu, pryd mae hi'n ddiwrnod hel rybish?' meddai Pepe dan ei wynt. 'Maen nhw 'di anghofio un bag.'

Taflodd Babs ei hŵd oddi ar ei phen, ysgwyd ei gwallt du yn rhydd, a chyfarch pawb yn dorfol. A dim ond wedi gwneud hynny yr hoeliodd ei threm arnaf i, a dweud yn ddiedifar:

'Sori.'

Agorodd fwcwl ei gwregys.

'Dwi'n hwyr. Y *Daily Mail* oedd ar y ffôn.'

'Papur Heulwen,' meddai Phil Golff yn sychlyd.

Gwthiodd Babs ei llaw i'w phoced frest fewnol a thynnu papur hanner can punt ohoni a'i chwifio wrth gamu tua'r bar.

'Pryna di'r rownd, Haydn!' meddai. 'A gyrrwch jin-a-tonic mawr i fi i'r lounge, a beth bynnag mae Jam isio.'

'Dim byd i fi, diolch,' pocedais y papur ugain a gwneud ymdrech i sythu 'ngwar. 'A Gwyn ydi'r enw.'

Cododd Babs ei haeliau gorddu, yna winciodd yn goeglyd ar y lleill, fel petai'n dweud: 'Gwrandwch arno fo…'

Cipiodd Haydn Palladium yr arian papur o law ei noddwraig a'i chwifio uwch ei ben. Cefnais ar y seiat am funud, a dianc i'r tŷ bach i ymwroli.

Ymhen hir a hwyr dychwelais i'r lounge, nid yn unig i

roi Babs Inc yn ei lle, ond Jaman Gwyn hefyd. Roedd syrcas y 'dyn gwyn' ar ben, a Jamal Gwyn Jones ar fin camu ar y llwyfan.

46

D RAW YN Y lounge roedd Babs yn nodwyddo neges i'w Blackberry, a phrin y cododd ei phen pan eisteddais gyferbyn â hi. Syllais ar y rhesen wen ar ei chorun.

'Amsar i chi neud eich roots, Babs.'

'Ti'n iawn,' cilwenodd. 'Dyna ydi'r drwg, o gael rhai.'

Daliodd ati i nodwyddo fel petai'n gweithio brodwaith mân. Arhosais am rai eiliadau. Ond roedd fy amynedd yn brin.

'Be dach chi'n feddwl dach chi'n neud?'

Cododd hithau ei phen.

'Gneud 'y ngwaith,' meddai, a gyrru'r nodwydd i asgwrn cefn ei ffôn. 'A'i neud o'n dda.'

Roedd ei phowldra'n rhyfeddol.

'Dach chi'n mynd i ddeud rŵan mai er 'yn lles i ddaru chi brintio'r llunia yna a'u rhoid nhw yn eich papur?'

Fflachiodd Babs wên i'm llongyfarch.

'Yn union. Mi o'n i angan rhywbath drastic.'

Ochneidiodd, ocdi am eiliad, a dechrau ar ei thruth.

'Dwi wedi trio a thrio cael y cyfrynga ccnedlaethol i gymryd diddordeb yn yr etholiad yma. Ond does 'na ddim politics y tu allan i Senedd Caerdydd i'w weld yn cyfri.'

Cododd gwrid i'w gruddiau a dyfnhau'r colur a dynnwyd ar ongl aflem hyd ei boch. Ac yn sydyn, hi oedd y ddioddefwraig.

'Dwi wedi cael llond bol ar y peth, ti'n dallt? Wedi cael llond bol ar eu... be alwan ni fo...? Eu Gogyddiaeth nhw. Mi welish i drwy'r peth pan o'n i lawr yna'n gweithio ar y

Western Mail. Gogistan oeddan nhw'n galw Gwynedd. Dydi be sy'n mynd ymlaen yn fan hyn yn cyfri dim. Niwsans ydan ni. Neu rywbath od. A does 'na nunlla'n ei chael yn waeth na Chaersaint.

Trawodd ei dwrn ar y bwrdd.

'A ti'n gwbod pam mai'r saint sy'n ei chael hi? Achos bod gynnon ni identiti mor gry a bod gynnon ni ddiwylliant Cymraeg cosmopolitan, ac wedi bod felly erioed.'

'Os dach chi'n deud.'

Roedd pob sgwrs yn dod yn ôl ati hi.

'Maen nhw'n ein hofni ni, yli. Achos bod gynnon ni fywyd Cymraeg sy'n dal yn ddigon byw i fod yn wahanol. Ofn inni sboilio'u syniadau bach cyfleus nhw am be ydi Cymru. Mae pobol Caerdydd wedi dechra tynnu ar ôl y Saeson: fedran nhw ddim diodda cael mwy nag un strand i'w stori.'

Roedd yn siarad â mi fel petai'n areithio ar ben llwyfan.

'Ond lle fasa'u Cymru a'u Cymraeg nhw heb Gaersaint? Lle fasa'r Alban heb Glasgow? Lle fasa Ffrainc heb Marseille? Lle fasa'r Eidal heb Napoli? Mi fasa'n rhaid iddyn nhw gael pinsiad o halan reit dda o rywla arall tasa Caersaint yn cael ei llyncu i mewn i'w map nhw.'

Daeth rhyw olwg hunanaberthol i'w hwyneb.

'Dyna pam y prynish i'r *Llais*, yli. I roi llais i'r saint…'

Ochneidiais. Yna codais fy llais.

'Pam ddaru chi brintio llunia ohonaf fi yn mynd am dro efo Tonwen Bold yn eich papur bora 'ma?'

Gwenodd Babs.

'No publicity is bad publicity, boi bach. Ers printio dy lunia di bora 'ma dydi'r ffôn heb stopio canu, a dwi 'di cael tua dwsin o e-byst gin BBC Wales a Cymru, a hyd yn oed ITV, heb sôn am un neu ddau o bapura Llundan.'

Gwylltiais.

'Ar ôl cwyno gymaint bod y saint yn cael eu trin fel pobol od, dach chi'n mynd a chreu freak-show efo'n hetholiad ni, Babs,' gwylltiais. 'Dim ond i ddenu sylw papura'r gwtar yn Llundan.'

Amneidiodd Babs a gwenu'n fodlon. Ni wnaeth hynny ond fy nghythruddo'n waeth.

'Chi sydd isio cyhoeddusrwydd. Chi sydd isio gwerthu'ch stori. Chi sy'n gwerthu'ch tre eich hun...'

'Dwi wedi gwario ffortiwn ar Gaersaint, ac mae'n iawn i fi gael rhywbath yn ôl. Gan gynnwys y siwt lyfli sy'n cael ei hamharchu yn y bar acw.'

'... heb feddwl be ydi effaith hyn ar bobol. Tonwen, yn un. A'i phlant hi. A finna. Dach chi wedi gneud ffŵl ohonaf i eto, Babs.'

Gwthiais fy nghadair oddi wrth y bwrdd, fel petawn yn paratoi i adael (er nad oeddwn i). Deallodd Babs hynny, a rhoi ei llaw ar fy mraich a'i thapio'n gcfnogol.

'Cwlia di lawr, Jam bach.'

'Gwyn.'

'Gneud ffŵl o *Medwyn* ddaru *ni*. Mi fyddi *di*'n cael dy weld yn uffar o *foi*. Cofia di ei bod hi'n lot gwaeth i sant ifanc fod yn gachgi nag yn hwrgi.'

Gwyrodd ataf, a'r jin yn melysu'i thafod.

'Yli, mae'n bryd i chdi ddechra meddwl llai amdanat dy hun, a mwy am dy etholwyr. Trwch dy groen, nid ei liw o, sy'n cyfri yn y gêm yma, ac mae'n amsar i chditha roi lles Caersaint o flaen dy falchdar dy hun, fel dwi'n ei neud. Ti'n ddigon o ddyn i neud hynny?'

Aeth yn ei blaen:

'Dy elyn penna di yn yr etholiad 'ma oedd difaterwch. Ar hynny yr oedd Medwyn yn dibynnu. Economy of apathy.

Neu bolitics of apathy. Yr un peth ydi o. Ffor' i dorri trwy'r difaterwch oedd y stori yn y *Llais* heddiw. Mi fydd gen bawb ddiddordab yn yr ymgyrch rŵan, ti'n dallt? Pawb yn gwbod pwy wyt ti, a phwy ydi Medwyn. A bod 'na ddim cariad rhyngthach chi. Heblaw Tonwen Bold, ynde!'

Chwarddodd.

'Mi fedrai hyn ddifetha'i phriodas hi, Babs!'

'Hei lwc, ia?' winciodd hithau, a phwyso'n ôl yn ei sedd. 'Beth bynnag, does yna fawr o briodas yn y Plas, boi bach. Maen nhw wedi cael eu siâr o drafferthion, ymhell cyn i chdi ddŵad ar y sîn. Mi fuodd petha'n flêr pan oedd y bychan yn fabi. Med wedi cael ei ddal yn y golff clyb efo'i drowsus i lawr.'

Gwingais. A gwrando ar fy ngwaethaf.

'Mi gesh i lun ohono fo'n dinnoeth dan res o opticals yn y bar. Ond pan sgwennish i – yn y *North Wales News* bryd hynny – bod eu priodas nhw yn y fantol mi aeth dy Donwen di'n wirion, a gyrru llythyr twrna. Rêl politician's wife. Bitsh bach. Ofn colli ei statws mae hi.'

'Dydi petha ddim mor syml â hynny.'

Gwenodd Babs yn nawddoglyd. Roedd hi'n gwneud ei gorau i ymddangos yn ddi-hid. Ond mynegai ei llygaid rywbeth dwysach.

'Ei dewis hi oedd cael ei blant o,' meddai, ac ychwanegu'n finiog: 'Doedd 'na ddim galw am yr ail un.'

Roedd rhywbeth mwy na gwawd yn ei llais.

'Dach chi'n ei chasáu hi,' sylweddolais yn sydyn. 'Mae hi'n fygythiad i chi, tydi? Rhywsut neu'i gilydd…'

'Callia! Gwraig tŷ pathetig fatha honna?'

'Pam pigo ar Tonwen, yn hytrach na'i gŵr? Dwi 'di deud wrthach chi ers talwm bod Med yn cael affêr efo dynas sy'n gweithio yn y Shamleek. Pam na rowch chi hynna yn eich papur?'

Anadlodd Babs yn ddwfn, fel petai ganddi fynydd o waith o'i blaen.

'All in good time, boi bach! Mi ddaliwn ni Med reit ar y diwadd. Dwi'n addo i chdi. Mi ddo i â thaflan stop-press allan ddiwrnod cyn yr etholiad efo'r holl stori fudur. OK?'

Gorffennodd ei diod a galw am fwy.

'Mae'n bryd i Miss Bold ddechrau wynebu'r gwir,' meddai, fel petai lles Tonwen o bwys mawr iddi. 'Y gwir am ei theimlada hi ei hun. Yli, mi ddangosa i i chdi be dwi'n feddwl. Dyma i chdi bresant.'

O'i bag byclog tynnodd lawes dryloyw, a'i llond – i bob golwg – o luniau du a gwyn ohonof fi a Tonwen yng nghwmni ein gilydd.

'Sbia hapus ydi hi!' sibrydodd Babs yn anwesol, gan ddod â blaen ei gewin at lygaid Tonwen. 'Fatha hogan mewn cariad! Dydi Mrs Medra erioed wedi sbio felna ar ei gŵr, coelia di fi.'

Edrychais yn fwy gofalus. Yn sicr, roedd golwg hapus ar wyneb Tonwen: rhyw angerdd yn ei llygaid; tynerwch yn ei gwên.

'Tric photoshop arall!' meddwn, heb allu penderfynu a gredwn fy llygaid – a Babs – ai peidio.

Ysgydwodd Babs ei phen. Ac fel y gwyddai golygyddes y *Llais* yn iawn, y gwir amdani oedd fy mod eisiau ei chredu.

'Cadwa nhw,' meddai. 'Does gin i ddim mwy o iws iddyn nhw...'

'Y dyn adar oedd o, ynde?' cofiais. 'Dwi'n gwbod bod gynnoch chi'ch sbïwrs. Rhai fatha Llifon Gwyrfai. A Rhiannon.'

Cuchiais tuag at y bar.

'Ond sut oeddach chi'n gwbod y basan ni yno? Ar y diwrnod hwnnw?'

'Duw, Duw, doedd dim angan crystal ball.'

Agorodd ei chôt yn llydan a rhoi ei llaw ar ei brest lle llechai ei chalon honedig.

'Agos at 'y mhobol ydw i, boi bach. Dwi fel mam fawr i bawb yng Nghaersaint. Yn dallt y saint yn well na nhw'u hunain. Yn sylwi arnyn nhw. Yn gwbod be nawn nhw nesa, cyn eu bod nhw'n gwbod hynny eu hunain.'

'Fatha rhyw dduw mawr?'

Ysgydwodd ei phen.

'Duwias.'

Doedd gan y ddynes ddim cywilydd.

'Mwy o intuition nag y basa gin dduw o ddyn, yli. Achos un peth na fedar dynion ei neud ydi darllen rhwng y llinella. Dyna pam mae'r Beibil mor hirwyntog. Llyfr i ddynion, gen ddynion, ydi o.'

Cododd ei bys.

'A chofia 'mod i'n wyras i ddyn oedd yn gysodwr papura newydd. Felly mae'r bylcha rhwng geiria a llinella wedi'i brintio yn 'yn genes i. Fanno mae'r gwir i'w gael, boi bach! Yn y llefydd gwag. Dyna be dydi dynion ddim yn ei ddallt.'

'Llefydd gwag i chi eu llenwi fo efo'ch clwydda!' atebais innau. 'Dyna pam mae Caersaint yn eich siwtio chi, te. Achos bod 'na cyn lleiad yn digwydd yma.'

Dan wadu eto, cynigiodd Babs ddameg bellach:

'Mae o yr un fath â datblygu llunia. Gwyn a gwag ydi'r papur printio, nes i chdi ei ollwng o i'r gymysgadd gywir o ddŵr a chemega. Wedyn mae'r llun yn dod i'r fei. Y gyfrinach ydi gwbod bod y llun yna yn y lle cynta, yn barod i'w ddatgelu.'

Yr un fath â'r lluniau ohonof i a Tonwen ar draeth y Foryd…

'Gad i fi roi enghraifft i chdi o be dwi'n feddwl,' meddai Babs. 'Y "lle gwag" yna sydd ym mhriodas Med Medra a Tonwen. Mi sylwish i sbel yn ôl ar hwnnw. Mi o'n i'n gwbod bod 'na botensial stori yn y Plas, a dwi wedi bod yn cadw llygad ar y ddau.'

Aeth ias i lawr asgwrn fy nghefn.

'Pan ddoist ti'n ôl, mi gofish i mor ffond oeddat ti o Tonwen Bold, a phan welish i chi'n siarad efo'ch gilydd noson y tân gwyllt, mi syrthiodd y stori i 'nwylo fi. Matar o roi hwb i betha yn eu blaena, a chadw llygad, a dy helpu di i benderfynu sefyll yn erbyn Med Medra.'

'Ond…'

'Ac mi naethoch chi'n union be o'n i wedi'i ragweld. Mor syml â hynny. Er y baswn i wedi licio gweld dipyn mwy o dân yn eglwys Llanfairfaglan, o gofio sut fyddat ti ers talwm. Ond wedyn, mewn mynwant oeddach chi!'

Roedd hi'n fy nghythruddo'n llwyr – ond yn fy ngwefreiddio hefyd.

'A dyna ni. Fedri di ddim fy meio fi am fy ngwobrwyo fy hun trwy gyhoeddi'r llunia. Job satisfaction ti'n galw hynna. Gweld y stori'n dod yn fyw o flaen dy lygaid.'

'Ond doedd 'na ddim stori!'

Edrychodd Babs i fyw fy llygaid.

'Oedd,' meddai. 'Ti'n gwbod hynny dy hun. Potensial stori. Matar o amsar oedd hi. Mewn ffor', achub priodas Tonwen nesh i,' meddai'n hunangyfiawn, a wincio arnaf. 'Chdi oedd isio'i chwalu hi.'

Edrychais arni'n gegrwth.

'Mi oedd Miriam yn iawn. Mi ddeudwch chi unrhyw beth i'ch cyfiawnhau eich hun.'

'Nabod dy bobol, a deud y gwir am dy bobol. Dyna ydi 'nyletswydd i!'

'Naci,' dadleuais, wrth gofio am Trefor yn iard gefn ei dŷ. 'Gwerthu. Dyna'r unig beth sy'n cyfri i chi. Gwerthu'ch ffrindiau i gael stori dda. A gwerthu'ch papur.'

Ac yn gwbl ddigywilydd, dechreuodd Babs gytuno.

'Siŵr iawn! Achos dydi'r stori ddim yn wir os na cheith hi ei darllan. A pho fwya sy'n ei darllan hi, mwya gwir ydi hi. Mi ddylat ti wbod hynny, a chditha'n *wleidydd*,' pwysleisiodd yn wawd i gyd. 'Fasat ti na'r un gwleidydd arall yn ddim byd hebddan ni'r newyddiadurwyr.'

'Chwant pŵar ydi'r cwbwl. Chwara duw – duwias – efo bywyda pobol!'

'Os ydi pobol yn ddigon ffôl i gael eu chwara! Fatha chdi…'

Teimlais ryw hunanatgasedd sydyn.

'Ia. Mi fedra i weld hynny rŵan. Dwi wedi syrthio i bob trap dach chi wedi'i osod i mi ers i mi ddŵad yn ôl. Mor hurt ag o'n i ddeng mlynadd yn ôl. Yn ddim gwell na rhei'cw yn y bar.'

Amneidiais yn ddirmygus tua'r seiat.

'Nhw?' chwarddodd Babs. 'Ti'n haws o lawar dy drin na nhw. A beth uffar yn rhatach.'

'Felly, be dach chi isio?' agorais fy mreichiau o'i blaen. 'Fy hel i o Gaersaint eto?'

'Dy hel di o'ma? A chditha'n fab darogan?'

Tynnodd wyneb diniwed.

'Chdi ydi dyfodol Caersaint! Trio dod â chdi at dy goed ydw i, Jaman bach. Dy *ddeffro* di! Dy *sobri* di!'

Yna gwyrodd yn ei blaen a sibrwd yn ddwys ar draws y bwrdd.

'Mi fedri di ennill y lecsiwn yma. Dwi'n gwbod hynny ers y dechra. 'Dan ni 'di chwalu trwy'r difaterwch. Mae dy wynab di'n gyfarwydd i bawb yn y dre 'ma – heb sôn am dy din di! Rŵan be sydd angan ydi rhoi'r brên yna sy gin ti ar waith. A dy garisma. A'r siarad capal ddysgodd Miss Bugbird i chdi…'

'Dwi'n gwbod be dwi'n tebol o'i neud, Babs.'

'A da hynny,' meddai Babs yn gefnogol. 'Dadl gyhoeddus wyt ti ei hangan rŵan. Chdi a Med Medra. Hystings. Yn yr arena, ar ganol y Maes Glas, a'r saint i gyd o'ch cwmpas chi. Ac mi gawn ni weld wedyn pwy fydd y ffefryn. Does gin ti ddim ofn Med Medra, siawns?'

Ar ôl ystyried am funud ysgydwais fy mhen.

'Na, does gin i ddim ofn Medwyn. A does gin i ddim ofn y saint. Ac erbyn hyn, wyddoch chi be? Does gin i mo'ch ofn chitha, Babs.'

Ac ar hynny codais ar fy nhraed. Ond doeddwn i ddim am adael eto, gan fod y sgwrs, o'r diwedd, wedi arwain at yr hyn yr oeddwn wedi'i gynllunio. Rhoi Babs yn ei lle. Ffarwelio â Jaman Gwyn. A dod â'r Gwyn newydd yn ei le.

'Da was!' chwarddodd Babs yn garedigrwydd i gyd. 'Felly, ti'n barod i ddal ati?'

Amneidiais.

'Ar fy nhelera i fy hun. Fi fydd yn deud fy neud. Nid y chi. Nac Alun. Nac Almut.'

Rhwbiodd Babs ei dwylo. Ond doeddwn i ddim wedi gorffen.

'Dwi isio write up ffafriol yn y *Llais* yn dilyn yr hystings, a stop-press ar y diwrnod cyn yr etholiad yn deud y gwir am affêr Med Medra, a'i fusnesion drwg o. Erbyn hynny mi fydda i wedi perswadio Bryn yr Ael – ac Olena – i ddeud mwy am be sy'n mynd ymlaen…'

Tewais innau wrth i Rhiannon ddod atom a gosod y gwydr o flaen Babs. Estynnais fy mhapur decpunt olaf o boced tin fy jeans.

'Cadw'r newid,' meddwn, ac edrych i fyw ei llygaid. 'Doro fo yn dy gadw-mi-gei efo gweddill pres Babs.'

'Mae 'na rai ohonan ni isio talu am goleg,' meddai'n sych.

Ond roedd gwrid wedi codi i'w gruddiau gan wneud iddi edrych fel Eira Wen wrth iddi gerdded i ffwrdd. Syllais ar ei hôl a theimlo rhywbeth yn brifo y tu mewn i mi.

Pesychodd Babs. Ond doeddwn i heb anghofio amdani.

'Ac un peth arall,' meddwn wrth wisgo fy nghôt.

Gwenodd, mor barod i blesio â'r fairy godmother ei hun.

'Unrhyw beth lici di, Jam... Gwyn bach. Dwi mor falch o dy weld ti'n cyflawni dy botensial.'

'Reit, cyn y diwrnod pleidleisio, dwi isio i chi ddeud y gwir amdana i...'

Cododd Babs ei haeliau.

'Y gwir? Ti'n siŵr?'

Brysiais innau i orffen fy mrawddeg:

'... amdana i ac Arfonia.'

Tawodd Babs am funud. Yna, yn araf fuddugoliaethus, dywedodd:

'O, hynny ti'n feddwl!'

Lledodd ei gwên.

'Sob stori fwya Caersaint! Bod Miss Bugbird yn nain i chdi, wedi'r cwbwl!'

47

Roedd y Maes Glas yn ei ogoniant. Roedd y teirw dur a'r jaciau codi baw wedi mynd i borfeydd glasach, a seiri maen wedi gorchuddio'r sgwâr â chlytwaith o lechi lleol a ddisgleiriai yng ngwlybaniaeth arian y Mis Bach. Ac ynghanol y gogoniant hwn, dan gysgod y castell a gyferbyn â chofgolofnau Syr Hugh Owen a Lloyd George (a oedd bellach yn ôl yn eu lle), fe gododd Babs ddau lwyfan, yn barod am yr hystings.

Doedd dim modd peidio â'i hedmygu am yr hyn yr oedd wedi ei gyflawni. Erbyn hyn roedd yn chwifio'i breichiau yma ac acw, a siarad i'w walkie-talkie fel cyfarwyddwr ffilm. Roedd ei gallu i drefnu, heb sôn am ei dylanwad, yn rhyfeddol. Dygodd berswâd ar Gyngor Caersaint i gadw'r traffig oddi ar y Maes am awr rhwng pump a chwech o'r gloch, a pharodd fod conau a rhubanau oren wedi eu gosod ar hyd y Maes i arwain y saint yn ddiarwybod at yr hystings, gan eu corlannu yno wedyn er budd camerâu'r teledu a'r wasg. Roedd wedi addo i olygyddion a chynhyrchwyr Caerdydd a Llundain na fyddai'r shloetsh yn ddim llai nag Arwisgiad '69. Gosodwyd systemau sain yn eu lle, a dwy sgrin fawr o flaen y Morgan Llwyd a thafarn y Castell i chwyddo pennau'r ddau ymgeisydd yn fawr. Uwchlaw'r ddau lwyfan roedd wedi hongian baner Caersaint, gyda'r slogan 'Clwb Med' ar y naill a 'Gwyn ein byd' ar y llall.

Ond camp fwyaf Babs yn hyn i gyd fu perswadio Med Medra i gymryd rhan. Doedd arno ddim eisiau ei iselhau ei hun trwy rannu llwyfan ag 'amatur', ond ateb Babs oedd cael llwyfan deuol. A doedd Med ddim yn ffŵl. Roedd y ras yn poethi, a'm hymgyrch innau wedi codi stêm y tu hwnt i bob disgwyl dros y dyddiau diwethaf. Yn y diwedd cytunodd Med, er mai wysg ei din y gwnaeth hynny, ac er na chyrhaeddodd tan y funud olaf, a hynny yng nghwmni sawl gwarchodwr.

'Mi fyddi di'n iawn,' cysurodd Almut fi. 'Dim ond iti gofio'r hyn y buon ni'n ei ymarfer. Pwyll. Didwylledd. A bod yn chdi dy hun. Mi fydd pobol Caersaint yn siŵr o weld trwy bopeth arall.'

Edrychais arni'n boenus.

'Ac iwsia dy drymp card ar y diwadd,' meddai Bryn yr Ael o'r tu ôl i'w gamera fideo. 'Mae Olena 'di rhoid ei chaniatâd, ac yn falch o'i phenderfyniad. Doedd hi ddim yn licio dŵad heddiw, rhag ofn i'r mochyn ei bygwth hi eto.'

Gwgodd tua'r llwyfan lle'r oedd Med yn camu'n hunanfeddiannol at ei gadair. Syllodd pawb ohonom arno'n eistedd a'i goesau fymryn ar led. Roedd mor drwsiadus yn ei siwt las tywyll a'i grys a'i dei, a'r hunanfeddiant ar ei wyneb yn drawiadol. Dyn â phopeth dan reolaeth.

Fel yr oedd pawb yn gwybod, dyma'r tro cyntaf inni'n dau ddod wyneb yn wyneb ers dechrau'r ymgyrch. Ac wrth syllu arno felly, sylweddolais fod curiad fy nghalon yn cyflymu, fel petawn yn gweld rhywun yr oeddwn wedi bod mewn cariad â nhw, am y tro cyntaf ers blynyddoedd...

Trois i daro cip dros y gynulleidfa. Roedd cefnogwyr Medwyn yn sefyll heb dynnu sylw atynt eu hunain yng nghornel dde'r Maes Glas, yn eu plith y llabwst Albanaidd oedd wedi etifeddu dyletswyddau Bryn yr Ael. Ychydig i'r chwith roedd dwy gadair olwyn: yn y naill roedd Alun Stalin a golwg bwdlyd arno; yn y llall Alabeina, a oedd wedi gweld hanes yr ymgyrch yn y papur, ac wedi mynnu bod Miriam yn dod â hi i weld y sioe.

Amcangyfrifais fod rhyw ddau gant o bobl bellach yn llenwi'r gorlan drionglog a grëwyd gan y cortynnau oren a ymestynnai mewn llinell syth rhwng y ddau lwyfan a thynnu'n big tua'r cefn. Galwyd fy enw gan rai o selogion y Mona a ffurfiai res flaen y sioe, a throis i'w cydnabod.

'Hei, deffra!' meddai Bryn yn fy nghlust. Roedd Babs yn galw arnaf i gamu ar fy llwyfan.

'Dangos di iddo fo pwy ydi'r bòs, Jam!' meddai Bryn wedyn, a'm taro'n galed ar fy nghefn. 'Fydd y diawl byth yn chief arna i eto.'

'Pwyll − a didwylledd,' siarsiodd Almut eto, gan ofyn i mi dynnu tafod arni, fel y gallai chwistrellu *Bach Rescue Remedy* i dawelu fy nerfau.

Dringais y tri gris i ben y llwyfan heb edrych un waith ar Medwyn. Yn ôl cloc Swyddfa'r Post dim ond munud oedd i fynd. Roedd yr awyr yn tywyllu, gan greu naws ddramatig i'r llwyfannau goleuedig. Cynyddai'r gynulleidfa wrth i weithwyr y swyddfeydd a'r siopau adael eu gwaith a chael eu tynnu gan y goleuadau fel gwyfynod at dân.

Pedwar munud. Dyna'r cyfan oedd ei angen o araith. Ac yna ateb cwestiynau'r gynulleidfa. Ac yna byddai'r cyfan drosodd.

Yn sydyn, dechreuodd anthem Caersaint, sef trefniant band pres o 'Pan fydd y saint yn dod i'r dre', floeddio drwy'r uchelseinyddion gan lenwi'r Maes Glas ac atseinio yn y deitsh dan waliau'r castell. Cododd llais tremolo angerddol Haydn Palladium fel codwr canu o'r rhes flaen, a daliodd y nodyn olaf yn hir wedi i bawb arall dewi.

Camodd Babs at bodiwm is rhwng y ddau brif lwyfan, a thapio blaen ei meicroffon i weld oedd yr uchelseinydd yn gweithio. Roedd wedi penderfynu bod yn MC ei hun, gan na allai 'drystio' neb arall.

'Gyfeillion a Chyd-Saint,' anerchodd y gynulleidfa, a phetruso wrth i'r paldaruo dawelu, gan foesymgrymu'n gwta tua'r camerâu teledu yn y castell. 'Dyma'r etholiad mwyaf cyffrous yn hanes Caersaint erioed!'

Daeth bonllefau o du selogion y Mona. Roedd y cwrw wedi gwneud ei waith, yn amlwg.

'Bellach, dim ond dau geffyl sydd yn y ras!'

'Rasus mulod!' porthodd Haydn.

'A daeth yr awr...' meddai Babs yn ffugbregethwrol, 'i'r ddau ddod wyneb yn wyneb.'

Unwaith eto, yn ufudd, brydlon daeth 'whiw' melodramatig o du'r selogion.

'Ac yn fwy na hynny...' aeth Babs yn ei blaen, 'i'r ddau ddod wyneb yn wyneb â'r saint!'

Lledodd hunangymeradwyaeth trwy'r dorf.

'Pedwar munud!' meddai Babs ar eu traws. 'Pedwar munud sydd gen y ddau. I werthu eu hunain ger eich bron chi. Wedyn mi agorwn y drafodaeth i'r llawr, a rhoi cyfle i chithau ddeud eich deud.'

Yna, heb fwy o ragymadroddi, galwodd Babs ar i Medwyn gamu ymlaen i roi ei araith, gan ryw hanner gowtowio o'i flaen.

Trwy gornel fy llygad gwyliais o'n camu'n dalog at flaen y llwyfan, yn datgysylltu'r meicroffon o'i stand gan afael ynddo fel rhyw efengylwr carismatig, neu hyd yn oed ganwr pop canol y ffordd. Roedd rhyw hanner gwên ar ei wyneb a awgrymai nad oedd hyn i gyd ond chwarae plant iddo.

Ffieiddiais ato, ac eto fe'm llygad-dynnid ganddo: at ei olwg gaboledig, ei hyder profiadol, a'i lais llyfn a huawdl.

'Pnawn da, Gaersaint,' meddai'n glir, ond heb gyffro a hawliai ymateb.

Ac yn gwrteisi a boneddigeiddrwydd i gyd, diolchodd

am y gwahoddiad i annerch etholwyr y dref a olygai bopeth iddo. Camgymeriad cyntaf, meddyliais. Gwenieithu. Ond roedd pobl Caersaint am unwaith yn gwrando. Oedodd Med, a newid gogwydd ei lais:

'Pan o'n i'n hogyn ym Mrynsiencyn...'

Ail gamgymeriad. Cydnabod ei fod yn ddyn dŵad. Yn enwedig dyn dŵad o Sir Fôn.

'... Ro'n i'n arfer sbio dros afon Menai ar furiau aur Caersaint, a breuddwydio y cawn i, un dydd, fynd yno, fel yr aeth Macsen Wledig ganrifoedd o 'mlaen i.'

'Mond dal stemar fach oedd isio!' galwodd rhywun.

Trodd Medwyn ei drem a syllu ar yr heclwr. Heb gyffroi, amneidiodd yn araf a gwenu.

'A tydi hi'n bryd dod â'r stemar fach yn ôl, Mr Edwards! I chi'r saint. Ac i dwristiaid glannau'r Fenai!'

Gadawodd i'r sgwarnog honno redeg ei chŵys ymhlith y saint: roedd yn awgrym poblogaidd a grybwyllid bob hyn a hyn gan gynghorwyr y dref. Rhyfeddais innau at y modd y trodd Medwyn yr her i'w felin ei hun, gan ddangos ei fod yn ddigon o ddyn i dderbyn beirniadaeth, gan ddangos ei fod yn gwybod hanes yr hen fferi, gan ddangos ei fod eisiau denu twristiaeth, ac yn olaf, gan ddangos yr hen gysylltiad rhwng Caersaint a Môn. Roedd wedi llwyddo i wneud y cyfan heb feddwl.

'Ond pan ddois i yma i'r dref aur, gweld sglein y waliau wedi pylu ddaru mi. Yn lle'r aur yr oeddwn wedi breuddwydio amdano, yr hyn welwn i oedd waliau llwydaidd, trist.'

Lledodd rhyw dawelwch melancolaidd drwy'r dorf. Toedd pawb wedi gweld yr un peth?

'Dwi'n cofio'r siom a deimlais i hyd heddiw,' meddai'n dawelach ac eto'n eglur, gan edrych yn syth i wynebau ei wrandawyr. 'Bod arweinwyr y dref wedi ei bradychu hi.'

Porthwyd hyn gan rai o aelodau hŷn y dorf.

'Ac eto, anghofish i erioed mo'r freuddwyd,' aeth Med yn ei flaen. 'Ac mi addewish y byddwn yn gwneud fy *ngorau glas* i ddod â'r sglein yn ôl i Gaersaint.'

'Investiture arall dan ni angan!' daeth llais o'r dorf. 'Rhywbath i'r kids feddwl amdano fo!'

Trodd rhai i gytuno, ac eraill i anghytuno.

'A dod â'r aur yn ôl i Borth yr Aur!' meddai Medwyn.

Aeth siffrwd rhyw lawenydd trwy'r gynulleidfa, nes i un o'r saint weiddi'n swta:

'G'na hynny, ta!'

Gwenodd Medwyn gan hoelio'i sylw ar y sylwebydd.

'Dyna ydw i'n ei wneud, Mark bach! Sbia di gymaint gwell mae'r dre'n edrych heddiw, o gymharu ag ychydig flynyddoedd yn ôl. Mae gennym ni siopau bychain hyfryd yn Stryd y Plas a'r Stryd Fawr, gan gynnwys un o siopau llyfrau gorau Cymru. Mae gennym ni Faes teilwng o'n hanes ni – oes yna sgwâr noblach yng Nghymru? – a chaffis a gwestai gwerth eu gweld…'

Rhyfeddais at ei hyfdra – roedd yn siarad fel petai o'n berchen holl fusnesau Caersaint.

'Yn fy ngwaith ar y Cyngor ers wyth mlynedd, dwi wedi llwyddo i ddenu arian Amcan Un a chan y Cynulliad Cenedlaethol i adnewyddu rhannau o'r dref, ac i hybu busnes a thwristiaeth yma. Dwi wedi llwyddo…'

Aeth yn ei flaen yn hunanhyderus i restru ei lwyddiannau honedig fel cynghorydd: y grantiau yr oedd wedi eu denu; y buddsoddiadau yr oedd wedi eu sicrhau; y busnesau oedd wedi ffynnu dan ei ofal (gan gynnwys y Shamleek); yr arbenigedd busnes yr oedd wedi ei ddarparu…

Codai traw ei lais gyda phob eitem ar ei restr, nes y tawodd yn sydyn, oedi i gael distawrwydd llethol, cyn dweud yn erfyniol:

'Etholwch fi'n faer! Mae'n record i fel cynghorydd a dyn busnes yn dweud y cyfan.'

Yna, edrychodd o gwmpas ei gynulleidfa fel petai'n siarad â phob sant yn unigol, a dweud yn ddidaro:

'Dwi'n gwbod be dach chi'n fy ngalw fi...'

'Coc oen!' galwodd rhywun, a chwarddodd pawb.

Sythodd Med, cyn chwerthin ei hun i mewn i'w feicroffon.

'Ia, mae angen bod yn hynny weithiau i fod yn wleidydd llwyddiannus!'

Yna difrifolodd.

'Ond sôn am lysenwau oeddwn i. A chi'r saint sydd fwya enwog yng Nghymru am eich llysenwau dyfeisgar: y llysenwau bachog sy'n dweud y cwbwl.'

Ymestynnodd ei law tuag atynt.

'Mae 'na lysenwau addas a chrafog yn llenwi'r Maes yma heddiw. On'd oes, Babs Inc?'

Chwarddodd pawb ond Babs.

'A dyna *Jaman* yn fan hyn. Dach chi, fel finna, yn gwybod ystyr hynny. Ddeudwn ni ddim mwy...'

Chwarddodd pawb eto, a theimlais innau'r gwrid yn llosgi fy mochau.

'Ond yn groes i rai,' meddai Med, 'dwi'n wirioneddol falch o'r llysenw gesh i gynnoch chi'r saint. Dan ni i gyd yn gwybod beth ydi o.'

A chyn i neb roi ei big i mewn y tro hwn, atebodd ei gwestiwn ei hun:

'Med Medra!'

Curodd nifer yn y dorf eu dwylo a chrochlefain.

'A dwi'n falch ohono fo,' cododd Med ei lais. 'Achos wrth wraidd fy llysenw i mae'r gair *Medru*.'

Amneidiodd llawer yn y dorf, bron fel petaent wedi eu swyno gan eiriau'r dyn a safai o'u blaenau.

'Med Medra,' meddai yntau wedyn. 'Yr Un Sy'n Medru.'

Oedodd eto.

'Dwi wedi profi fy hun,' meddai, a'i lais yn dangos ei fod yn tynnu tua'r terfyn. 'Dwi isio profi fy hun eto. Mae 'na fwy, gymaint mwy,' plediodd, 'y gallwn ni ei neud i ddod â'r aur yn ôl i waliau Caersaint! Mae 'na ffyrdd, gyfeillion, i ddod â gwyrthiau'r Arglwydd i lannau'r Fenai dlawd!'

Taflodd ei ben yn ôl, a syllais innau rhwng casineb ac eiddigedd ar y golau artiffisial yn cynnau'r aur yn ei wallt.

'Rhowch eich dyfodol yn nwylo Med Medra! Ddydd Gwenar nesa, Chwefror y nawfad ar hugain. Ar ddydd nawddsant y saint, rhowch eich tic wrth ymyl enw'r Un Sy'n Medru. Dyna'r unig ddewis!'

Ac wrth iddo ddweud hynny roedd ganddo'r hyfdra i estyn ei fraich i gyfeirio ataf i, tra rhoddai'r argraff ei fod yn fy ngwahodd i'r llwyfan. Roedd hyd yn oed iaith ei gorff yn rhan o'r araith. Ond nid edrychodd arnaf. Nid oedd wedi edrych arnaf yn iawn ers fy niwrnod cyntaf yn ôl yng Nghaersaint, bum mis ynghynt, a hynny o uchder ei gar.

Camodd at ymyl y llwyfan, a rhyw hanner ymgrymu. Ac i gloi, anerchodd y saint heb wên ar ei wyneb.

'Diolch i chi am eich gwrandawiad!'

Yna dychwelodd i'w sedd, a gwên fewnol o fuddugoliaeth yn gloywi croen ei wyneb.

Roedd y gymeradwyaeth yn frwd – i saint, beth bynnag – a phobl yn troi at ei gilydd a syndod yn eu gwedd. Dechreuais ddigalonni. Sut roedd gobeithio cystadlu yn erbyn y fath pro? Ar gyrion fy meddwl clywn Babs yn diolch i 'Mr Parry' ac yn dweud wrth y gynulleidfa y clywem fwy ganddo yn ystod y cwestiynau.

Ac yna roedd Babs yn galw fy enw i. Daliais i eistedd a cheisio sadio. Galwodd Babs fy enw eto.

'Gwyn!'

Codais ar fy nhraed ond roedd fy mhen yn troi. Clywais Babs yn dweud yn uchel, 'Jaman, deffra boi bach!' a'r saint i gyd yn chwerthin. Chwiliais am angor yn y dorf: wyneb Almut, neu Bryn, Miriam neu Alabeina. Ond roedd y cyfan yn niwlog. Ac yn lle hynny tynnwyd fy nhrem gan liw glas ariannaidd y tu allan i ffiniau'r gorlan. Côt rhywun. Côt law. Yn sgleinio yn y llifoleuadau. Ac wrth i'r niwl glirio o flaen fy llygaid, ymrithiodd ffurf o'r sglein glas golau, a sylweddolais innau fod Tonwen wedi cyrraedd, a'i bod yn syllu'n galed tua'r ddau lwyfan lle'r oedd ei gŵr a finnau'n ymrafael.

48

Bu'N SBEL WEDYN cyn i mi ffeindio fy llais, a chamu at
y meicroffon.

'Siarada'n uchal!' galwodd rhywun. 'Dyna ydi'r idea.'

Pesychais, a chwyddwyd sŵn y pesychiad i'r fath raddau
nes i ambell un godi'i law at ei glust.

'Sgiwsiwch fi.'

'Dan ni ddim yn clywad!'

Codais fy llais.

'Sgiwsiwch fi.'

Ond y tro hwn atseiniodd fy llais yn ormodol gan beri
i haid o golomennod godi fel cwmwl llwyd oddi ar un o
dyrau'r castell. Roedd sŵn fflapian eu hadenydd fel curo
dwylo di-ffrwt.

'Pardyn?' gwaeddodd Pepe ar dop ei lais.

'Paid â bod yn shei!' gwaeddodd Haydn Palladium.

Chwarddodd pawb. Yn fy nerfusrwydd chwarddais
innau.

'Sgiwsiwch fi,' meddwn am y trydydd tro, a'm llais o'r
diwedd yn swnio'n naturiol.

'Iesu Grist, trio am job mewn Ysgol Sul wyt ti?'

'Deud dy ddeud yn lle deud dy badar!'

Lledodd mân chwerthin unwaith eto trwy'r dorf.

'Ylwch,' gelwais ar eu traws. 'Dwi wedi sefyll o'ch blaen
chi'n noeth. A heddiw dwi'n gwisgo fy nillad.'

Tawodd pawb ar amrantiad. Roedd y geiriau amherthnasol
wedi mynd â'u sylw.

'Mi fasach chi wedi medru gwisgo crys a tei, o leia!'

galwodd dynes oedrannus o'r canol. 'Sant slap-dash!'

Cofiais dacteg Medwyn o borthi'r porthwr ac edrychais arni.

'Dydw i ddim yn ddyn crys a tei.'

'Lle mae dy siwt Del Monte di?' galwodd rhywun arall.

'Dydw i ddim yn ddyn siwt, chwaith,' meddwn yn bowld, gan led-amneidio tuag at Medwyn.

'Wwww!' galwodd y selogion a dechrau curo'u dwylo. Aeth ias o bleser drosof, a chodais fy llais yn uwch.

'Dwi'n sefyll o'ch blaen chi heddiw mewn jeans a chrys, ac yn teimlo'n gysurus yn gneud hynny.'

Roedd pawb yn gwrando.

'Dillad cyffredin. Dyn cyffredin.'

Yna saib, yn union fel yr oedd Almut wedi fy nysgu. Anadlu'n ddwfn – a dechrau dweud y gwir amdanaf fy hun.

'Does gin i ddim profiad busnas. Does gin i ddim buddsoddiada. Na siârs. Does gin i ddim llythrenna ar ôl fy enw, ddim hyd yn oed un TGAU. Achos mi gesh gic allan o Ysgol Mabsant yn bymthag oed am ddwyn ac am fod yn fandal.'

Oedais i'r chwerthin ostegu, ac i selogion y Mona roi'r gorau i gymeradwyo a chwibanu. Roedd pethau'n mynd yn dda, nes i lais heriol alw o'r gynulleidfa:

'Be gythral sy gin ti, ta?'

Roeddwn yn barod am y cwestiwn ac atebais yn syth:

'Clust!'

Almut oedd yn iawn. Roedd dweud pethau annisgwyl yn gweithio. Teimlais y dorf yn tynnu ati'i hun. Cododd sawl un eu llaw at eu clust am yr eildro, fel petaent am sicrhau ei bod yno.

'Dwy glust,' meddwn wedyn. 'Dau lygad. Dwy goes...'

'Tair!' galwodd Heulwen Hŵr, a chwarddodd pawb yn uchel.

'… Dyna be sy gin i,' daliais ati. 'Yr un fath â chitha. Dyna ydi 'nghymwystera i ar gyfar bod yn faer Caersaint. Dim byd. Dim ond… 'mod i yr un fath â chitha.'

Roedd pawb yn edrych arnaf fel petaent wedi hurtio. Gwelais Babs Inc yn codi ei haeliau, tra amneidiai Almut yn frwd, ac roedd Alun Stalin wedi claddu ei ben yn ei ddwylo.

'Mae gin i glust i wrando,' meddwn wedyn. 'A chlywad. Mi fydda i'n clywad y saint yn siarad am eu tre bob dydd o'r flwyddyn. Mae gynnoch chi'ch barn am y dre ac am yr hyn sy'n digwydd ynddi hi. Toes? Ond pwy sy'n gwrando?' holais. 'Y cynghorwyr? Y gwleidyddion? Y dynion busnas?'

Gadewais i'r cwestiynau hongian yn yr aer. Yna tewais, i ddangos fy mod yn gwrando. Daliais fy ngwynt. Roedd saib mewn araith yn beth peryg. Yn enwedig yng Nghaersaint. Roedd rhywun yn siŵr o ddweud rhywbeth – o'm plaid neu yn fy erbyn.

Ac fe ddaeth. Llais dynes bengoch yn taranu:

'Dydyn nhw heb wrando arnan ni ers blynyddoedd, naddo? Saith mil ohonan ni ddaru sgwennu'n henwa ar y petisiwn yn erbyn y by-pass. Saith mil allan o tua naw mil o bobol Caersaint. A ddaru nhw'n dal ddim gwrando arnan ni.'

Trodd at y bobl o'i chwmpas a dechreuodd sawl un borthi. Gadewais i'w geiriau redeg trwy'r gynulleidfa. Ond wrth i'r si gynyddu, tynnais sylw'r dorf yn ôl ataf fy hun.

'Mae gin i lygaid. I weld. Dwi'n gweld bob dydd lle mor braf ydi'r dre 'ma. Yr hen hen dai. Y Maes. Y castall a'r cei. Pont yr Abar a'r Foryd. Y mynyddoedd o'n cwmpas ni i gyd. Dringwch i ben Brynhill a welwch chi ddim golygfa brafiach yn y byd.'

Oedais am eiliad wrth i rai gymeradwyo.

'Cyfoeth!' gwenais, cyn gostwng fy llais a sythu'r wên. 'A thlodi.'

Saib arall, tra amneidiai Almut dair gwaith. Yna caledais fy llais.

'Lle mae'r grantia i gyd yn mynd?'

Roeddwn yn hanner disgwyl clywed llais Pen Menyn yn holi, 'lle?' Ond roedd pawb yn aros am fy ateb i.

'I roi carpedi newydd yn y Shamleek! I godi fflatia drud i bobol ddŵad! I dynnu'r bywyd allan o ganol ein tre ni!'

Daeth cymeradwyaeth eto. Ac ar gefn hynny bwriais innau iddi.

'Mae gin i lygaid. Mae gynnoch chitha lygaid. Ond dan ni'n dal ddim yn gweld y pres.'

Cododd traw fy llais, a chyflymodd y tempo:

'Dan ni i gyd – chitha a finna – yn gwbod be sy gynnon ni. Ein tre ni. Caersaint. A ni'n hunain. Y saint. Efo hynny mae dechra. Efo'n clustia, a'n llygaid, a'n cega ni'n hunain. Clywad ein gilydd. Gweld be sy gynnon ni. Deud be dan ni isio.'

Daeth llais llym Babs Inc trwy'r meicroffon yn dweud:

'Dau funud i fynd.'

Chwarddodd pawb wrth fy nghlywed yn dweud 'shit'. Prysurais innau ymlaen at ddiwedd fy araith.

'Ac mae gynnon ni un peth arall yn gyffredin. Calon!'

'Ti'm wedi sôn am dy goesa eto,' galwodd rhywun.

Chwerthin eto. Roeddwn mewn perygl o golli rheolaeth, felly ymunais yn yr hwyl.

'Oes, mae gin i goesa! Er y bydda i'n amau hynny weithia ar ôl sesiwn yn y Mona.'

'Bravo!' bloeddiodd Haydn Palladium, a chymeradwyodd y selogion yn frwd.

Ond eisiau trafod fy nghorff oeddwn i:

'Efo'r coesa yma y gadewish i Gaersaint flynyddoedd yn ôl. Achos nad oedd 'na ddim byd yma i fi, neb fy isio fi yma. Neb fy angan i. Dim gwaith. Dim dyfodol. Ac mae 'na lot o hogia a genod erill wedi gneud yr un fath…'

Ac yn sydyn, fel petawn wedi taro rhyw nerf, lledodd tawelwch dros y gynulleidfa. Roedd hon yn stori gyfarwydd. Rhoddais ychydig eiliadau i hynny, er mor brin oedd fy amser.

'Ond efo 'nghoesa y doish i'n ôl yma. A'r tro yma dwi'n benderfynol o aros.'

Llenwais fy llais â rhyw egni herfeiddiol.

'Ond dwi isio byw mewn tre sy'n mynd i 'mharchu fi. Tre sy'n parchu ei hun, ynghanol pobol sy'n parchu eu hunain. Pobol sy'n clywad, gweld, a deud eu deud, heb gowtowio i bobol ddŵad, heb ddisgwl am bres gen bobol o'r tu allan, na'r Cynulliad, na'r EC.'

Roedd pawb yn gwrando'n astud, yn enwedig wrth synhwyro fy mod wedi dechrau cicio Med yn slei.

'Efo 'ngoesa, nid mewn Range Rover, y bydda i'n croesi pont Brynhill, ac efo'n llygaid y bydda i'n sbio lawr ar y Range Rovers yn mynd ar hyd y by-pass, yn ôl ac ymlaen at yr A55, yn pasio trwy'n tre ni ar eu ffor' i rywla arall. Efo 'nghoesa y bydda i'n cerdded rownd Caersaint, yn clywad ac yn gweld. A be dwi'n ei glywad ac yn ei weld ydi pobol sy wedi laru. Wedi laru ar fegian am bres pobol ddiarth. Wedi laru ar dicio bocsys ar wahanol ffurflenni. Wedi laru ar drio plesio. Wedi laru ar dwristiaeth hyn, a hamddan llall, a threftadaeth arall. Wedi laru ar fod yn stori, ar fyw mewn ffenast siop, yn ddymis mewn rhyw end-of-season-sale sydd byth yn gorffan…'

Teflais gip ar Babs.

'Isio byw i ni'n hunain ydan ni. Mae gynnon ni hunan-barch. Mae gynnon ni glustia, llygaid, a choesa – ein cyrff a'n meddylia i gyd – i neud rhywbath efo nhw. Dim jyst bod yn ffenast siop i ryw ddynion busnas o'r tu allan!'

Oedais, ac i lenwi fy eiliadau olaf codais fy llais nes ei fod yn atseinio oddi ar waliau a llechi'r Maes Glas:

'Diolch i chitha am *wrando* ac am *ddod i weld*. Rydach chi'n esiampl i'ch maer – pwy bynnag fydd o.'

Oedais yn awgrymog. Cyn troi at fy uchafbwynt:

'Mi sonish i am galon. Y gwir amdani ydi bod fy nghalon i'n dyrnu wrth i mi gamu ar y llwyfan yma heddiw. Dim gwleidydd ydw i, wedi'r cwbwl. Jyst hogyn cyffredin. Ond calon ydi calon. Ac os dewiswch chi fi'n faer, mi fydd ei galon o yn y gwaith. Ac mi fydd ei waith o yn ei galon o. Anghofiwch Phase 1. Anghofiwch Phase 2. Mae'n amsar inni roid y galon yn ôl yng Nghaersaint. A chi, dim ond chi, y saint, fedar neud hynny.'

Codais fy nwrn i orffen:

'Ni bia Caersaint!'

Cerddais yn ôl at fy sedd a hwrê fawr y dorf yn atseinio trwy'r Maes Glas, a rhyddhad yn fy nghorff i gyd, yn gymysg â'r sylweddoliad bod gen i le i ymfalchïo.

Ond ni pharhaodd fy ngorfoledd yn hir. Daeth llais Babs Inc fel pìn i dorri'r swigen.

'Diolch i Mr Gwyn Jones am ei araith... wahanol.'

Rhegais hi â'm llygaid. Ond daliodd Babs ati i gyfarch y llawr:

'Ond digon hawdd iddyn nhw ddeud eu deud, tydi?' meddai. 'Mi gawn ni weld rŵan be dach chi'r saint yn ei feddwl. Dyma'ch cyfla chi i holi'r ddau ymgeisydd.'

Gan ufuddhau i orchymyn Babs, a heb sbio o gwbl ar ein gilydd, camodd Medwyn a finnau unwaith yn rhagor at flaen ein llwyfannau cyfochrog.

Daeth y cwestiwn cyntaf o'r ochr:

'Pa'r un ohonach chi sy'n Welsh Nash?'

'Be ydi'r otsh am hynna?' pigodd rhywun yn ôl. 'Caersaint ydi fan hyn, crinc!'

Ond roedd Medwyn wedi bachu ar ei gyfle.

'Dwi'n Gymro i'r carn, Mr Thomas,' meddai gan wenu. 'Ond dros Gaersaint, nid dros Gymru, yr ydw i'n gweithio!'

'Tria neud rhywbath *ynddi* hi tro nesa, mêt,' gwawdiodd rhywun arall.

'Cwestiwn perthnasol, os gwelwch yn dda?' meddai Babs.

Safodd dyn a chanddo wallt brith yn drafferthus ar ei draed.

'Fasa Mr Môn Parry'n cytuno efo'r gosodiad mai rhai o'r tu allan sydd wedi ffurfio tynged Caersaint erioed? O gyfnod y Rhufeiniaid, trwy ddyddiau Edward y Cyntaf, ac o ddyddiau Syr Llewelyn Turner yn oes Victoria, hyd at ei ddyddiau o heddiw…'

Cododd Medwyn ar ei draed, a rhyw led-ymgrymu.

'Diolch am y cwestiwn, Cyril. Dwi'n teimlo eich bod wedi ateb eich cwestiwn eich hun! Fel hanesydd lleol nodedig, does neb yn gwybod yn well na chi. Mi fyddwn i'n falch iawn o roi fy hun yn nhraddodiad Edward y Cynta a Syr Llewelyn Turner.'

'Royalist ddiawl,' daeth llais main Alun Stalin o'r cefn.

Hoeliodd Medwyn ei lygaid gleision arno.

'Mae gan Gaersaint hen, hen gysylltiad efo'r Goron. Licio hynny neu beidio, Mr… Stalin.' Chwarddodd pawb. 'Mae'r dref yma'n "royal borough", a fedrwn ni ddim newid y cysylltiad hanesyddol hwnnw. Dim ond gneud yn fawr ohono.'

Gwenodd. Gwenodd llawer o'r saint.

'Ond ga i fynd yn ôl at gwestiwn Mr Powell ynglŷn â phobol o'r tu allan? Fy marn i, ydi bod *dewis* bod yn sant yn dangos mwy o ymroddiad na digwydd cael eich *geni'n* sant. Ac wedi'r cyfan, er i mi ddŵad i Gaersaint dros y môr, fel cyndadau llawar ohonach chi, yma dwi wedi *dewis* setlo, a santes yr ydw i wedi *dewis* ei phriodi...'

'Santas? Ti'n siŵr, Med?' gwaeddodd Pepe.

Aeth siffrwd chwerthin trwy'r dorf. Meddyliais innau am y gôt las golau yn y pellter, heb feiddio edrych arni. Ond mi wyddwn ei bod yn dal yno. Yn ddisymud. Yn gwylio. Yn gwrando. Yn barnu.

Ond doedd dim ots gan Med, ac yntau'n mynd yn ei flaen yn hamddenol braf.

'... ac yn saint yr ydw i wedi *dewis* magu fy mhlant. Siawns nad ydi hynny'n fy ngwneud innau'n sant – o fath.'

'Nacdi!' gwaeddodd Pepe.

'Dydi'r llall 'na fawr gwell,' galwodd rhywun arall. 'O Saron Bach mae hwnnw'n dod. Josgin!'

Eisteddodd Medwyn. Yn y cyfamser cododd y ddynes bengoch a siaradodd ynghynt, yn amlwg wedi cael blas ar daranu'n gyhoeddus:

'Pobol o'r tu allan sy wedi gneud llanast o'r dre 'ma erioed. Y penderfyniada planning cythreulig sy'n cael eu gneud: y by-pass, y multi-storey, y peth brics coch 'na lle oedd y Pafiliwn yn arfar bod... Dach chi wedi sylwi? Dydi'r bobl sy'n difetha'r dre 'ma byth yn byw yma. Ni sy'n goro sbio ar y llanast maen nhw'n ei neud! A byw yn ei ganol o. Heb sôn am y Doc sy'n edrach fatha rhywbath o Ibiza! Mae o'n fwy na'r blydi castall fel mae hi!'

Ond a'r bengoch yn bygwth swnio'n gochach nag o, torrodd Alun Stalin ar ei thraws:

'Ga i ofyn yn blwmp ac yn blaen i Mr Medra, be ydi'r cynlluniau sydd ganddo fo ar gyfer *Phase 2*?'

Yn ddigynnwrf, cododd Medwyn ar ei draed a chamu at y meicroffon.

'Cewch, Alun. Cewch ar bob cyfri,' meddai a'i lais yn felys fygythiol. 'Dach chi'n gwbwl gywir. Roeddwn yn gefnogol i ran gyntaf datblygiad y Doc. Roeddwn i ymhlith y cynghorwyr a gomisiynodd adroddiad annibynnol i ymchwilio i'r ffordd orau i ddatblygu'r safle…'

'Ar gost o chwe mil o bunnau i ni'r trethdalwyr!' gwaeddodd Alun wedyn.

'Duw, taw â dy Gymraeg mawr,' ymatebodd rhywun.

'Ac yn sgil yr adroddiad hwnnw, mi weithiwyd mewn partneriaeth efo cwmni Wogan-Williams i ddatblygu cynllun busnes addas ar gyfer y safle, cynllun a sgriwtineiddiwyd gan Lywodraeth y Cynulliad ac a fyddai'n golygu buddsoddiad…'

'Pwy ddaru sgriwtineiddio…' dynwaredodd Alun y gair yn goeglyd. 'Pwy ddaru *sgriwtineiddio*'r penderfyniad i werthu'r tir i Wogan-Williams am bunt?'

'Mi faswn i wedi medru ei brynu fo am hynna!'

'Mi fasan ni i gyd!'

Roedd pethau'n mynd yn flêr, a'r sgwrs yn trymhau a diflasu. Dechreuodd rhai ymhlith y dorf ystwyrian.

'Roedd pris y gwerthiant yn adlewyrchu costau enfawr oedd ynghlwm wrth ddatblygu'r safle,' meddai Med ychydig yn amddiffynnol.

'Be, ei gadw fo rhag disgyn yn ôl i'r dŵr, ti'n feddwl? Dros dro, eniwê!'

Roedd y lleisiau o'r dorf yn amlhau. Ond roedd Med yn wleidydd digon profiadol, a rhyfeddais at ei hunanfeddiant. Eisteddais innau'n ôl, gan edrych i bobman ond i gyfeiriad y gôt las golau a ddisgleiriai yn y pellter.

'Ac fel yr oeddwn yn gefnogol i ran gyntaf y datblygiad, dwi hefyd yn gefnogol mewn egwyddor i'r ail ran, ac mi safa i wrth hynny os bydda i'n faer. Pan fydda i'n faer,' ychwanegodd yn hy. 'Mi fydd y datblygiad yn hwb anferth i economi Caersaint, ac wyth deg y cant o'r gwaith yn mynd i gontractwyr lleol. Mi fydd hefyd yn creu swyddi i bobol leol...'

'Be, llnau toilets fisitors? A stopio'r saint iwsio nhw?'

Bryn yr Ael oedd wedi ymyrryd. Rhythodd Med yn oeraidd arno. Yna daliodd i siarad.

'... ac yn fuddsoddiad yn adnoddau a gweledigaeth Caersaint.'

'Tai a marina i estroniaid!' safodd Almut ar ei thraed, a'r hen wylltineb yn cynhyrfu ei dyrnau.

Anelodd Medwyn ei drem ati hithau.

'Ydach chi ddim yn estron eich hun, Frau Meyer?'

'Paid â'm nawddogi i, Medwyn Parry!'

'Dan ni ddim yn dallt Jyrman!'

Chwarddodd pawb wrth glywed y sylw santaidd, ac arbedodd Med ar y cyfle i ailgydio yn yr awenau:

'Heb ymesgusodi. Heb ymddiheuro. Heb guddio dim byd,' datganodd. 'Ydw, Alun! Dwi gant y cant o blaid y datblygiad yn y Doc, ac yn falch o'i gefnogi. Mi fydd yn codi safonau Caersaint trwy ddefnyddio ansawdd i ddenu ansawdd...'

'Boring!' cwynodd Haydn Palladium, a gweiddi ar draws y dorf. 'Pwy sy'n dod am beint?'

Dechreuodd Babs hithau ystwyrian. Ond roedd Medwyn, am y tro cyntaf, ar fin colli ei dymer.

'Ac o leiaf dwi'n cynnig rhywbeth!' torrodd ar draws pesychu Babs. 'Rhywbeth ymarferol. Gwelliant. Buddsoddiad.'

Synnodd pawb o glywed dicter yn ei lais. Taflodd gip tuag ataf.

'A wyddoch chi be? Does 'na neb yn fwy *negyddol* na chi, bobol Caersaint. Ac mae hynny wedi dal Caersaint yn ôl yn rhy hir. Fedrwn ni ddim disgwyl cael pethau ar blât. Mae'n rhaid inni fod yn bositif. Croesawu diddordeb o'r tu allan. Bod yn ddiolchgar am bob help y gallwn ei gael. Gwerthu ein hunain, os liciwch chi, ia! Ond gwerthu ein hunain yn dda! Ac mae angen arweiniad arbenigol a phrofiadol i allu gwneud hynny.'

Ac yn sydyn, fel petaent wedi hen arfer derbyn cerydd, a rhywsut yn gaeth i hynny, roedd sylw'r saint i gyd arno eto.

'Oes, mae gin innau glustiau a llygaid a thrwyn a cheg a phob dim arall,' meddai Med, a'i lais yn wawd i gyd. 'Ond mae angen ymennydd hefyd.'

Plannodd ei fys yn ei wallt euraidd.

'Synnwyr cyffredin. Ac yn fwy na hynny…'

Oedodd yn ddramatig.

'… mae angen bôls i fentro.'

'AMEN!' gwaeddodd Heulwen Hŵr yn uchel.

Chwarddodd y dorf, a gwenodd Medwyn yntau, a chodi ei law i gydnabod Heulwen wrth iddi hithau chwythu swsus tuag ato.

Daliais lygad Almut. Roedd hi'n gynddeiriog, ac yn gwneud arwyddion ffyrnig arnaf i ymateb. Codais innau ar fy nhraed i wneud hynny: roedd y gwrthddadleuon ar flaen fy nhafod. Ond fel yr oeddwn yn agor fy ngheg, torrodd llais dwfn Bryn yr Ael ar draws y mân siarad a godai o'r dorf.

'Ella bod gin ti fôls, Medwyn, ond does gin ti ddim digon o fôls i gadw dy wraig yn hapus! Na dy fistras, chwaith!'

Tawodd y gynulleidfa ar amrantiad. Yna chwalodd y

tawelwch yn gyfres o ebychiadau a chilchwerthin a sylwadau dan-y-gwynt, nes i Bryn weiddi o'r newydd:

'Mynd am Jaman ddaru dy wraig! Ac mae dy fistras wedi troi ataf inna, er mor hyll ydw i, a dw inna am neud dynas barchus ohoni! Tasa hynny 'mond i'r beth bach gael aros yn y wlad 'ma.'

Lledodd siffrwd cyffrous trwy'r gynulleidfa. Teflais gip ar Medwyn. Roedd ei wyneb yn wyn, a'i gorff a oedd fel arfer mor braf ynddo'i hun yn dyndra i gyd. Ac yn y pellter gwelwn trwy gil fy llygad gôt las golau Tonwen y tu hwnt i ffin y gorlan.

Cododd Babs ar ei thraed i dawelu'r cynnwrf cynyddol.

'Efo'r sylw amhriodol yna, dwi'n meddwl mai call fyddai dwyn y drafodaeth i ben am heddiw...'

Rhythais arni. Doeddwn i ddim wedi cael dweud hanner fy nweud eto... Ond daeth chwarddiad sydyn i oleuo wyneb Babs, a chaeais fy ngheg, gan wybod bod rhyw greulondeb ar y ffordd. Ac roeddwn yn iawn.

'Ond cyn cau pen y mwdwl,' meddai Babs wedyn, 'beth am inni fanteisio ar bresenoldeb Mrs Tonwen Bold-Môn-Parry yma heddiw, a gofyn iddi hi – a hithau'n nabod y ddau ymgeisydd – pa un o'r ddau fyddai ei dewis hi? Yn faer Caersaint, wrth gwrs!' ychwanegodd. 'Dydan ni ddim isio mynd yn rhy bersonol!'

Fferrais. Tynnodd y dorf ei hun ati mewn arswyd. Yna dechreuodd ambell un chwerthin yn nerfus. Ond sioc oedd yn dal ar wynebau'r mwyafrif wrth iddynt ddilyn golygon Babs a hoelio eu sylw ar Tonwen. Meiddiais innau edrych arni o'r diwedd, a'i gweld yn y pellter – yn llwyd a llonydd fel cofeb o rew.

A dyna pryd y collais fy limpyn. Baglais ar fy nhraed.

'Mae hyn yn gwbwl annerbyniol...'

Torrodd Babs ar fy nhraws.

'Ofn be fydd yr atab, Jaman?'

Trodd y dorf yn don o bennau ataf i, a phawb wedi eu trydanu gan ddiweddglo annisgwyl a dramatig i'r hystings. Rhythais ar Babs. Trodd Babs i syllu ar Tonwen. Roedd Tonwen yn syllu ar ei gŵr. Ac yn y diwedd, y fo, Med Medra, oedd y cyntaf i dorri trwy'r distawrwydd, a'i lais yn feddal galed trwy'r meicroffon:

'Pam nad atebi di, 'nghariad i?'

Trodd y cannoedd pennau'n unffurf at Tonwen. Roedd fy ngwaed innau'n berwi. Petai'r diawl yn nes…

Ond roedd yr eiliadau'n mynd heibio, a safai Tonwen o hyd heb ddweud gair.

'Dowch, dowch, Mrs Bold-Môn-Parry,' cymhellodd Babs. 'Siawns nad ydach chi'n rhy swil? Dach chi mewn sefyllfa freintiedig. Tydi hi wedi bod erioed, bawb?' ychwanegodd yn giaidd. 'Rhowch arweiniad i'r saint! Pa un fyddach chi'n ei ddewis?'

Dim ond fel yr oedd y dorf ar fin anniddigo y daeth llais Tonwen yn syfrdanol o hunanfeddiannol o'r cefn:

'Ydw, dwi'n nabod y ddau, Barbara.'

Doedd neb wedi disgwyl iddi ateb – mewn gwirionedd. Ond erbyn hyn roedd y saint wedi eu mesmereiddio; nid yn gymaint gan ei geiriau, ond gan y ffaith fod merch Jac Santa'n siarad o gwbl, ac yn ymateb i her fudur Babs Inc. A chanolbwyntio ar Babs yr oedd hi, fel petai wedi anghofio am y cannoedd pobl a safai rhyngddi a golygyddes y papur.

Synhwyrais fod Medwyn yn fferru ar ei lwyfan. Daliais innau fy ngwynt. Roedd y Maes Glas fel un bedd mawr. Torrodd llais Tonwen fel cnul trwy'r distawrwydd:

'Yn *faer*, faswn i ddim yn dewis yr un o'r ddau.'

Aeth murmur trwy'r dorf.

'Wwwww!' galwodd criw'r Mona.

Trodd Tonwen ei phen oddi wrth Babs, gan edrych i'r bwlch rhwng ei gŵr a minnau.

'Ond tasa raid i mi ddewis ffrind...'

Oedodd. Teimlais innau'r llawr yn gwegian oddi tanaf.

'*Gwyn* fasa fo.'

Syllodd unwaith eto ar Babs, a golwg herfeiddiol arni, fel petai falch iddi gael y gorau ar dric budur yr olygyddes. Yna trodd ei chefn ar y dorf a rythai arni, a cherdded i ffwrdd.

Roedd hyd yn oed Babs Inc wedi'i synnu, ac aeth sawl eiliad heibio cyn i honno allu ymateb.

'Wel, wel!' ebychodd ymhen rhai eiliadau, a hithau prin yn gallu cadw'r gorfoledd o'i llais. 'Dyna i chi be ydi stori! A ffor' well i ddod â'r hystings i ben, annwyl saint? Boed i'r dyn gorau ennill! Noswaith dda i chi i gyd, gyfeillion!'

Yn ddall ac yn fyddar i symudiadau a bloeddiadau'r dorf, syllais ar y gôt las golau yn ymbellhau i'r nos y tu hwnt i'r goleuadau. Aros a syllu, a'r nerth wedi mynd ohonof yn llwyr. Pan drois o'r diwedd at y llwyfan gyferbyn, roedd Med Medra wedi hen fynd o'r golwg.

49

'PATHETIG! GADAL I ddwy ddynas gael y gora arnach chi.'

'Babs Inc oedd ar fai, Alun.'

Gwrandewais ar Almut yn achub fy ngham, a finnau'n yn dal mewn breuddwyd wedi diwedd disymwth yr hystings.

'Ac o leiaf mi ddewiswyd Gwyn…'

Ond roedd Alun wedi ei gorddi'n ofnadwy, fel petai ymyriad annisgwyl Tonwen Bold wedi tanseilio'r sioe gyfan. Ymestynnodd ei fys at fy wyneb.

'Nei di byth ddim byd ohoni, ti'n dallt? Mae hi wedi canu arna chdi. Ac mae hi wedi canu ar Gaersaint. Fi oedd yn iawn o'r dechra.'

Agorais fy ngheg. Roedd ambell aelod o'r dorf wedi oedi i glustfeinio, gan bwnio'i gilydd wrth weld dadl – fwy personol o lawer – yn yr arfaeth.

'Titha'n dallt, Almut?' bytheiriodd Alun. 'Ddaw 'na byth ddim byd o'r hogyn. Achos mae o'n dod o deulu o bobol sy'n methu *sticio*. Tada efo'u partners. Mama efo'u plant. Mynd a'i adael o ddaru'i fam o! A dyna ddaru ei mam hitha hefyd, pwy bynnag oedd honno. Hola di bobol Saron Bach. Maen nhw'n gwbod y cwbwl, ac mae'r cwbwl yn y genes.'

'Galw dy hun yn Farcsydd?' hysiodd Almut, a'i siom hithau yn cael ei fwrw ar ei chyfaill.

'Dewis y bobol rong i'w canlyn maen nhw wedi'i neud i gyd,' cododd llais Alun. 'A dyna wyt titha wedi'i neud, Almut Meyer. Yn cadw hwn fel rhyw oen llywaeth wrth dy fron. Am na fedri di gael plant dy hun. Rêl blydi dynas!'

'Dal dy dafod, Alun Stalin!'

Ac yn sydyn, yn adlewyrchiad o'r hystings, trodd y ffrae wleidyddol yn ddadl bersonol.

'A' i ddim i wastio f'amsar efo chdi, na chodi 'ngobeithion eto,' meddai Alun.

'Gobeithion? Pa obeithion? Hen sinic chwerw wyt ti wedi bod erioed. Yn cael modd i fyw wrth brofi pawb arall yn anghywir.'

'Mae hynny'n well na byw mewn breuddwyd,' meddai yntau. 'Methu côpio efo realiti. Dianc o dy wlad dy hun i fyw mewn Tir na n'Og ar ochor mynydd yn Eryri.'

'Dianc o Saron Bach nest tithau!'

'Efo dy Robina Goch aeth erioed i'r draffarth o ddysgu gair o Gymraeg!'

'Gad ti Robina allan o hyn…'

Roedd yn rhaid i mi ddianc. Mynd adref. Dod ataf fy hun. Meddwl dros yr hyn oedd wedi digwydd…

Gwyrais fy ngwar, a phlygu dan y rhuban oren, a chamu ar draws y Maes Glas a gadael i wyll y Bont Bridd fy llyncu. Cilio wedyn i fyny Stryd y Priciau Saethu, rhag y saint, rhag y wasg, rhag Babs, rhag Almut, rhag pawb… A'r gobaith yno yn rhywle y gwelwn y golau glas golau a aeth hyd yr un ffordd o'm blaen, er nad oedd golwg ohono bellach…

Dim ond ar y bont, yn saff rhywsut ar y geg gam a ddiffiniai'r bwlch rhwng Caersaint a Brynhill, yr arhosais am funud i gael fy ngwynt ataf, ac i adael i eiriau a lluniau'r hystings ddod yn ôl i mi eto. Med Medra a'i lyfnder proffesiynol. Fy araith fy hun a aeth yn well na'r disgwyl. Her sadistaidd Babs. Ond yn fwy na dim, ymateb annisgwyl Tonwen i'r her honno.

Ac wrth i'r cof hwnnw fy nharo'n sydyn, a minnau yn nesáu at dir uchel Brynhill, a holl berlysiau calonogol Almut yn dal i bwmpio trwy 'nghorff, teimlais fy mhen yn mynd yn chwil.

Roedd y cyfan o fewn fy nghyrraedd bellach! Nid dim ond bychanu Med Medra, ond ei guro. Dod yn faer fy hun. Ennill pŵer. Medru gwneud rhywbeth go iawn dros Gaersaint. Ffurfio'i thynged hi.

Cydiais yn y canllaw i atal fy nghorff rhag mynd i hofran dros y dibyn islaw, gan syllu ar fynd a dod y ceir a'r carafanau a'r lorïau ar ddechrau'r penwythnos. Ar y twneli tanddaearol. Ar y cylchfannau ar bob pen i'r ffordd osgoi yn troi rownd a rownd yn eu hunfan.

Petawn i'n faer, gallwn newid pethau...

A chaeais fy llygaid a dychmygu gwneud Caersaint yn un eto. Ffrwydro'r dibyn llwyd. Ffrwydro'r tarmac. Ffrwydro'r wal garreg a godai gan troedfedd i ddal craig Brynhill yn ei lle. Ac yn sgil y ffrwydradau hynny, dychmygais ffrwydradau bach y gwair a'r coed a'r blodau trwy graciau'r concrid. Dychmygais y concrid yn glasu, a'r gwagle'n llenwi â saint, fel y byddai gynt. Saint yn cerdded rhwng y tai a'r capeli a'r ysgolion, yn symud yn ôl ac ymlaen trwy eu tref a honno'n dref gyfan. Saint yn chwerthin a chrio. Saint yn chwarae...

Deffrowyd fi gan lais cyfarwydd. Ond galw'n daer ar rywun arall roedd y llais hwnnw:

'Mr Lloyd George! Mr Lloyd George! Dowch yma am funud!'

Trois fy mhen at y llais a gweld Miriam yn gwthio cadair olwyn ei mam o ben draw'r bont, a golwg wedi ymlâdd arni. Yn groes i'w merch, roedd Alabeina'n edrych arnaf yn frwd gan estyn dalen wen i mi.

'Newch chi dorri'ch enw ar hon, Mr Lloyd George?' galwodd. 'Bron inni fethu'ch dal chi.'

Cododd Miriam ei breichiau fel petai am i mi ymdopi â'r hen wraig fy hun.

'Sgynnoch chi ben?' meddai Alabeina wedyn.

'Pen?'

'I sgwennu'ch autograph.'

Ar ôl chwildod y munudau cynt, roedd dryswch Alabeina yn awr yn fy nrysu'n llwyr. Ildiais i'w chais rhyfedd, ac estyn beiro o boced tin fy jeans, a pharatoi i sgrialu llofnod.

'Treaty of Versailles?'

'Be?'

Amneidiodd Alabeina tua'r feiro blastig.

'Efo honna ddaru chi seinio'r Treaty of Versailles?'

'Ia,' er mwyn cael heddwch.

Yna sgrialu rhyw lofnod. A rhoi'r papur ym maneg croen dafad yr hen wraig. Gwenodd Alabeina'n braf, fel petai wedi cyfarfod ag arwr ei breuddwydion. Roedd ei llygaid tywyll yn disgleirio.

'Dach chi'n cofio'r tro dwytha i fi ofyn am eich autograph chi?' holodd, wrth i mi wthio'r gadair ymlaen dros y bont.

'Ddim ar y funud.'

'Mi oeddach chi'n gwisgo'ch cêp adag hynny,' roedd ei llais yn gyhuddgar. 'A dyma chi'n deud yn Saesnug, "If I start doing this I'll miss my train." A dach chi'n cofio be ddeudish inna'n ôl?'

Edrychais ar Miriam, a'i gweld hithau'n gwneud siâp ceg wrth i'w mam ynganu'r geiriau:

'You can always get another train, Mr Lloyd George!'

Gwenodd Alabeina wrth edrych arnaf dros ei hysgwydd.

'A dyma chi'n gwenu, yn union fel dach chi'n gwenu rŵan. Digon i wirioni unrhyw ddynas...'

Crwydrodd ei threm trwy fariau'r bont, ac yn sydyn daeth braw i'w llais:

'Lle gythraul mae'r Pafiliwn 'di mynd?

Ochneidiodd Miriam gan roi ei braich yn fy mraich i, a mynd ati i wneud ei gorau i roi ei sbin gofalus ei hun ar yr hyn a ddigwyddodd yn yr hystings.

50

'WELISH I CHDI ar y niws,' meddai Trefor wrth godi Alabeina o'i chadair olwyn a'i gosod yn ddiseremoni yn ei fan.

Tynnodd y gwregys diogelwch ar draws ei fam yng nghyfraith. Yna caeodd y drws arni.

'Ddim yn bad o berfformans. Dwi wedi'i gadw fo ar *Sky Plus.*'

Trodd at ei wraig.

'Ond Mrs Medra roth y sioe ora inni. Hogan a hannar ydi honna!'

Ysgydwodd ei ben wrth fynd ati i blygu'r gadair olwyn yn fflat, a'i chodi i gefn ei fan.

'Asu bach, dan din, ta be?' meddai, ac edmygedd yn ei lais. 'Os na fedri di drystio dy wraig dy hun, pwy fedri di drystio?'

'Barbara oedd yr un dan din, Trefor,' dadleuodd Miriam. 'Gonast oedd y llall.'

'Chwara gêms oedd y ddwy ohonyn nhw, Mir.'

'Ond Gwyn ddewisodd hi,' mynnodd Miriam wedyn, yn adlais o eiriau Almut.

'Wel, ia siŵr!' meddai Trefor, fel petai hynny'n beth naturiol.

Gwyliais o'n gosod y gadair olwyn yng nghefn ei fan, gan gau'r drws yn galed arni. Doedd bosib bod Trefor, o bawb, yn mynd i roi sêl ei fendith ar fy ymgyrch?

Roedd Miriam hefyd wedi sylwi ar y cyfaddawd slei, ac yn codi bawd arnaf o'r tu cefn i'w gŵr.

'Mi roth o araith ardderchog, yndo, Tref?'

'Ddim yn bad.'

'Mi fasa Miss Bugbird wedi bod mor falch ohono fo.
Digon o lais. A digon o deimlad. Fatha tasa fo 'di bod yn
hogyn capal erioed!'

Edrychodd Trefor ar ei wraig.

'Fuodd o ddim. Mae'r hogyn yn iawn fel mae o.'

Lledais fy llygaid. Gwnaeth Miriam yr un fath. Ac roedd
Trefor ar fin dweud rhywbeth arall, pan ddaeth llais Alabeina
o'r fan yn cwyno ei bod yn ffer ru.

'Biti na fasa'i cheg hi'n fferru hefyd,' mwmialodd Trefor
wrth gamu at ddrws y gyrrwr a bwrw ei ben i mewn:

'Ylwch, ddynas, dwi'n trio gneud 'yn heddwch efo'r
hogyn drws nesa, felly tewch, myn cythral!'

'Trio gneud dy heddwch?'

'Ia. Heddwch!' meddai Trefor. 'Y peth prin hwnnw…'

Fel y sythai ei war, galwodd Alabeina eto:

'Mae gin i'r feri peth ti angan, Trefor.'

Tuchanodd yntau.

'Be?'

'Y pen yma.'

'Pen? Cadwch chi'ch pen allan o hyn!'

Saethodd y feiro blastig heibio i glust Trefor, gan lanio
ar y palmant.

'Mi o'n i'n gwbod y basa hi'n da i rywbath,' galwodd
Alabeina. 'Ac os oedd hi'n ddigon da i'r Treaty of
Versailles, mi neith yn iawn yn Brynhill.'

Ond anwybyddu'r feiro a wnaeth Trefor.

'Ty'd draw fory, washi!' meddai wrthyf cyn camu i'w
fan. 'Mae gin i gorn siarad yn y sied acw, ers adag y streic.
Mi weiria i hwnnw ar ben y fan, ac mi awn ni rownd dre i
ganfasio. Mi neith rywbath i'w neud, uffar…'

Yna, taniodd yr injan, a gyrru i ffwrdd yng nghwmni ei fam yng nghyfraith, gan ddiflannu mewn cwmwl o fwg llwyd.

'Wel, wir,' synnodd Miriam. 'Pwy fasa'n meddwl! Am un waith yn ei fywyd mae Trefor wedi dod rownd.'

Trodd ei phen i gyfeiriad y Plas. A heb edrych arnaf, dywedodd:

'Dwi'n dechra ama nad y chdi ydi'r unig un ar y stryd 'ma sy 'di cymyd ffansi at wraig y Plas.'

51

R OEDD TREFOR CYSTAL â'i air. Pan gamais trwy ddrws
y ffrynt y bore trannoeth, roedd o wrthi'n gosod yr
uchelseinydd ar ben to'r fan. Gwenodd, tynnu ei sbectol, a
thapio'r fan yn anwesol.

'Mi o'n i'n gwbod bod yr hen Ffordan bach yn dal yn da
i rywbath.'

Tynnodd wifren gyrliog y corn trwy'r ffenest, a'i
chysylltu â theclyn ar ddashbord y fan. Daeth allan a
siaradydd plastig wedi'i ddal o flaen ei fwstásh.

'Calling all voters! Calling all voters! This is Trefor Spicer,
calling all voters!'

Atseiniodd ei lais ar draws y stryd. Chwarddodd yn
blentynnaidd, a rhwbio'i ddwylo.

'Ty'd, mi awn ni rownd dre i fyddaru pawb. A bora fory
mi awn i lawr at yr eglwys i dorri ar draws pregath Father
Lasarys!'

Cododd y corn at ei geg eto, a dweud:

'Over and out.'

Yna gwnaeth sioe o ofal tadol:

'Ond dos i'n tŷ ni gynta, am sgrwb a sgram, bara saim
a'r cwbwl lot. Wedyn mi awn ni ati i stwffio sens i benna'r
saint.'

Ychwanegodd dan ei wynt:

'A gneud i foch fflio. Adra i Sir Fôn!'

Ac felly, yn ei dyddiau olaf, ac yn ei ffordd smala ei hun,
fe ymunodd Trefor yn swyddogol â'r ymgyrch. Ac yn ei

ffordd ei hun hefyd fe drawsnewidiodd y cyfan, gan ddod â rhyw hwyl herfeiddiol i bethau. Bob bore'n ddi-ffael gyrrai fi o gwmpas strydoedd a stadau Caersaint, a'i floeddiadau agos-at-yr-asgwrn yn hawlio sylw pawb. Yn y prynhawniau wedyn, ar ôl cinio poeth gan Miriam, dychwelem at yr ymgyrchu, a ninnau'n ennill llwyth o gefnogwyr na fyddai fel arall wedi ystyried pleidleisio.

Roedd Trefor ac Almut – o bawb! – yn cyd-dynnu'n iawn, a daeth Bryn yr Ael i gymryd lle Alun Stalin, gan gadw'n agos ataf bob awr o'r dydd, i'm hamddiffyn, meddai ef, rhag 'thygs' Med Medra. Gyda'r nos, wedi diwrnod llawn, treuliwn oriau yn diweddaru'r blog etholiadol.

Roedd patrwm prysur pob dydd y peth agosaf a gefais erioed i drefn deuluol, a bron nad oedd yn ddrwg gennyf weld y terfyn yn nesáu. Ond roedd y momentwm yn cynyddu, a phopeth, mwyaf sydyn, yn mynd o'm plaid.

Roedd Babs hithau wedi bod yn od o gefnogol. Cyhoeddodd adroddiad ffafriol ar fy mherfformiad yn yr hystings, a hynny dan y pennawd, 'Gwyn y Gwêl Mrs Med y Maer' (gan ddyblu gwerthiant *Llais y Saint* yr un pryd), a byddai'n anfon negeseuon tecst rheolaidd yn datgelu'r camau diweddaraf yn ymgyrch Med ac yn sôn am ei banig cynyddol. Roedd hefyd, wrth gwrs, wedi addo 'dweud yr holl wir' amdano (yn sgil cyfweliad anhysbys gydag Olena) yn ei thaflen stop-press ben bore Gwener, cyn i'r etholwyr fynd i roi eu croes wrth ymyl fy enw i.

Ynghanol hyn, prin oedd y sôn am Med ei hun, ac yntau'n cadw hyd braich, a'i wyneb i'w weld ar sgriniau teledu ac ar y we yn amlach nag ar lawr y dref. Yn ôl pob sôn roedd o'n byw yn y Shamleek erbyn hyn; yn sicr, roedd pawb ar ein stryd wedi sylwi nad oedd y Range Rover arian byth, bron, yn ei le o flaen y Plas.

Doedd dim golwg o Tonwen chwaith. Ond roeddwn innau erbyn hyn yn rhy brysur i weld ei cholli. Oherwydd yn y dyddiau olaf daeth yn amlwg y byddai'r ras yn un agos. Yn wir, erbyn y nos Iau roedd sawl un yn proffwydo buddugoliaeth i ymgyrch annisgwyl ac anghonfensiynol Jaman Gwyn Jones...

Yng nghwmni fy nheulu newydd y treuliais y noson cyn yr etholiad, a Miriam a Trefor wedi trefnu te parti ar gyfer tîm yr ymgyrch, y parti stryd cyntaf ers Jiwbilî 1977. Am bump o'r gloch daeth criw ohonom ynghyd yn ystafell ffrynt Tremfryn i fwyta'r bwffe: daeth y Tadau Lasarws ac Ambrosiws i roi eu bendith ar y wledd, ac yno hefyd roedd Alabeina, Almut, Bryn yr Ael ac Olena (roedd Alun yn dal i bwdu), ynghyd â mwyafrif y cymdogion.

Am hanner awr wedi saith cyneuwyd y teledu ar gyfer newyddion S4C. Roedd Babs, unwaith yn rhagor, wedi gwneud ei gwaith, a hanes etholiad Caersaint yn un o'r eitemau cyntaf.

Tawodd pawb, hyd yn oed Alabeina, wrth weld llun castell Caersaint yn llenwi'r sgrin. Gan sefyll ar ganol y Maes Glas, soniodd y gohebydd am gefndir yr ymgyrch 'hynod a hanesyddol' hon, gan ddangos cip o'r hystings yr wythnos gynt, a'r ddau lwyfan ar y Maes Glas, a Med yn rhoi ei araith.

'Sbia, mae fel tasa 'na filoedd yno!' meddai Miriam yn syfrdan.

'Tric camera,' meddai Trefor yn wybodus. 'Babs Inc. Saff iti.'

Cafwyd llun o yfwyr y Mona'n curo dwylo yn y rhes flaen, a llamodd fy nghalon pan gafwyd cip ar Tonwen yn ei chôt las golau, a chyfeiriad gan y gohebydd at ei hymyriad annisgwyl hi ar ddiwedd yr hystings.

Yna siaradodd y gohebydd yn syth i lygad y camera ar y Maes Glas, gan gyflwyno cyfres o vox pops a ffilmiwyd yn gynharach yn y dref y diwrnod hwnnw. Daeth yn amlwg eto mai Babs a fu'n cyfarwyddo'r cyfan, gan mai wynebau selogion y Mona oedd mwyafrif y 'bobl' a gyfwelwyd. Haydn Palladium oedd y cyntaf, a'i farn yn ddramatig:

'Mae o wedi dŵad i mewn fel 100-1 outsider ac ar fin rhoi cweir i Med. Mae'r peth yn wonderful. Llwnc tost iddo fo, ddeuda i!'

Yna llanwyd y sgrin gan wyneb dilornus Phil Golff:

'Lle arall ond Caersaint fasach chi'n cael y ffasiwn lanast?'

Roedd Heulwen Hŵr yn gwneud llygaid-bach ar y camera:

'Chwara teg i Jaman bach. Mae 'ngwash gwyn i wedi gneud yn dda. Tydi? A fynta'n ddim byd ond hogyn bach o hôm. Ynde? Heb sôn am fod yn chwil hannar yr amsar.'

Yn groes i Heulwen, roedd Pepe, fel arfer, yn gwneud ei orau i swnio'n synhwyrol:

'Dwi'n meddwl bod gynno fo agwadd iach at betha,' meddai yn ei lais doethyn tŷ tafarn. 'Grass-root politics ydi hyn. A dwi'n meddwl bod Caersaint yn gosod esiampl o flaen y byd. Math o bolitics newydd!'

'Pwy?' oedd cyfraniad Pen Menyn i'r drafodaeth, ond gwnaed iawn am hynny gan lun o Magnum yn gwisgo côt arbennig a'r llythrennau JGJ yn fawr ar hyd-ddi.

Yn gymysg â lleisiau'r Mona cafwyd sylwadau gan siopwyr Stryd y Plas a Stryd Llyn hefyd, ac roedd y rheiny'n llai unochrog.

'Dim otsh gin i pwy sy'n ennill,' meddai dynes y tu allan i Woolworth.

'Dwi'm yn licio'r boi sir Fôn 'na,' meddai dyn arall yn llawn argyhoeddiad.

'Medwyn sy'n ticio'r bocsys iawn i gyd,' meddai un o weithwyr banc yr Holy Saints. 'Ond dwi'm yn siŵr neith o ennill.'

Gwnaeth y gohebydd piece to camera arall wedyn, gan gyflwyno'r gwylwyr i un o 'ffigyrau pwysicaf' yr etholiad.

'Ti 'rioed yn deud bod Med yn cael ecsglwsif...' dechreuodd Trefor gwyno.

Ond nid Med oedd dan sylw. Yr eiliad nesaf ymddangosodd wyneb llawn colur Babs Inc, a hithau'n swnio fel sylwebydd gwleidyddol o'r iawn ryw.

'Mae pob dadl resymegol yn mynd i fod o blaid y dyn busnes a'r gwleidydd profiadol, Mr Medwyn Môn Parry...'

'Gwrandwch arni hi a'i llais tatws poeth,' meddai Bryn yr Ael.

'... Ond mae'n amlwg bod ffresni a gonestrwydd y gŵr ifanc, Jamal Gwyn Jones, wedi apelio at y saint. A fyddwn i'n synnu dim petai'r canlyniad yn un *agos iawn* yn y diwedd. Dydi'r frwydr ddim drosodd eto!'

Yna oedodd am eiliad, cyn wincio i lygad y camera:

'A gair i gall. Mae 'na fwy o syrpreisys i ddod!'

Aeth ias i lawr asgwrn fy nghefn wrth glywed ei geiriau. Ond roedd y lleill yn gorfoleddu.

'Disgwyliwch chi tan bora fory,' ategodd Bryn, a rhoi ei law ar ben-glin Olena. 'Mi roith stop-press Babs yr hoclan ola yn arch Med Medra!'

'Licio hi neu beidio,' meddai Trefor wysg ei din. 'Mae gynnon ni lot i ddiolch i'r jadan yna amdano fo.'

'Hisht!' siarsiodd Miriam. 'Inni gael clywad y riportar bach 'ma.'

Wedi iddo yntau ddiolch i Babs am ei mewnwelediad, roedd y gohebydd yn tynnu at y terfyn, gan grynhoi hanes yr etholiad ar gyfer gwylwyr Cymru benbaladr:

'Roedd yr hystings yn un o'r camau olaf yn yr ymgyrch liwgar hon i ethol maer Caersaint,' meddai a'i lais yn igam-ogamu. 'Profodd yr ymgyrch mor ogleisiol a lliwgar â Chaersaint ei hun, ac mae llawer o'r hyn sydd wedi ei ddweud a'i ddadlau yn deilwng o ffraethineb ac arabedd diarhebol y saint.'

'Be mae o'n ddeud, Lasi?'

'Hisht, Trefor!'

Gwrandawodd pawb ar farn derfynol gohebydd y newyddion:

'A barnu wrth adwaith saint ar y stryd heddiw, mae'n ymddangos bod yr outsider o'r tu mewn, fel petai, Mr Jaman Gwyn Jones, yn dal ei dir gerbron y gŵr mwy profiadol, Mr Medwyn Môn Parry. Yfory bydd y saint yn troi at y blychau pleidleisio, ac erbyn bore Sadwrn Caersaint fydd y dref gyntaf yng Nghymru i groesawu maer etholedig i arwain ei phobl yn hyderus tua'r dyfodol.'

Diweddwyd yr adroddiad gyda darn o'r anthem – 'Pan fydd y saint'– a honno'n pylu wrth i wyneb Haydn Palladium lenwi'r sgrin, ac yntau'n morio canu, cyn lledu ei freichiau'n ddramatig ar ddiwedd y gân, a bloeddio i mewn i'r camera:

'Let's go on with the show!'

Yn ei stiwdio yng Nghaerdydd cilwenodd y darllenydd newyddion. Ond yn ystafell ffrynt Tremfryn roedd yr adwaith yn llawer gwresocach, a daeth 'hwrê' ac ebychiadau eraill i foddi stori nesaf y newyddion cenedlaethol. Diffoddodd Trefor sain y teledu, a chan godi ei gan Newcastle Brown at ei wefus, cymhellodd bawb arall i yfed:

'Pob bendith,' dechreuodd Lasarws yn garedig, ond torrodd Trefor ar ei draws.

'Anghofia dy weddïa, Lasi! Dydi'r hogyn ddim angan help yr Arglwydd, Mae gynno fo ni! Three cheers i Jaman Jones! Mae o ar yr home stretch!'

Chwarddodd yn feddw orfoleddus. A chwarddodd pawb yn ei sgil, yn swnllyd a herfeiddiol, gan ein bod yn gwybod mai yfory oedd Dydd y Farn. Ac am ein bod yn gwybod, a ninnau'n saint, mai peth prin iawn oedd i'r Farn droi o'n plaid.

52

CYSGAIS AM Y tro cyntaf ar lawr uchaf Arvon Villa y noson honno. Ond er gwaethaf y fatres memory foam newydd, cwsg anniddig oedd o. Deffrowyd fi droeon gan leisiau o'r gorffennol, a breuddwydion cas.

Miriam a'm dihunodd yn y bore, a hithau'n sefyll wrth ymyl fy ngwely yn ei dresin-gown, a phaned o de yn ei llaw. Yn y llall roedd taflen stop-press *Llais y Saint*.

Codais ar fy eistedd a gwenu arni. Ond ni wenodd yn ôl. Dim ond gosod y baned yn fy llaw. Teimlais ias y bore yn treiddio trwy fy nghrys-T.

Brwydrais trwy'r blinder.

'Ydi'r cwbwl wedi dŵad allan, ta?'

Edrychodd Miriam arnaf. Yna gostyngodd ei golygon at y daflen. Yn raddol, gwelais innau nad llun Medwyn oedd ar flaen y papur, wedi'r cyfan. Na phennawd yn dwyn gwarth arno am redeg busnesion llygredig, a chyflogi gweithwyr anghyfreithlon.

Yn hytrach, llun fy wyneb fy hun a welwn. Ond bod yr wyneb hwnnw wedi ei anffurfio gan res o linellau duon fertigol.

Bariau carchar.

O dan y llun roedd y pennawd brwnt:

JAMAN JONES, JÊLBIRD!

Un paragraff oedd yn dweud yr hanes. Doedd dim angen i mi ei ddarllen, wrth gwrs. Ond mi wnes. Dim ond i glywed llais Babs Inc yn brolio bod *Llais y Saint* yn falch o rybuddio pobl Caersaint, ar fore etholiad y maer, bod Jaman Jones wedi cuddio'r holl wir am ei orffennol ei hun.

Roedd wedi rhannu ei Datguddiad yn dri phen.

Yn gyntaf, gallai *Llais y Saint* ddatgelu bod Jamal Gwyn Jones wedi ei arestio yng Ngogledd Iwerddon yn 2003 a'i gael yn euog o gamweddau lluosog, gan gynnwys dwyn identiti, twyll a smyglo...

Yn ail, gallai *Llais y Saint* ddatgelu bod Jamal Gwyn Jones wedi ei ddedfrydu i dair blynedd o garchar ym Melffast, ac iddo gael ei ryddhau ar ddechrau 2007.

Yn drydydd, gallai *Llais y Saint* ddatgelu bod Jamal Gwyn Jones wedi dychwelyd i Gaersaint rai misoedd yn ddiweddarach i berchenogi'r tŷ a adawyd iddo yn sgil marwolaeth Miss Arfonia Bugbird, y wraig oedrannus y trodd ei gefn arni saith mlynedd ynghynt. A gallai *Llais y Saint* ddatgelu ymhellach fod y wraig honno'n NAIN iddo.

I grynhoi: gallai *Llais y Saint* gadarnhau na ddatgelodd Jamal Gwyn Jones, aka, Jaman Jones, aka Jaman Gwyn, aka Gwyn Jones ddim gair wrth neb, hyd yn oed ei gymdogion na'i gyfeillion agosaf, am ei orffennol pechadurus. Ond cofiwch, meddai'r *Llais*, bu'r ysgrifen ar y mur erioed. Cafodd Jaman Jones ei ddiarddel o Ysgol Mabsant am ddwyn pan nad oedd ond pymtheg oed...

I gloi, holai *Llais y Saint* hyn:

'AI DYN FEL JAMAN JONES DDYLAI FOD YN FAER CYNTAF CAERSAINT?'

CHI BIA'R DEWIS, meddai wedyn yn haelioni i gyd.

A dyna ddiwedd y stop-press.

'Deud clwydda mae hi, ynde?'

Daeth ymbil Miriam tuag ataf yn araf ac o bell. Ac yna distawrwydd, a rhyw guro cynyddol galed y tu mewn i'm penglog fy hun.

'Ynde, Gwyn? Deud clwydda?'

Roedd hi'n ymbil.

Pan ysgydwais fy mhen yn y diwedd daeth dolef ryfedd o enau Miriam Spicer, a chododd ei llaw i orchuddio'i llygaid.

Claddais fy hun yn y gwely. Yn y pellter, lle'r oedd fy meddwl yn cyffwrdd â'm corff, clywn Miriam yn ei chau ei hun mewn cadwyn o eiriau mud.

53

DIM OND EI synhwyro a wnes i, yn gysgod tywyll drosom ein dau. Yn rhythu arnaf i yn gyntaf, ac yna ar ei wraig.

'Ydi hyn yn wir?'

Tawodd hi, a chafodd yntau ei gadarnhad.

'Bastad bach anniolchgar!'

Mi fyddwn wedi medru codi ar fy eistedd. Egluro. Nad oedd gen i ddim pasbort na phapurau pan gyrhaeddais Dun Laoghaire. Nad oedd gen i ddim ffordd o gael job iawn. Fy mod yn ofni dod adref. Fy mod yn poeni beth oedd Arfonia wedi'i ddweud wrth yr heddlu. Fy mod yn y diwedd wedi dechrau troi efo rhyw griw rhyfedd. Fy mod wedi gorfod gwneud pethau gwirion a phethau poenus – jyst i fyw. Nad oedd dim byd arall i'w ddisgwyl i hogyn o hôm ..

Ac eto...

Fy mod wedi trio callio. Fy mod wedi trio dianc adref. Ati hi. I wynebu pethau. I wneud iawn. Efo pasbort wedi'i ddwyn...

Fy mod yn mynd i ddweud y cyfan wrthyn nhw, fy nghymdogion da. Pan fyddwn yn saff. Pan allwn fod yn siŵr y byddai pobl Caersaint yn fy nerbyn...

Ond yn lle hynny daliais i orwedd ar wely priodasol digyffwrdd Arfonia, a synhwyro Trefor Spicer yn codi ei ddwrn ac yn ei deimlo'n dod â hi i lawr arnaf gyda holl ddicter tad wedi'i amddifadu.

Rhywbryd wedyn clywais Miriam yn fy ngadael. Doeddwn

i'n disgwyl dim llai. Sŵn ei throed a gwich y grisiau; tap–tap ei hesgidiau hyd y cyntedd oer. Sŵn goriad y drws yn cloi. Y sŵn cas, cyfarwydd.

Ond cyn hir roedd sŵn traed yn nesáu eto. Gwich y grisiau. Camau ysgafn hyd y landing. Llais yn erfyn:

'Pam na ddeudist ti?'

Agorais fy llygaid. Roedd ei llygaid hi fel clwyfau dwfn, duon. Ar flaen fy nhafod roedd y geiriau:

'Do'n i ddim isio byw efo'ch maddeuant chi.'

Ond ddywedais i ddim byd.

Roedd hi'n cicio'i hesgidiau oddi ar ei thraed. Yn dringo ataf i'r gwely. Yn ochneidio'n hir.

Caeodd ei braich yn dynn ac yn dyner amdanaf, fel petai'n cofleidio babi bach. Ond wedyn aeth i swatio yn erbyn fy nghorff, fel aderyn bach mewn nyth.

Pan agorais fy llygaid o'r diwedd, yr unig beth a welwn o'm blaen oedd y rhimynnau brith yn ei gwallt du.

54

ROEDD Y MWD yn codi dros ymyl fy esgidiau. Beth oedd ots am hynny? Mwd Coed Elen oedd o. Tir santaidd. A finnau'n dringo. Dringo'r grisiau. Dringo trwy lawr soeglyd y goedwig. Dringo dros y gamfa. Dringo trwy'r cae serth gwlyb.

Brawychu eto wrth rowndio'r gornel a gweld byddin o chalets gwyrddion a llygad mawr petryal ar dalcen pob un.

Ond doedd dim amser i oedi. Rhag ofn bod rhywun yn dod. Cymdogion. Cefnogwyr. Erlidwyr. Y saint i gyd.

Dringo ymlaen trwy'r cachu defaid. Dringo trwy fonion ffags a sbliffs, a thrwy hen ddail a bonion mes y dderwen.

Nes dŵad o'r diwedd at y goeden nad oedd wedi dechrau deilio eto.

Yr hen fordyn ar ddrws y castell smal. Rhybuddion tresmasu mewn llythrennau coch o dan y graffiti, haen ar ôl haen o enwau plant drwg.

Doedd torri i mewn ddim yn broblem i hogyn fel fi.

Rhwygo'r bordyn. Dringo i mewn i ganol y rwbel, a'r sbwriel. Tynnu'r bordyn ar fy ôl, i atal tresmaswyr.

Dringo gweddillion y grisiau. Swatio yn erbyn wal garreg y folly, a sbio ar Gaersaint trwy hollt yn y ffenest. Panorama fesul dipyn.

Sbio.

A sbio.

Y dref.

Y Fenai.

Y castell.

Twr yr Eryr…

Lle byddai baner liwgar Clwb Med yn codi cyn hir, ac yn chwifio'n llawn goruchafiaeth dros dref fy mreuddwydion.

Syched a'm daliodd yn y diwedd. Beth arall? Syched yn fy nhynnu i lawr o ben bryn y golygfeydd a'r graffiti, heibio i'r chalets llonydd, at y coed (ond nid fy nghoed i), trwy'r cae swings heb ynddo hogyn bach na mam heddiw, i lawr y grisiau, heibio i fwthyn Peilat Jones…

Syched yn creu tân gwyllt o flaen fy llygaid.

O ganol y tân gwyllt hwnnw y camodd Tonwen Bold. Yn cerdded at y bont o gyfeiriad Llanfairfaglan.

Rhith?

Na. Roedd y babi'n crio.

Cododd ei phen yn sydyn, edrych dros ei hysgwydd, a dychryn wrth weld dyn gwyllt o'r coed yn camu amdani lawr y grisiau.

Roedd hi'n dianc. Dros y bont. Yn ôl i Gaersaint.

'Tonwen!'

Roedd hi'n cyflymu. Doedd dim modd ei dal. Roedd y tân gwyllt yn ffyrnigo.

'Aros!'

Doedd gen i ddim llais. Roedd hi'n croesi'r bont. Bron â chyrraedd hanner ffordd.

Yn sydyn, fel gwyrth, caeodd y giatiau o'i blaen. Roedd hi'n garcharor! Roedd y tir oddi tanom yn symud. Y bont yn torri'n ddwy…

'Tonwen!'

Roedd hi'n troi yn ei hunfan. Y babi'n dal i grio. Y bont yn dal i symud, yn araf a rhugl dros wyneb y dŵr, rhwng dwy lan.

'Nesh i ddim hannar y petha 'na.'

Prin fod fy llais i'w glywed.

'Coelia fi!'

Ond doedd hithau ddim yn gwrando. Dim ond yn rhythu o'i chwmpas yn wyllt. Yn methu deall. Doedd dim rheswm dros rannu'r bont. Dim cwch yn dod i mewn. Dim cwch yn mynd allan.

'Dwi'n dy garu di, Tonwen!'

Brwydro drwy'r syched yn fy ngwddw…

Chdi fuodd pob dim i mi. Erioed.

Dy wyneb di.

Dy lais di.

Dy ffyrdd di.

Pan dwi'n dy weld, mae'n gwneud fy niwrnod i.

Pan dwi'n siarad efo chdi, mae geiriau'n golygu mwy.

Pan dwi fy hun, amdanat ti dwi'n meddwl.

Pan dan ni yng nghwmni'n gilydd, mae'r byd yn well lle.

Efo chdi, mae bywyd yn werth ei fyw.

Hebddat ti, Tonwen…

'Tonwen!'

Un floedd gariadus, hiraethus, fud.

Doedd hi'n clywed dim. Ddim hyd yn oed yn gwrando.

Na, roedd hi'n gwybod bellach pwy oedd ar fai. Yn camu at ddrws y caban wythochrog ac yn ei daflu'n agored. Yn cyhuddo'r ceidwad o chwarae gêms. Chwarae Duw…

Na. Chwarae rhywbeth arall mae o, Tonwen. Chwarae taid…

A dyna Peilat Jones yn camu allan o'i gaban. Yn rhythu ar y ferch ifanc o'i flaen sydd yn ei herio. Her fawr ei fywyd.

Ac yna –

Crymu ei war. Camu i'w gaban. Gwasgu'r botwm. A gadael i'r ferch a'i babi fynd.

'Tonwen!'

Roedd y giatiau'n agor o'i blaen. Ond roedd hi wedi sefyll. Roedd hi'n oedi.

'Dwi isio chdi!'

Roedd hi'n troi. Ataf. Ac yn ysgwyd ei phen.

'Isio Caersaint wyt ti. Yr un fath â Medwyn.'

'Tonwen... '

'Isio Caersaint ydach chi'ch dau.'

55

ROEDD DRWS Y caban wythochrog ar led. Ond gwag oedd y caban bellach. Roedd y ceidwad ar ei ffordd yn ôl. At y bwthyn a smaliai fod yn gaer.

Ni thrafferthais fynd i'w ganlyn. Pwy oedd Peilat Jones, wedi'r cwbl? Hen ddyn a dreuliodd ei fywyd yn gwylio'r dŵr yn mynd dan y bont.

Sefais yno'n syllu ar Tonwen a'i merch fach yn mynd dan borth y dref. Syllu wedyn i ddyfroedd llonydd yr Abar. Adlewyrchiad Twr yr Eryr yn crynu fymryn yn y cerrynt. Dau alarch yn nofio heibio i'r Caffi Cwch, a'u plu purwyn yn dangos dim o ymdrech y traed.

Roedd syched yn fy ngorchfygu.

Doedd dim amdani ond boddi fy hun.

Yng nghwrw'r Mona.

56

CEFAIS GROESO TYWYSOGAIDD yn y dafarn. Doeddwn i'n disgwyl dim llai.

'Dyma fo wedi dŵad, wedi'r cwbwl!' galwodd Haydn Palladium. 'Catch Me If You Can!'

'Pwy?'

Roedd cwestiwn oesol Pen Menyn yn rhyw fath ar faddeuant, mae'n siŵr. Hynny, a Magnum yn llyfu'r piso llygod oddi ar odreon fy jeans.

'Lle ti 'di bod, del?' meddai Heulwen Hŵr. 'Dowch â wisgi mawr i'r hogyn. A bagiad o pork scratchings, mae o ar lwgu. Ty'd i fi gael dy gnesu di, babi!'

'Hei, dim chdi bia fo, Heuls!' cwynodd Haydn, gan gydio'n ei braich. 'Ty'd i ista'n fan hyn, boi bach, inni gael yr hanas budur i gyd, er dy fod ti'n drewi'n waeth na Pen...'

'Blydi ryffian bach!' hysiodd Phil Golff, a chymryd cam yn nes i wrando.

'Dechra o'r dechra,' meddai Haydn wedyn, a gwagio ail wisgi i lawr fy ngwddw. 'Efo'r gory details i gyd.'

Ac yno, yn seiat braf y Mona, a wisgi a chwrw'n fy llenwi eto, mi ffeindiais innau fy llais, a meddwi o'r newydd ar chwerthin a chymeradwyaeth fy nghyd-selogion.

Erbyn amser cinio roedd Haydn wedi penderfynu fy nghoroni, i wneud iawn am golli'r etholiad, a gwnaeth i mi eistedd ar stôl yng nghanol y bar ar gyfer y ddefod. Aeth Heulwen at y ffenest, a dadfachu un o'r llenni budur, gan ei hongian yn glogyn o gwmpas fy ysgwyddau, tra defnyddiodd Phil Golff ddarn o dinsel yn goron goch.

Haydn Palladium oedd yr MC, ac wedi araith ddramatig yn rhestru fy ffolinebau i gyd, camodd ataf a pheint o Brins yn ei law, a chan weiddi 'God Bless the Prince of Ales!' bedyddiodd fi trwy dywallt y cwrw dros fy mhen.

'Mi oedda chdi angan golch!' bloeddiodd Heulwen trwy ei chwerthin, a'r cwrw coch yn diferyd i lawr fy ngruddiau a chynhesu cnawd oer, lluddedig fy nghorff.

Canwyd cân y coroni gan Haydn Palladium a Magnum, ac i gloi'r ddefod rhoddwyd 'Yma o Hyd' ar y jiwcbocs, a chydganodd pawb y gytgan yn flêr ac allan o diwn.

I ganol y twrw, rhywbryd tua'r gytgan olaf, cerddodd Pepe i mewn yn chwifio rhifyn y diwrnod hwnnw o *Lais y Saint* uwch ci ben. Roedd y ddalen flaen yn datgan bod Medwyn y maer newydd yn dwyll i gyd...

'Cyflogi Iwcrenians, rhoi pasborts Polish iddyn nhw, talu llai na minimum wage yr EC a phocedu'r gwahaniaeth!'

Chwibanodd Phil Golff wrth weld llun Olena, er bod bloc o brint wedi ei osod dros ei llygaid, i guddio pwy oedd hi go iawn.

'I logan o lle ydi hi, Pepe?'

'Kiev.'

Edrychodd Pen Menyn yn ddi-ddeall.

'Tre'r ieir,' eglurodd Haydn.

Dechreuodd fflapian ci freichiau gan ganu I feel like chicken tonight, bob yn ail ag ebychu'n hunangyfiawn: 'Mi ddeudish i o'r dechra mai cythral drwg oedd o! Mochyn Môn, go home! Mae isio'i ecsbelio fo o'r dre 'ma am byth!'

'Yn jêl fydd o,' meddai Pepe. 'Reit drws nesa i Phase 1! Yn sbio trwy'i faria i mewn i offis Wogan-Williams!'

Ond doeddwn i ddim bellach yn gwrando. Nid yn unig am fod newyddion Babs yn hen newyddion i mi, fel yr oedd bob tro, ond gan fy mod wedi llithro oddi ar fy ngorsedd ddi-gefn yn swp ar lawr y bar.

Ac yno'r oeddwn i o hyd, a thafod Magnum yn llyfu'r cwrw oddi ar fy wyneb, pan ddaeth Babs Inc ei hun i mewn i ofyn am vox pops ar gyfer newyddion S4C y noson honno. Roedd y genedl gyfan, meddai hi, eisiau clywed barn y saint ar y tro diweddaraf yn saga'r maer.

Dim ond wedi iddi roi geiriau ac alcohol yng nghegau'r selogion, a sicrhau bod y lleisiau'n saff yng nghof ei theclyn, yr aeth Babs ati i'w ceryddu am fy ngadael ar y llawr. Ond chlywais i mohoni'n cadw danaf. Yn fy ngalw'n drysor prin o hogyn. Yn gariad i gyd. Yn annwyl ac anlwcus. Yn sant ifanc a chanddo lot o botensial… er gwaethaf pawb a phopeth.

Chlywais i ddim ychwaith glic ffals ei chamera wrth iddi dynnu fy llun ynghanol baw sodlau'r yfwyr, mewn pwll o'm cyfog fy hun. Nac ychwaith ei sŵn yn estyn ei Blackberry o boced ei brest, ac yn ffonio Bryn yr Ael i ddod i'm cario i Gaffi Besanti, at ofal mamol Almut.

5 7

PETH DIGON ADDAS, mae'n siwr, oedd mai i'r siop honno y dychwelais i brynu crysau-T at y Gwanwyn, ar ôl picio i sêl cau-lawr Woolworth i brynu anghenion at fy nhaith. Roedd pres Arfonia bron â darfod, a'r cannoedd olaf (a ddarganfu Miriam ym mhoced côt y Capten) wedi eu gwario ar gwblhau'r gwaith ar y tŷ.

Felly, yn siop Dr Barnardo prynais ddau grys-T am ddwybunt yr un: un glas tywyll ac arno logo wedi pylu, ac un gwyn, cymharol lân yr olwg. Doedd dim angen mynd i'w trio. Estynnais bumpunt i'r wraig wrth y til, ac wrth i mi wrthod y newid, craffodd hithau arnaf.

'Dwi'n dy nabod di, dywad?'

'Nacdach.'

Doedd hi ddim yn fy nghredu. Cododd ei sbectol a'i rhoi ar ei thrwyn.

'Ti'r un ffunud â rhywun.'

Ochneidiais. A dweud, er mwyn cael mynd:

'Y boi Jaman 'na, ella? Hwnnw oedd isio bod yn faer.'

'Ti'n iawn!' ebychodd. Ac ychwanegu: 'Blydi lembo!'

'Digon hoffus hefyd,' meddai wedyn.

Trois i adael, heibio i'r hen ddillad, a'u harogl sebon a thamprwydd. Ond doedd y wraig yn dal ddim yn gwbl fodlon.

'Nabod dy nain di, ta?' galwodd i'm cefn.

Bu bron i mi â smalio nad oeddwn wedi clywed. Cerdded allan, a dianc. Ond gwnaeth rhywbeth i mi oedi. Trois ati. Roedd y sbectol yn awr yn ei llaw, a'r gadwyn yn codi fel dwy fraich oddi ar ei mynwes. A sylweddolais mai dyma'r cyfle i gyffesu – a hynny wrth neb yn benodol.

'Does gin i ddim nain, chi.'

'Taw!'

Roedd hi'n llawn cydymdeimlad – yn nain ei hun, efallai – a chefais innau hwb o hynny.

'Mi o'n i'n meddwl bod gin i un. Ond doedd y DNA ddim yn cytuno.'

'Nag oedd?' meddai hi, yn gwrteisi i gyd.

'Wishful thinking oedd o,' meddwn wedyn. 'Rhoi dau a dau efo'i gilydd a gneud pump.'

'Ia,' ochneidiodd yr hen wraig, ac ysgwyd ei phen.

Yna amneidiodd at y til.

'Mi nest ti'r un fath efo'r T-shirts 'na.'

O gamu i Stryd Llyn, gwelais fod rhyw newid wedi bod yn y munudau diwethaf, a phrysurdeb blêr y bobl wedi troi'n llif unffurf, a phawb fel petaent yn tyrru i'r un cyfeiriad.

Roedd rhywbeth mawr yn bod.

Ymunais â'r dorf i gyfeiriad Penllyn, ac wrth nesáu at gyffiniau'r maes parcio aml-lawr gwelais fod damwain fawr wedi digwydd, a bod bws Arriva deulawr wedi mynd â'i ben blaen i mewn i siop Greenland Foods.

Roedd cornel wal yr archfarchnad wedi'i bwrw tuag i mewn, a rhan arall ohoni wedi dymchwel, ac roedd dau gar heddlu newydd gyrraedd a'u goleuadau gleision yn dal i fflachio. Yn y pellter clywn seiren ambiwlans.

Taenai heddwas ruban oren yn derfyn blêr o gwmpas safle'r ddamwain, ac roedd y saint fel defaid yn gwasgu eu cyrff yn erbyn y ffin simsan.

Roedd tafodau pawb ar dân. Camais yn nes, a gwrando arnyn nhw.

'Smash and grab, ond heb y grab.'

'Dreifar rhy ddiog i ddod allan cyn mynd i neud ei negas.'

Yn ôl pob golwg roedd mwyafrif y teithwyr yn ddi-anaf, a nifer ohonynt yn cael eu cysuro gan gydnabod. Rhegai ambell deithiwr yn huawdl, ac wrth symud yn nes clywais ferch yn wylo'n ddramatig i'w ffôn:

'Hwnna oedd y bỳs o'n i'n mynd i'w ddal, Mam.'

Ond mwynhad, nid pryder, oedd ar wynebau mwyafrif y bobl, a'r drasiedi-stryd wrth fodd eu calonnau. Roedd pobl Caersaint wedi hen fagu'r ddawn o fwynhau anffawd.

'Mi fydd 'na major claims, gei di weld,' meddai dynes ganol oed.

Amneidiodd ei ffrind, a dweud:

'Dwi'n beio'r Cownsil.'

Gan gadw o olwg yr heddlu, daliais i sefyll, a chael fy ngwefreiddio o'r newydd wrth wrando ar gôr ansoniarus y stryd, ac ambell un yn canu solo.

'Nine-eleven Caersaint!'

'O'n i'n meddwl mai bysus Crosville aeth i'r wal!'

'Dwi 'di clywad am merjo, ond mae hyn yn hurt!'

Wrth gwrs, chefais i ddim llonydd yn hir i fwynhau cwmni fy nghyd-saint, hyd yn oed ar fy mhrynhawn olaf. Pwy a gyrhaeddodd i ganol y twrw ond Babs Inc, a golwg orfoleddus arni wrth i stori fawr ymrithio o'i blaen. Ciliais o'i golwg, a syllu arni'n ysglyfaethu, ac yn anelu lens hir ei chamera at galon y ddamwain, a'i cheg beintiedig yn lledu ac yn lledu wrth iddi wrando ar y saint yn gwneud stori dda'n well.

Rhegais hi. A rhyw hanner maddau iddi.

Stori dda. Dyna oedd Babs ei eisiau.

Ond wedyn, meddyliais, onid dyna oeddem i gyd yn

chwilio amdano? Stori dda. A diwedd hapus. A'r unig wahaniaeth efo Babs oedd mai dechrau a chanol stori oedd yn bwysig iddi hi. Doedd dim ots gan Babs am ddiweddglo stori neb.

Hanner maddau neu beidio, cilio oddi wrthi wnes i eto heddiw, gan ddianc ar draws y ffordd i'r hen siop Kwik Save a elwid bellach yn Argol. Roedd yn gyfle i mi brynu ffôn – un â chysylltiad i'r we y gallwn ei ddefnyddio pan fyddwn yng Nghaerdydd.

Ond siop ar y naw oedd hon. Yn hytrach na nwyddau, yr unig beth yno oedd desgiau ac arnynt resi o gatalogau, a sgriniau digidol wrth ymyl pob un.

Camais at yr hogyn o'r enw 'Garym' a safai y tu ôl i'r cownter. Roedd golwg biwis arno a'i drem ar ddrws y siop. Bob hyn a hyn dangosai luniau'r ddamwain i'w gydweithwraig, wrth i'w ffrindiau eu hanfon ato trwy eu ffonau.

'Dach chi'n gwerthu ffôns?' holais.

'Sut dwi fod i wbod?' atebodd yntau'n swta.

'Isio prynu ffôn ydw i,' meddwn wedyn.

'Pryna un, ta,' meddai yntau.

Roedd ei gydweithwraig, Linda, wedi bod yn fy llygadu. Pwyntiodd hithau at y desgiau y tu cefn i mi, gan egluro bod angen i mi lenwi ffurflen gyda chôd o'r catalog, gan ddilyn esiampl y pensiynwr o Sais – unig gwsmer arall y siop – a oedd wrthi'n prynu torrwr cloddiau.

Bodlonais yn y diwedd ar ffôn Copper 3G, a nodi ei rif ar ddarn o bapur. Yna cerddais draw at y cownter i dalu amdano.

'Dan ni ddim yn cymyd cash,' meddai Garym.

'Be?'

'Lot o bres budur o gwmpas.'

Edrychais arno'n anghrediniol. Ac yna ar y papurau ugain punt crin yn fy llaw.

'Pres budur?' gwylltiais. 'Be ti'n ddisgwl efo cymaint o facha budur o gwmpas?'

Roedd Linda'n dal i'm llygadu. Cofiais fod yr heddlu y tu allan.

'Dim ond cardia mae *Argol* yn gymyd.'

'Does gin i ddim cardia. Ddim eto. Dwi ar fin symud...'

Torrodd Linda ar fy nhraws.

'Pwy'na wyt ti?'

Edrychais arni.

'Pwy?'

'Pwy'na. Ti'n gwbod.'

Ysgydwais fy mhen.

'Y boi maer 'na. Fo wyt ti?'

Mentrais amneidio, petai ond i gael dianc.

'O'n i'n meddwl!' gwenodd. 'Dy lun di ar wal bathrwm Mam. In the pink, ia?'

Trodd at Garym.

'Mi dala i drosto fo. Ac mi geith o roid cash i fi.'

Gwenodd arnaf.

'OK? Ond paid â dod yn ôl am refund.'

Wrth drosglwyddo'r ffôn yn ei focs i mi, dywedodd Linda:

'Mi oeddach di'n gymaint o laff adag y maer! Brynhill ti'n byw, ynde?'

Amneidiais.

'Tan pnawn 'ma.'

'Ty'd trwy'r cefn,' winciodd hi. 'Short-cyt.'

Ni chymrodd Rob unrhyw sylw wrth i Linda fy halio i gefn y siop, heibio i'r stordy lle'r oedd dyn canol oed ar ben ysgol, ac at ddrws argyfwng. O gyrraedd hwnnw, rhoddodd ei chefn ar ei draws a'i chynnig ei hun i mi.

Edrychais arni'n syfrdan. Dechreuodd hithau fodio fy nghrys.

Ceisiais ddweud wedyn nad Jaman Jones oeddwn i go iawn; mai rhywun gwahanol oeddwn i bellach.

'Dim otsh,' gwenodd Linda. 'Dan ni yma rŵan.'

Mi gymerodd sbel, a llawer iawn o'r hyn y byddai Babs wedi ei alw'n 'charm', i mi allu dianc trwy'r allanfa at Stryd y Priciau Saethu. Wnes i ddim arafu wedyn nes dod at bont Brynhill, a mater o raid oedd hynny, gan fod plant Ysgol Mabsant ar eu hawr ginio, ac yn nadreddu dros y bont ar eu ffordd i lawr i'r dref. Gadewais i'r llif gwyrdd-potel fynd heibio gan wrando ar eu sgwrs. Yr un sarhad smala, a'r rhegfeydd Besanti...

Arhosais iddynt fynd heibio, gan ddarllen yr arwydd newydd wrth fôn wal y ffordd osgoi yn siarsio 'Dim Dringo'. Yna croesais y bont. Roedd lleisiau'r plant yn dal yn fy mhen, a'r rheiny'n llenwi'r dibyn concrid oddi tanaf gan fy nghario tuag adref.

58

'GA I DY helpu di, washi?'
Roedd chwys yn gymysg â phridd hyd wyneb
Trefor, ac yntau ar ei benggliniau ar lawnt ifanc fy ngardd.
Gosodais fy sach gefn ar garreg drws Arvon Villa, a'r bag
plastig yn ei gysgod. Yna trois ato dan wenu.

'Dach chi 'di gneud eich siâr.'

Chwifiodd yntau ei law priddlyd o flaen ei wyneb.

'I be arall dwi'n da?'

'Faswn i ddim 'di medru gneud hebddach chi,' meddwn
wedyn. 'Efo'r gegin. A'r bathrwm. A'r ar' hefyd.'

'Anghofia fo,' meddai Trefor, a boddhad yn ei lygaid.

Cododd yn drafferthus ar ei draed. Roedd lleithder y
pridd wedi creu dau batshyn tywyll ar bengliniau ei ofarôl.
Archwiliodd y lawnt, a'r ymylon yr oedd wrthi'n eu torri â
chyllell enfawr, a chael ei fodloni.

'Peth digon drud ydi tyrff, ond mae o'n gynt o beth uffar
na dechra o'r dechra. Ac efo'r blydi derods yn y goedan acw,'
amneidiodd tua'r fasarnen a oedd yn ei gogoniant erbyn
hyn, yn llawn dail pinc tywyll, 'mi fasa'r hada 'di mynd cyn
cydiad. Blydi petha swnllyd. Chei di ddim trafferth fel'na yn
Gaerdydd.'

'Na,' ysgydwodd ei ben. 'Y peth pwysig oedd ei gael o i
lawr cyn diwadd mis Ebrill. Mis y power showers! Mi dyfith
fel cythral rŵan.'

Winciodd, a rhoi ei fys yn ei fwstásh.

'Cyn inni droi rownd mi fydd yn fatar o Flymo bob
bora Sul. Jyst pan fydd Lasarys yn agor ei geg a dechra'i
bregath!'

Gwenais.

'Mae ynta am fynd hefyd.'

'Yn ôl i Pacistan,' amneidiodd Trefor. 'I ganol y Mwslims. Lembo. Ella gwelith dy dad yna.'

'Mi fydd yn rhyfadd hebddo fo.'

'Pwy?'

'Lasarys.'

'Bydd. Rhyfadd o braf.'

Gwenais eto. A mentro:

'Mi fuodd o'n dda iawn efo fi.'

'Asu bach, dyna ydi job y cwd,' ffromodd Trefor. 'Tydan ni i gyd wedi bod yn ffeind efo chdi – a hynny heb fagan o gyflog.'

'Eniwe,' meddai wedyn, fel petai'n dal i siarad am yr un peth. 'Faint o'r gloch mae dy drên di?'

'Chwartar wedi pedwar. Syth drwadd i Gaerdydd.'

Trodd ei ben.

'Paid â disgwl i fi fynd â chdi!'

'Na…'

'Mae gin i betha i'w gneud.'

'Oes.'

'Dwi'n ddyn prysur.'

'Yndach…'

'A dwi'm isio clywad Mir yn udo eto! Mi griodd ddigon trwy'r blydi nos. Doedd hi na finna ddim angan shower bora 'ma.'

'Mae gin i dacsi'n dŵad i fy nôl i,' llwyddais i ddweud o'r diwedd.

Ond roedd Trefor wedi mynd ar ei liniau eto ac wedi plannu llafn ei gyllell mewn sgwaryn newydd o'r gwair parod.

'Dos i daflu dy blydi llwch, wir,' mwmialodd a'i gefn

ataf. 'Inni gael gwarad ar yr hen sguthan 'na un waith ac am byth. A picia mewn i'r Plas ar dy ffor' i lawr. Neu mi fydd wal y by-pass yn troi'n wailing-wall.'

'Dos!' meddai wedyn, gan fy synhwyro'n tindroi. 'Ti'n gneud y stryd 'ma'n flêr!'

Syllais ar ei gefn yn crymu dros y bordor, a'r awel yn codi cryman o wallt oddi ar ei ben brycheulyd. Yna trois fy nghefn arno.

Agorodd y giât yn ddi-wich, a chariais fy sach gefn drwyddi a'i rhoi i lawr wrth y postyn a farciai'r ffin rhwng Tremfryn ac Arvon Villa, a'r llwyn o rosod lliw machlud haul a oedd ar fin dod i'w flodau.

Dim ond ar ôl croesi'r stryd y mentrais edrych i gyfeiriad Trefor eto, a'i weld yntau'n bwrw cip dros ei ysgwydd, a thrywydd llydan o bridd yn ymestyn at ganol ei dalcen, fel ceg a honno'n galarnadu.

Camais i lawr y stryd. Roedd llwch Arfonia, er cyn lleied oedd yn weddill ohono, yn pwyso'n drwm yn y bag plastig yn fy llaw.

59

Safai Tonwen wrth y ffigysbren yn stryffaglio ag un llaw i agor y giât, tra daliai flwch ailgylchu gyda'r llall. Gosododd y blwch i lawr wrth ei thraed, oedi ar ei chwrcwd, cyn codi i'm hwynebu.

'Wedi dŵad i ddeud hwyl fawr?'

Amneidiais. Aeth saib chwithig heibio. Ymhen ychydig dywedodd hi:

'Mi oedd Miriam yn deud dy fod ti'n mynd i osod y tŷ.'

Amneidiais eto.

'Am ryw hyd. Dibynnu. Be ddaw.'

'Ella rentia i o fy hun. Mae fan hyn yn rhy fawr i dri ohonan ni.'

Ni ddywedodd ddim byd wedyn, dim ond codi ei phen a dal ei threm yn wastad. Doeddwn innau'n gallu gwneud dim ond edrych arni, ar groen gwelw ei hwyneb, a'i gwallt cwta, a'r llygaid gwyrddion oedd yn hardd i ryfeddu heddiw, a haul mis Mai yn eu goleuo.

'Pryd mae dy gyfweliad di?'

'Bora fory. Does gin i fawr o obaith. Ond o leia mi fydda i mewn lle gwell... '

Sychodd y poer yn fy ngheg.

'Gwell na fan hyn ti'n feddwl?' heriodd Tonwen.

Dolennodd ein golygon, a theimlais innau ias yn mynd drosof.

'Does 'na fawr o jobsys... ' mwmialais.

'Maen nhw'n chwilio am faer.'

Roedd cellwair yn ei llygaid. Gwenais, ac ymlacio rhywfaint.

'Mae 'na sôn bod Babs Inc am fynd amdani,' meddwn.

'Gora'n byd,' meddai Tonwen.

Edrychais arni'n ddiddeall.

'Dwi am fynd amdani fy hun,' meddai wedyn.

'Chdi?'

'Ia. Fi.'

Daeth fflach o hyder rhyfygus yr hen Tonwen i'w llygaid.

'Mae'n bryd i finna ddechra byw yn fy nhre fy hun. A dwi ddim ar drugaradd y lle gymaint â chdi.'

Ddywedais i ddim byd am funud. Dim ond edrych arni. Roedd y gwanwyn yn gweddu iddi. Teimlais fy ysbryd yn ysgafnhau – ac yn trymhau'r un pryd.

'Mi fasat ti'n faer ffantastig,' meddwn yn y diwedd – ac roeddwn yn ei feddwl o. 'Os oes 'na rywun yn gwbod am Gaersaint, chdi ydi honno.'

'Ac mae gin i Miriam yn gefn i mi,' meddai hithau'n falch. 'A Nain Sir Fôn, gryduras.'

Tawodd am funud. Daliais innau fy ngwynt, gan amau ei bod ar fin sôn am ei gŵr, ac am yr ymchwiliad a oedd yn dal i fynd yn ei flaen...

Ond dyna pryd y rhedodd ei mab allan o'r tŷ, a dod i stop sydyn wrth fy ngweld.

'Chdi!' ebychodd, a phleser sydyn yn ei lygaid.

Daeth llais Miriam o ddrws y tŷ, yn galw arno i beidio â styrbio'i fam.

'Ti 'di dŵad i chwara?' holodd Macsen yn frwd ar ei thraws.

Gwenais, a dechrau bodio fy watsh.

'Mae gin i drên...'

Galwodd Miriam:

'You can always get another train, Mr Lloyd George!'

Er gwaethaf yr ysgafnder yn ei llais, allwn i ddim meiddio sbio arni.

'Mae gin inna drêns hefyd!' daliodd Macsen ati i swnian. 'Digon ohonyn nhw! Yn tŷ. Ty'd! Ty'd i weld nhw! Presant gen Yncl Trefor. Rhai Hornby. Geith o chwara efo 'nhrêns i, ceith, Mam?'

Edrychodd Tonwen ar ei mab. A daliodd i edrych arno, tra syllai Miriam a'r bychan arnaf innau.

'Mae gin i joban reit bwysig i'w gneud,' mwmialais.

'Ar ben fancw!' meddwn wedyn, gan chwilio am ddihangfa. Os dihangfa hefyd.

Ond doedd gan Macsen ddim diddordeb yng nghopa craig Brynhill.

'A dod i'n tŷ ni ar y ffor' i lawr, ia? I chwara? Crash – efo trêns! Run fath ag efo sgetrics. Cofio?'

Gwenais. A'm gorfodi fy hun i edrych i fyw ei lygaid.

'Na,' meddwn, a gyrru fy llais i le cadarnach. 'Na, ddo i ddim heddiw, 'ngwash i.'

6 0

WRTH DDRINGO HEIBIO i gefn y Plas gwrandewais ar gri siomedig Macsen yn pylu yng nghyntedd y tŷ, wrth i'r drws gau. Cododd gwasgfa sydyn y tu mewn i mi.

Sadiais, a mynd i sefyll wedyn o flaen y plac o lechen Dinorwig ac estyn y permanent marker o boced tin fy jeans. Tynnais linell trwy 'Chomolungma' ac adfer ei enw iawn i'r bryn: 'Brynhill'. Ond heb y 'Parc'.

Camais yn fy mlaen. Doedd dim amser i betruso. Roedd gennyf ddyletswydd i'w chyflawni. Trên i'w ddal.

Esgynnais ar hyd y ffordd unionaf at y copa, gan ddringo o sil i sil yn y graig a chamu'n fras i osgoi'r eithin. Canolbwyntio ar godi un droed ar ôl y llall, heb gael fy nhemtio gan y meinciau na'u graffiti, na'm llygad-dynnu gan yr olygfa. Troi clust fyddar i sŵn traffig y ffordd osgoi a oedd fel sŵn hen wraig yn chwyrnu'n ysgafn...

Dim ond wrth i'r graig noethi yng nghyffiniau'r copa yr arafais, a chodi fy ngolygon at y gofeb. Ac wrth wneud hynny, a gadael i'm trem grwydro dros enwau'r bechgyn a gwympodd dros eu tref, llithrodd fy meddwl yn ôl at y bore Llun hwnnw saith mis ynghynt pan welais Olena'n crychu'i haeliau am nad oedd Med Medra wedi medru cadw oed.

Trois i wynebu'r olygfa am y tro olaf. Ond roedd honno hefyd fel petai am fy nal, a theimlais amser yn arafu wrth i'r harddwch glas, gloyw ruthro tuag ataf a llenwi fy llygaid, fy ffroenau, fy ngheg agored, ac yn cau amdanaf nes gwasgu'r gwynt o'm hysgyfaint, cyn llacio a gadael i mi anadlu eto at waelod fy mod...

Coronau gleision Eryri. Porfeydd gleision y tir. Y Fenai'n las arian. Ac ynghanol hyn i gyd, fel brenhines nad oedd yn fawr na mawreddog, ond eto'n urddas i gyd, ymgodai tref Caersaint, yn dyrau ac yn doeau, a'r rheiny'n disgleirio'n borffor las wedi glaw a haul y gwanwyn...

Gan deimlo'r dagrau'n pigo, trois i ffwrdd, a gwylio'r gwylanod yn angorau gwynion, symudol yn hofran rhwng môr a mynydd. A'm calon yn trymhau wrth glywed eu crio cyfarwydd.

Sobri wedyn wrth droi fy mhen a gweld baner goch, glas a gwyn Wogan-Williams yn hongian ar dalcen caled Phase 1. Roedd hi'n dal i hysbysebu 'Cartrefi ar Werth / Homes For Sale'. Ac wrth ei hymyl roedd yr hen falŵn fawr ar ffurf taflegryn.

Cododd ton o atgasedd y tu mewn i mi. Rhegais, a gwrando ar fy llais fy hun yn marw yn y dyfnder rhyngof a'r Doc. Ystyriais, am hanner eiliad, daflu fy nghorff fy hun i'w ganlyn.

Ond yn sydyn daeth atsain y rhegfeydd ataf yn ôl, a hynny, nid o'r dyfnderoedd islaw, ond o gyfeiriad y dref.

Erbyn i mi droi at Maes Glas, roedd y lleisiau wedi stopio rhegi ac yn dechrau canu – morio canu! – a llais tremolo Haydn Palladium yn hofran yn angylaidd uwchlaw gweddill y côr, wrth iddo godi'r canu ac arwain y saint mewn cân o deyrnged i Arfonia Bugbird. Requiem i'w nawddsant! Hoff emyn yr hen wraig! A'r geiriau'n cael eu camganu a'u camynganu ar bob tu, yn ôl athrylith y saint...

Mi glywaf drwynol lais
Yn galw arnaf i.
I ddod a golchi 'meiau gyd
Yn afon Menai i.

Cododd y gân yn flêr ac allan o diwn o'r Maes Glas, a waliau'r hen dref yn cynyddu'r sŵn fel uchelseinydd, nes ei fod yn codi i'r entrychion dros ben Brynhill gan lenwi fy nghlustiau innau.

Ac yn sydyn ymddangosodd wyneb Arfonia o'm blaen, a hithau'n ymuno'n gymodlon yn y canu, a finnau'n boddi yn nadlaith ei llygaid glas...

... Ffydd, gobaith, cariad pur a medd
A phob rhyw drefol fraint...

Yn sŵn lleisiau cymysg, hwyliog, herfeiddiol y saint, estynnais yr wrn o'r bag plastig. A chyda gweddi o ddiolch am ei bywyd, teflais lwch Arfonia Bugbird i'r awyr las.

Ymunais yn y pennill olaf, ond crygiodd fy llais wrth ganu am y 'cymod' a'r 'glanhad'. Felly sefais yno'n fud, gan wylio gweddillion fy nghymwynaswraig yn gwasgaru yn y gwynt, cyn ailymffurfio'n batrwm newydd, fel siafins hacarn yn tynnu at fagned, wrth i Gaeisaint eu tynnu atr'n ôl.

Yna, cyn darfod y gytgan olaf, cefnais ar y cytan. A dringo i lawr o ben Brynhill i ddal y trên.

CARYL·LEWIS
nawmis

yLolfa

£8.95

Comic gan

Y Dyn Dŵad

Alias, Myth a Jones

'Eicon!'
Elinor Jones, *Wedi Tri*

y Lolfa

£6.95

Y Dŵr

"Nofel ysgytwol a gafaelgar sy'n wahanol i ddim a ddarllensoch o'r blaen"
John Rowlands

Lloyd Jones

y Lolfa

£8.95

Am restr gyflawn o lyfrau'r Lolfa, mynnwch
gopi o'n catalog newydd, rhad
neu hwyliwch i mewn i'n gwefan

www.ylolfa.com

lle gallwch archebu llyfrau ar lein.

TALYBONT CEREDIGION CYMRU SY24 5HE
ebost ylolfa@ylolfa.com
gwefan www.ylolfa.com
ffôn 01970 832 304
ffacs 832 782